TUDO TEM SEU
PREÇO
NOVA EDIÇÃO

© 2002, 2018 por Zibia Gasparetto
© iStock.com/egorr

Coordenadora editorial: Tânia Lins
Coordenador de comunicação: Marcio Lipari
Capa e projeto gráfico: Jaqueline Kir
Preparação e revisão: Equipe Vida & Consciência

1ª edição — 53 impressões
2ª edição — 3ª impressão
3.000 exemplares — novembro 2022
Tiragem total: 614.000 exemplares

CIP-BRASIL — CATALOGAÇÃO NA PUBLICAÇÃO
(SINDICATO NACIONAL DOS EDITORES DE LIVROS, RJ)

L972t

Lucius (Espírito)
Tudo tem seu preço / Zibia Gasparetto ; pelo espírito Lucius. -
[2. ed.]. - São Paulo : Vida & Consciência, 2018.
352 p. ; 23 cm.

ISBN: 978-85-7722-558-3

1. Romance espírita. I. Gaspareto, Zibia. II. Título.

| 18-48834 | CDD: 133.93 |
| | CDU: 133.9 |

Todos os direitos reservados. Nenhuma parte desta edição pode ser utilizada ou reproduzida, por qualquer forma ou meio, seja ele mecânico ou eletrônico, fotocópia, gravação etc., tampouco apropriada ou estocada em sistema de banco de dados, sem a expressa autorização da editora (Lei nº 5.988, de 14/12/1973).

Este livro adota as regras do novo acordo ortográfico (2009).

Vida & Consciência Editora e Distribuidora Ltda.
Rua das Oiticicas, 75 — São Paulo — SP — Brasil
CEP 04206-001
editora@vidaeconsciencia.com.br
www.vidaeconsciencia.com.br

TUDO TEM SEU PREÇO

NOVA EDIÇÃO

ZIBIA GASPARETTO

Romance ditado pelo espírito Lucius

CAPÍTULO 1

Marcelo entrou em casa batendo a porta com força. Foi ao banheiro, lavou o rosto, enxugou-o e respirou fundo, tentando se acalmar. Precisava controlar a emoção. Não podia deixar-se dominar por aquele impulso destrutivo. Afinal, ele era uma pessoa equilibrada, estava acostumado a servir de exemplo para os outros.

No trabalho, quando alguém se irritava ou discutia, os colegas diziam:

— Como você é descontrolado! Olhe para Marcelo. Por que não faz como ele?

Em casa, sempre que havia uma discussão entre os pais ou os três irmãos, Marcelo era logo chamado para apaziguar.

— Não vale a pena se irritar — dizia ele com voz calma. — Não vai resolver mesmo!

Falava com tanta certeza que os ânimos logo se acalmavam.

Até Lúcia, irmã de seu amigo Gérson, procurava-o para pedir conselhos quando brigava com o namorado, e ele a orientava para que tudo voltasse a ficar bem.

Marcelo gostava muito de ser bondoso. Quando alguém lhe pedia um favor, por mais difícil que fosse, ele se esforçava para realizá-lo, ainda que para isso precisasse deixar de lado alguma coisa pessoal que considerasse importante.

Achava bom quando os outros diziam:

— Obrigado, Marcelo! Como você é bom! Obrigado por você existir!

Ele meneava a cabeça negando, mas seus olhos brilhavam de prazer. Ele era bom! As pessoas o amavam!

Olhou-se no espelho: seu rosto e seus olhos estavam vermelhos. Lembrou-se de uma conversa que ouvira tempos atrás:

— Vamos falar com Marcelo. Ele faz!

— Acha que ele topa?

— Claro! É só dizer que há alguém doente na família e pronto! Aproveite, porque sei que ele recebeu ontem.

— E se ele desconfiar?

— Ele nunca pensa mal de ninguém! Elogie bastante, comova-se, diga-lhe o quanto ele é bom. Garanto que ele nem vai querer saber detalhes. Dará logo o dinheiro.

Apesar de ter ouvido tudo, quando o amigo veio lhe pedir a quantia, ele não teve jeito de dizer "não". Deu o dinheiro!

Marcelo abriu a torneira e lavou novamente o rosto. Precisava esfriar a cabeça. As pessoas eram maldosas, incapazes de compreender um gesto de bondade. Pagavam o bem com o mal.

Suspirou tentando resignar-se. Reconhecia que sempre fora rodeado de pessoas ingratas. Justamente aquelas pelas quais mais se sacrificara eram as que o tratavam com desprezo, indiferença e até certa agressividade. Em casa ele sempre ficava por último em tudo. A necessidade dos outros vinha em primeiro lugar. O importante era que os outros ficassem felizes.

Nos feriados, o plantão da empresa precisava ser atendido e havia um rodízio. Mas, fosse quem fosse designado, quem acabava ficando era sempre Marcelo. Seja no Natal, no último dia do ano, até no seu aniversário. É que, se alguém lhe pedisse para substituí-lo, ele se colocava no lugar do companheiro e resolvia sacrificar-se. Era pessoa de sentimentos!

Acreditava que precisava fazer o bem sem esperar recompensa. Esse era seu valor, seu alimento. Dentro do sacrifício, sentia-se bem. Admirava-se de sua bondade. Sentia-se valorizado, cumprindo com seu dever.

Mas aquele dia tinha sido a gota d'água: havia visto sua namorada saindo do cinema de braço dado com outro rapaz. À tarde, ela lhe telefonara avisando que tinha apanhado um resfriado e que não poderia sair com ele naquela noite. Ele acreditara.

Porém Gérson, amigo e companheiro de trabalho, fora procurá-lo em casa para contar-lhe que estava sendo enganado. Sem querer acreditar, Marcelo acompanhou o amigo até o cinema e a viu sair trocando carinhos com Valdo.

Sentiu vontade de aparecer na frente deles, gritar sua raiva e esmurrá-los. Mas ficou parado, enquanto o amigo irritado o incitava a reagir:

— E então? Não vai dar uns tapas nesses dois? Ele sabe que ela é sua namorada! Estão rindo de você! Vai deixar isso barato? Vamos lá, que eu ajudo!

Mas Marcelo parecia chumbado ao chão. Ficou olhando quando eles passaram. Mirtes olhou para ele e fingiu que não o conhecia. Foi-se embora, pendurada no braço do rapaz, conversando animadamente.

Quando o casal entrou no carro estacionado perto e se foi, Gérson não se conteve:

— Você é muito frouxo! Como pode deixar passar uma coisa dessas? Todo mundo fala mesmo que você é um bunda-mole! Não tem vergonha nessa cara? Amanhã eles vão espalhar que você é um trouxa! E eu vou confirmar!

Marcelo saiu correndo e foi para casa. Queria bater naqueles dois. E também em Gérson e em quem aparecesse à sua frente. Mas conteve-se.

Respirou fundo e tentou esquecer aquela cena horrível. Mas não conseguiu. Deitou-se e não pôde dormir. As palavras do amigo voltavam à sua mente e ele se remexia na cama inquieto.

Na manhã seguinte, quase perdeu a hora do trabalho. Levantou--se, lavou-se e vestiu-se rapidamente. Quando se sentou à mesa do café, Iolanda disse assustada:

— O que foi, meu filho? O que você comeu ontem? Seu rosto está todo pipocado, vermelho.

Marcelo sentiu ligeira tontura. Passou a mão no rosto.

— Está coçando. Quase não dormi esta noite.

— Parece intoxicação. É melhor ir ao médico.

— É. Eu vou. Não estou me sentindo bem mesmo.

— O que você comeu ontem? Eu vivo avisando. Vocês comem essas porcarias nas lanchonetes e nem sabem como foram feitas. Só pode dar nisso.

Marcelo levantou-se e foi olhar-se no espelho. Seu rosto estava ligeiramente inchado e cheio de pintinhas vermelhas. Concluiu que ir ao médico seria mesmo uma boa solução. Àquela hora, Gérson já deveria ter contado aos colegas o que acontecera na véspera.

Telefonou ao médico e marcou a consulta. No final das contas aquele adoecimento viera a calhar. Se tivesse sorte, poderia ficar alguns dias em casa e quando voltasse ao trabalho, seus colegas já teriam esquecido o desagradável incidente da noite anterior.

Nem pensou em ligar para a namorada. Para quê? Sentia-se envergonhado pela cena que presenciara. Nunca mais iria vê-la. Isso bastaria para que ela entendesse que ele não aceitava traição.

Gostava de Mirtes. Estavam namorando havia mais de seis meses, e Marcelo pensara até em ir falar com o pai dela e namorar em casa.

Uma sensação de fracasso o acometeu. Por que para ele nada dava certo? Ele fazia o melhor que podia, mas tudo saía errado.

Foi ao médico e, conforme desejava, conseguiu uma semana de licença.

Em casa, comendo a comida insossa da dieta que o médico recomendara, assistindo à televisão, sentia-se desanimado e infeliz.

Entretanto, ninguém podia saber que ele se sentia derrotado. Quando alguns amigos ligavam, dizia que estava melhorando e aproveitando para descansar.

Recebeu alta do médico e deveria voltar ao trabalho no dia seguinte. À noite, estava em casa e o telefone tocou. Ele atendeu e ouviu:

— Marcelo? É Mirtes. Como vai? Já sarou?

O coração dele disparou. Respondeu com voz insegura:

— Já, obrigado. Amanhã volto ao trabalho.

— Você está bem?

— Estou.

— Pois eu não. Sinto-me infeliz, estou sofrendo muito. Preciso falar com você, explicar...

— Tudo está claro. Não há nada a explicar.

— Mas eu quero. Desde aquela noite não tenho dormido. Não sei como fiz aquilo! Por favor, precisamos conversar.

— Para quê? Acho que não há mais nada entre nós. Está claro que você prefere Valdo. Aliás, as garotas ficam logo caidinhas por ele. Aconteceu com você.

— Não é isso, não — respondeu ela chorando. — Não faça isso comigo. É de você que eu gosto. Quero conversar. Não me negue esse favor. Venha, estou esperando.

Ele hesitou, depois resolveu:

— Está bem, eu vou.

— Estarei esperando no lugar de sempre.

Quando desligou o telefone, arrependeu-se de haver prometido. A raiva ainda não havia passado. Mas ela estava chorando, arrependida, sofrendo, e ele não poderia ignorar o sofrimento dela.

Aprontou-se e foi ao encontro. Vendo-a, notou logo que estava abatida, havia chorado muito. Ficou sensibilizado.

— Desculpe o que fiz — disse ela. — Desejo pedir-lhe perdão. Agi sem pensar. Valdo me convidou e eu tive vontade de ir. Mas, assim que vi você na saída, me arrependi.

— Sua atitude na hora não mostrava isso.

— As pessoas estavam olhando. Gérson estava com você. Acho até que foi ele quem lhe contou.

— Ele é meu amigo.

— Ele gosta de ver o circo pegar fogo, isso sim. Mas agora não importa. Na hora fiquei tão chocada que não tive coragem para reagir. Fomos embora, mas, assim que chegamos em casa, disse a ele que era de você que eu gostava e que nunca mais desejava vê-lo.

O semblante de Marcelo distendeu-se:

— Você fez isso mesmo? Disse a ele que gostava de mim?

— Disse. Ele insistiu, ficou nervoso, mas eu não cedi.

— Por que não me procurou para dizer isso? Esperou todos estes dias?

— Queria procurá-lo logo no dia seguinte, mas tive vergonha. Soube que estava doente e fiquei muito preocupada. Hoje não aguentei e resolvi ligar.

Mirtes abraçou-o e continuou:

— Não suportava mais a saudade de você! Diga que me perdoa e que vamos continuar nosso namoro!

Ele sentia o calor do corpo dela junto ao seu e o perfume gostoso de seus cabelos. Não resistiu e beijou-a nos lábios demoradamente. Aquele beijo tinha para ele um misto de prazer e de dor que não sabia descrever. Foi mais saboroso do que todos os outros. Decidiu:

— Vamos esquecer o que passou. Só espero que você nunca mais faça aquilo.

— Amanhã gostaria que fôssemos à festa de aniversário de Nicinha. Quero que todos vejam que, apesar de tentarem nos separar, nosso amor é mais forte.

— Quer mesmo ir? E se Valdo estiver lá? Ele é amigo dela.

— Ele terá certeza de que não quero nada com ele.

Marcelo concordou. Seria bom mostrar àquele conquistador barato que era dele que Mirtes gostava de verdade, que só porque Valdo era boa-pinta, tinha carro do ano, dinheiro e fama de irresistível, todas as garotas suspiravam por ele, mas Mirtes resistira. Mirtes preferira-o a ele e dissera isso com firmeza. Sentiu-se um herói. Ele levara a melhor, ficara com a menina.

— Está bem. Iremos.

Despediram-se no portão da casa dela. Depois que ele se foi, Mirtes entrou e encontrou a irmã à sua espera.

— Pelo jeito, você conseguiu! Nunca pensei que ele fosse tão bobo.

Ela deu de ombros:

— Ele é fácil de manejar. Aquele sem-vergonha do Valdo vai ver só. Vou passar na frente dele aos beijos com Marcelo.

Alzira começou a rir:

— E você acha que ele vai ligar?

— Valdo verá que não preciso dele. Tenho quem me queira.

— Se ele estiver com aquela loira com quem estava ontem, nem vai enxergar você.

— Chega de falar nela. Só em pensar, o sangue me sobe.

— Você é boba de se iludir com Valdo. Ele é volúvel e nunca se interessou a sério por ninguém. Dizem até que ele anda com aquela mulher casada que sempre aparece na revista. Como é mesmo o nome dela?

— Não acredito em nada disso. É intriga. Inveja dos rapazes, por ele ser tão bonito e rico. Se soubesse como ele beija…

— É assim que ele faz. Assanha as meninas e depois as larga. Se eu fosse você, tirava esse cara do pensamento. Ele não serve para nada. É fútil e mulherengo. Deixou-a tão apaixonada que você está metendo os pés pelas mãos. Seria mais decente se deixasse Marcelo em paz. Ele é pessoa de boa-fé, não merece ser enganado dessa forma.

Mirtes deu de ombros:

— Quem manda ser bobo? O mundo é dos espertos. Ele que aprenda a se defender. Estou fazendo o que acho bom para mim. Valdo me desprezou, e não vou deixar isso passar tão facilmente. Ele ainda vai voltar, você vai ver.

— Não creio. Ele não serve para você. Insistir só vai lhe causar aborrecimento.

— Vire essa boca para lá. Você nunca concorda com o que faço.

— Só faz coisas erradas e sempre acaba se machucando. Quando vai aprender?

— Quem é você para saber o que é bom para mim? É mais nova do que eu e acha que sabe mais.

— Tudo bem. Não está mais aqui quem falou. Faça como quiser. A vida é sua. Se preferir um abacaxi, terá de descascá-lo.

Mirtes virou as costas e foi para o quarto. Precisava pensar no vestido que usaria na festa de Nicinha. Tinha de ficar linda!

***

No dia seguinte, Marcelo voltou ao trabalho. Gérson, em companhia de outros colegas, estava conversando na porta de entrada. Vendo Marcelo aproximar-se, perguntou com ar de deboche:

— Então, já curou a dor de cotovelo?

Marcelo parou, sorriu com ar de superioridade e respondeu:

— Que dor de cotovelo?

— A que o deixou de cama todos estes dias. Ou foi a vergonha?

Enquanto os demais sorriam maliciosos, Marcelo tornou:

— Para seu governo, o que eu tive foi uma intoxicação.

— É, engolir a raiva intoxica mesmo.

Marcelo ficou sério:

— Olhe aqui. Não gosto dessas insinuações. É bom que saibam a verdade. Valdo convidou Mirtes para ir ao cinema, ela ficou tentada e foi. Mas foi até bom, porque ela percebeu que ele não é nada do que as garotas dizem por aí. Reconheceu que é de mim que ela gosta. Deu o fora nele e veio correndo me pedir perdão.

— Ha-ha! E você, claro, perdoou. Essa, contando ninguém acredita! Só você mesmo!

— Você diz isso porque está decepcionado. Correu a me chamar para ver os dois saindo do cinema. Está claro que deseja nos ver separados. Por quê? Está interessado nela?

— Essa eu não quero nem coberta de ouro. É mentirosa, interesseira. Como pode ser tão confiante? Sabe o que mais? Logo no dia seguinte em que eles foram ao cinema, Valdo conheceu uma loira fenomenal e se agarrou nela. Desde esse dia, não a largou mais. Foi isso. Mirtes não deu o fora nele. Foi ele que a largou, como faz com todas. O que ela não quer é ficar na mão. Como não deu certo, voltou para você correndo. Afinal, mais vale um pássaro na mão do que dois voando...

— Não adianta falar com você. Depois, ninguém tem nada com minha vida. Sei o que estou fazendo. E sabe o que mais? Está na hora de trabalhar. Vou entrar.

11

Marcelo afastou-se, mas ainda ouviu alguns comentários que eles fizeram entre si e sentiu-se humilhado. Seria verdade mesmo? Mirtes teria mentido?

Sentiu vontade de ligar para ela e desfazer o compromisso da noite. O que eles falavam podia ser verdade. Valdo era assim mesmo. Um sentimento insuportável de fracasso o acometeu. Mirtes só o procurara porque fora desprezada.

De certa forma, sentia-se vingado. Ela preferira o outro e fora abandonada. Bem feito! Teve vontade de acabar com o namoro e mostrar para os colegas que ele não se deixara enganar pelas lágrimas dela.

Mas e se ela estivesse arrependida mesmo? E se ela, ao compará-lo com Valdo, houvesse percebido sua sinceridade, sua bondade, e o estivesse valorizando? Ele era um moço honesto, amoroso, sincero, enquanto Valdo era farrista, volúvel. Certamente Mirtes voltara a procurá-lo porque reconhecera suas qualidades.

Resolveu deixar tudo como estava. Iria ao aniversário de Nicinha com ela.

***

A festa estava animada e, assim que entrou, Marcelo notou que os colegas presentes comentavam sobre algo entre si. Mirtes estava linda. Nunca a vira tão bela e elegante. Diante de sua admiração, ela dissera:

— Esta é uma noite especial. Temos de comemorar. Desejo que todos saibam o quanto nos amamos e que estamos mais unidos do que nunca!

Ele se sentia orgulhoso e comovido. Ela se embelezara toda para ele! Fora ao cabeleireiro, vestira-se com apuro. Era a moça mais bonita da festa. Ela tinha razão: todos precisavam saber que era dele que ela gostava.

Satisfeito, Marcelo cobria-a de atenções e ela correspondia mostrando-se amorosa como nunca.

Quando Valdo entrou, Marcelo notou o murmúrio entre as mulheres. Estava acompanhado por uma loira muito elegante e bonita. Apesar de sentir uma ponta de ciúme, Marcelo foi forçado a reconhecer que era uma mulher maravilhosa. Ouviu alguém dizer:

— É aquela modelo alemã que está estreando como atriz. Veio filmar no Brasil algumas cenas do filme que está fazendo. Como é mesmo o nome dela?

Ninguém sabia ao certo. Mirtes fez o possível para encobrir o despeito. A entrada triunfal deles deixou-a de mau humor. Agarrou-se a Marcelo dizendo:

— Vamos dançar, venha.

O conjunto tocava uma música romântica e Mirtes agarrou-se a Marcelo, encostando o rosto em seu peito. Ele sentia o corpo dela colado ao seu e só tinha olhos para ela. Nem sequer notou que Mirtes de vez em quando olhava furtivamente para os lados, procurando saber onde Valdo estava.

De mãos dadas com a loira, Valdo conversava animadamente com os pais da aniversariante. Seu sucesso não era só com as mocinhas, mas também com os mais velhos. Onde quer que aparecesse, era sempre bem recebido. As pessoas apressavam-se em cumprimentá-lo, dar-lhe atenção. Os garçons serviam-no melhor e em primeiro lugar.

Pararam de dançar e Marcelo notou que os olhos de Mirtes acompanhavam Valdo, detendo-se nele. Sentiu um aperto no peito. Não se conteve:

— Você não tira os olhos de Valdo.

— Estava olhando para ela. Ouvi alguns comentários no toalete.

— É linda! E ele parece muito interessado nela.

— É, mas logo ela volta para a Europa e ele vai ficar na mão.

— Bobagem. Ele trabalha na empresa da família, tem dinheiro. Se quiser, pode ir atrás dela. Pelo jeito, é o que vai acontecer...

Ela se irritou:

— Não sei o que vocês veem nessa loira aguada! Só porque ela é artista, todo mundo fica logo de queixo caído. Pois para mim isso não vale nada. É uma mulher comum, como qualquer outra.

— Você não tem por que sentir ciúme dela, afinal é muito bonita também. Para mim, você é até mais bonita do que ela!

— Conheço você! Diz isso só para me agradar. Pois não precisa, ouviu? Seu fingido! Não gosto de mentiras. Não pode deixar de ser bonzinho pelo menos uma vez na vida?

— Por que está brigando comigo? O que foi que eu fiz?

Ela fez um gesto de contrariedade e respondeu:

— Nada. Você nunca faz nada. É perfeito. Esta festa está uma porcaria. Vamos embora. Não aguento mais isto.

— Espere aí. Até agora a festa estava maravilhosa. O que mudou?

— Nada mudou. Eu quero ir embora.

Saíram. Durante o trajeto, Mirtes ia calada e pensativa. Valdo não pareceu sequer tê-la notado. Era irritante a maneira como ele olhava para a loira e o sucesso que ele fazia em todos os lugares.

O que mais irritava Mirtes era que ele parecia não fazer nada e, no entanto, as pessoas circulavam à sua volta como abelhas no mel. Era muita sorte! Ela nunca vira uma pessoa tão privilegiada!

Marcelo tentou conversar:

— Não entendo você. Estava tão animada, cheia de amor, de carinho. De repente mudou: achou tudo ruim, ficou mal-humorada. Aconteceu alguma coisa que não vi?

— Aconteceu, sim. Aconteceu que de repente aquela festa ficou sem graça. Esperava tanto desta noite… Estou decepcionada. Não tenho vontade de conversar.

— Não é possível. As pessoas não mudam assim de uma hora para outra. Deve haver uma razão. Gostaria que contasse.

— Estou com sono. Quero chegar logo em casa.

Ele acelerou o carro e em poucos minutos chegaram. Com um beijinho ligeiro na face e um boa-noite, Mirtes desceu do carro, abriu o portão do jardim e entrou sem olhar para trás.

Marcelo ficou aborrecido. O que estaria acontecendo com ela? Por que aquela mudança com relação a ele? Teria ficado com ciúme de Valdo?

Sentiu um aperto no peito. Não. Ele se recusava a acreditar naquilo. Mirtes demonstrara que era dele, Marcelo, que ela gostava. Fora carinhosa como nunca. Ele preferia acreditar que ela realmente se sentira cansada e se entediara na festa.

Ele mesmo sentira-se incomodado com as atenções que todos davam a Valdo. Não era justo. Só porque ele era rico e tinha boa aparência, todos o cumulavam de gentilezas. Nem os donos da casa sabiam o que fazer para agradá-lo. Desde que apareceu, ele havia sido o centro das atenções. De uma forma ou de outra, todos se interessaram pelo que ele falava, fazia, com quem ele estava, como estava vestido.

Era o cúmulo. Pensando bem, lá estavam rapazes bem vestidos e tão bonitos quanto ele. Por que as pessoas o endeusavam?

Sentiu uma ponta de inveja. O que ele tinha que os outros não tinham? Ele não era rico como Valdo, mas sua família era de classe média. Seu pai era um executivo que trabalhava para uma grande empresa, com alto salário.

Ele mesmo havia se formado em administração de empresas, trabalhava havia três anos em uma conceituada firma, com bom salário e acentuadas possibilidades de progresso. Havia começado lá quando cursava o último ano da faculdade, já pensando na possibilidade de fazer uma carreira em sua área.

Tinha consciência de que era um bom partido para qualquer moça. Formara-se aos vinte e quatro anos, estava bem empregado, era generoso, correto, delicado, honesto, gentil. Por que ninguém reconhecia isso e tinha sempre de levar a pior? Por que Valdo, que era leviano e não levava nada a sério, era sempre bem-visto?

E, ao contrário de Marcelo, Valdo nem precisou conquistar um emprego, uma vez que trabalhava nas empresas do pai, o que equivale a dizer que não tinha de se esforçar. Aliás, já ouvira comentários de que ele nem precisava cumprir horário. Podia dormir até tarde, que no dia seguinte só comparecia ao trabalho depois do almoço.

Marcelo chegou em casa desanimado e triste. A vida era injusta. Fora visível a mudança de Mirtes depois que Valdo chegou à festa com a loira.

Um pensamento incomodou-o: teria ela se embelezado toda por causa de Valdo? Estaria, como tantas, interessada nele?

Nesse caso, seria melhor acabar com o namoro. Não se sentia disposto a conviver com essa desconfiança. Seus amigos tinham razão. Ela o usara e ficara mal-humorada porque as coisas não saíram como ela gostaria.

Deitado em sua cama sem poder dormir, Marcelo percebeu tudo com clareza. Ela era falsa e interesseira. Gérson estava certo. Ele fora um fraco.

Remexeu-se na cama e o sangue subiu em seu rosto. Por que não reagira quando os viu saindo do cinema? Ele não era covarde. Por que ficara parado e engolira a afronta?

Ele precisava reagir. Estava cansado de ser desvalorizado, passado para trás, deixado de lado. Dali para a frente seria durão. Não deixaria passar nada. Se alguém o ofendesse, responderia à altura. Precisava mostrar a todos que não era o covarde que parecia ser.

Mirtes iria ver que ele não era o bobo que ela imaginava. Confortado por esse pensamento, finalmente conseguiu adormecer.

CAPÍTULO 2

Valdo remexeu-se na cama, consultou o relógio na mesa de cabeceira e tentou reagir. Precisava se levantar. Havia dormido muito tarde na noite anterior, mas mesmo assim não podia perder a hora.

Fez um esforço, levantou-se, tomou um banho rápido, engoliu o café sem muita vontade, mais para ajudar a acordar, pegou o carro e saiu. Passava das nove, e ele costumava chegar ao escritório da fábrica no máximo às nove e meia.

Antes desse horário, ele já estava em seu escritório, pronto para tomar conhecimento dos assuntos do dia.

Seu pai o colocara na empresa desde menino, orientando-o sobre os negócios, fazendo-o conscientizar-se de que tudo aquilo lhe pertencia por direito.

Desde cedo, o garoto demonstrou interesse pelo trabalho, facilidade para aprender, vontade de assumir os negócios no futuro.

Tornou-se assim motivo de admiração e orgulho do pai, doutor Péricles, que com a morte do pai recebera uma herança que daria para ele e a família viverem pelo resto da vida sem precisarem trabalhar.

Mas Péricles era jovem e cheio de ideais. No ano de 1945 a guerra havia terminado e o mundo estava passando por grande transformação. Por toda parte havia grande euforia, e tanto o comércio quanto a indústria cresciam vertiginosamente. As descobertas científicas ocorridas durante os anos de guerra apareciam nos projetos empresariais, tornando o progresso acessível a todos.

Péricles, depois de uma viagem aos Estados Unidos, ficou fascinado com o que viu por lá, onde, além dos aparelhos de rádio, despontava a televisão.

Ele ficava empolgado ao passar pelas lojas em Nova Iorque, vendo o povo parado em êxtase diante de uma vitrine onde havia um aparelho de televisão ligado. Era caro, mas ele sabia que em pouco tempo as pessoas fariam tudo para ter um em casa.

Quando voltou ao Brasil, resolveu montar uma fábrica de aparelhos de rádio. Adquiriu um grande terreno e construiu um prédio pequeno onde começou a fabricar material elétrico.

Engenheiro civil por formação, ele sabia que o elemento técnico era importante para sua empresa. Contratou gente jovem, tão interessada quanto ele em pesquisas e novas abordagens.

O crescimento de seus negócios foi vertiginoso. Quando se casou com Almerinda, já era conhecido nos meios empresariais como um profissional honesto, capaz e respeitado.

Os aparelhos de rádio e eletrodomésticos que montava, fabricava e vendia eram muito apreciados. Todos os anos lançava novos modelos mais aperfeiçoados que faziam estrondoso sucesso.

Nesse ambiente de progresso e otimismo nasceu Valdo. Era natural que o entusiasmo de seu pai o contagiasse. Desde cedo aprendeu os segredos da eletrônica, e, embora conhecesse muito, não parou ali. Formou-se administrador de empresas com a aprovação dos pais, que pretendiam que ele gerenciasse a companhia.

Rapaz bonito, inteligente, alegre e agradável, conquistava admiração e amizade onde quer que fosse. Havia nele certo carisma que o tornava muito atraente.

Apesar de bajulado pela maioria das pessoas, Valdo não se impressionava. Para ele, a admiração delas era natural. Reconhecia que tinha boa aparência, dinheiro, inteligência e pais maravilhosos.

Tratava todos com respeito, sem fazer diferença entre uma pessoa humilde e uma de posição. As mulheres apaixonavam-se por ele com facilidade, o que fazia Almerinda recomendar:

— Tenha cuidado, meu filho. Não alimente as ilusões delas. Você andou saindo com a filha do doutor Isidoro, e, quando parou de vê-la, ela ficou mal. Falou até em suicídio. Dona Margarida me contou.

— Saí com Dorinha duas vezes apenas. Notei que ela havia colado em mim, e por isso resolvi não a ver mais.

— Ela não se conforma.

— O que posso fazer? Ela era bonita, e desejei conhecê-la melhor. Mas assim não dá! Ela ficou toda derretida e melosa. Não é isso que quero de uma mulher. Não sei o que essas moças têm. Saio uma vez ou duas e elas logo falam em namorar firme, vir aqui em casa. Dão a impressão de que querem agarrar um marido a qualquer preço. Eu escapo, é claro.

— Isso é verdade. As moças deveriam ser mais esclarecidas, conhecerem melhor um rapaz antes de pensar em namoro sério.

— É por isso que eu, às vezes, procuro mulheres mais adultas e mais livres para me relacionar. Faço jogo aberto e não engano ninguém.

— Eu sei, filho. Mas isso também me preocupa. Um dia você vai se casar, formar uma família. Precisa conhecer uma moça boa e digna.

— Tenho tempo, mãe. Ainda não penso nisso. Quero dedicar-me aos negócios, viajar, buscar tecnologia de ponta para nossos produtos.

Essa era a melhor forma de convencer Almerinda a não se envolver com os assuntos sentimentais do filho. Depois, ela se sentia envaidecida com o sucesso que o filho fazia em todos os lugares.

Valdo sentou-se à escrivaninha disposto a examinar um contrato vultoso que estava negociando com uma empresa americana. O telefone tocou e ele atendeu:

— Alô.

Uma voz de mulher falou em inglês com sotaque alemão:

— Como vai, Valdo? Estou de partida hoje à noite. Gostaria de vê-lo antes de ir. Pode passar aqui no hotel?

— A que horas é o voo?

— Às onze.

— Terá de estar no aeroporto às nove. Está bem, passarei em seu hotel às cinco e meia.

— Não pode ser antes? Pensei em uma despedida especial...

— Lamento, Helen, mas tenho uma reunião importante logo mais e não sei a hora que vai terminar. Espero poder estar aí às cinco e meia.

Ela suspirou e respondeu:

— Está bem. Espero você.

Depois que desligou o telefone, Valdo ficou pensativo. Helen era bonita, agradável e modelo famosa. Desfilar com ela trouxera-lhe mais popularidade. Por outro lado, por estar com ele, ela fora introduzida na alta sociedade paulistana, figurara nas revistas da moda. Fora lucrativo para ambos. Mas seu interesse nela não ia além disso.

Ele gostava de estar em evidência nos lugares da moda. Pensava que era uma maneira de tornar os produtos de sua marca sempre lembrados. Aparecer em uma revista importante, ainda que fosse em uma festa, tornava sua empresa lembrada, e a publicidade era gratuita.

Já ouvira comentários entre as pessoas:

— Olhe o dono da Mercury. Por sinal, minha irmã tem um liquidificador fabricado por eles.

Ficava satisfeito com isso, mas nunca forçava nada. Sua amabilidade para com as pessoas era natural. Sentia-se de bem com a vida.

Já sua irmã Laura era muito diferente. Dois anos mais nova do que ele, era retraída, tinha dificuldade para se relacionar.

Embora andasse sempre na moda, frequentasse os melhores lugares, convivesse com pessoas de classe, ela se sentia pouco à vontade. Nunca estava satisfeita com sua aparência e por isso evitava tomar iniciativas ou aproximar-se mais das pessoas. Na solidão de seu quarto, sonhava em vir a ser uma atriz, sexy, irresistível, por quem os homens se apaixonassem.

Seu conceito de beleza era bem diferente do que ela via olhando-se no espelho. Não gostava de seu nariz. Achava sua boca grande demais, o que a inibia de sorrir para não chamar a atenção para ela. Além de tudo, seus cabelos castanhos e naturalmente ondulados eram rebeldes. Por mais que os alisasse, acabavam voltando e estragando o penteado.

Evitava maquiagem, acreditando que aquilo ressaltaria seus traços imperfeitos.

Almerinda tentava de todas as formas fazê-la entender que estava exagerando. Achava a filha bonita e não entendia por que ela procurava parecer mais feia, evitando tudo que pudesse torná-la atraente.

Várias vezes a levara a cabeleireiros famosos que haviam tentado mudar o corte de seus cabelos, esteticistas que aconselharam o uso de maquiagem. A mãe comprava os produtos, mas, chegando em casa, Laura recusava-se a usá-los, alegando que não se sentia bem com eles, voltando a ser como era antes.

Preocupada, Almerinda conversava com o marido, que a aconselhava a esperar:

— São coisas da adolescência. Isso vai passar.

Mas não passou. Ela havia completado vinte e dois anos e continuava igual. De vez em quando cismava que precisava fazer uma plástica e ia consultar um cirurgião famoso.

Contudo eles se recusavam a operá-la, alegando que seus traços estavam adequados a seu rosto e que não havia necessidade de cirurgia. Alguns tentavam convencê-la de que possuía um rosto bonito e agradável, que seria um crime tocá-lo.

Os pais concordavam; ela, porém, não. Uma amiga de Almerinda aconselhara-a a levar a filha a um psicólogo. Ela, porém, relutava. Quando sugeriu uma consulta, Laura ressentiu-se:

— Sei que sou feia, mas louca não. Um psicólogo não vai poder mudar minha aparência.

Laura gostaria de ser como Valdo. Achava-o bonito, atraente, brilhante. Admirava-o. Tinha-o como seu ídolo. Costumava comentar com os pais:

— Não entendo como, tendo os mesmos pais, somos tão diferentes. Ele tem tudo, e eu nada. Não deixa de ser injustiça.

— Minha filha, não diga isso. Você é muito bonita também. Se procurasse mostrar-se mais comunicativa, mais alegre, faria tanto sucesso quanto ele. Mas você se retrai, evita as pessoas, não se interessa. Como quer que elas a procurem?

— Não me sinto à vontade. Sei o meu lugar.

Valdo gostava da irmã e procurara fazê-la perceber que estava errada. Mas, como ela mantivera sua atitude, mostrando-se triste com a insistência dele, acabou por não tentar mais nada.

Quando sua mãe comentava o assunto, ele dizia:

— Mãe, não adianta. É assim que ela se vê.

— Mas ela cultiva a infelicidade. É uma moça bonita, rica, instruída, tem tudo na vida. E passa o tempo se escondendo, criticando-se, julgando-se menos, alimentando a infelicidade. É até pecado.

— Paciência, mãe. Um psicólogo poderia ajudá-la, mas ela não aceita. Temos de respeitar.

— Dói vê-la tão distanciada da realidade, perdendo os melhores anos de sua vida. A juventude passa logo e não volta mais.

— Tem razão. Mas o que podemos fazer se ela não quer?

Quando algum rapaz se interessava por Laura, esta o evitava por considerar que tal aproximação era motivada pelo dinheiro de sua família. Ela não se acreditava capaz de despertar uma paixão. Esse, no entanto, era seu maior sonho.

Em suas fantasias, imaginava-se tão atraente e irresistível que os homens se apaixonavam perdidamente por ela, fazendo loucuras para conquistá-la. Como essas fantasias eram-lhe mais prazerosas do que a realidade, Laura consumia todo o seu tempo livre mergulhada nelas, ignorando o mundo à sua volta.

Cursava faculdade de filosofia, na qual tirava sempre as melhores notas. Estudava com afinco, acreditando que sua única forma de sobressair era ser a primeira de sua turma. Ficava muito irritada quando não conseguia a nota máxima.

Vestia-se de maneira sóbria, não mostrando interesse pelas novidades da moda que faziam o mundo mágico para suas colegas, sempre interessadas em tudo que as tornasse mais belas.

Nunca tivera um namorado, e os que haviam se interessado por ela, não tendo encontrado reciprocidade, procuraram outras garotas. Laura também não tinha amigas. Dava-se bem com as colegas, mas nenhuma delas privava de sua intimidade.

***

O telefone tocou e Valdo atendeu:

— Alô.

A telefonista respondeu:

— Há um moço aqui na recepção dizendo que é seu primo. O nome dele é Émerson de Menezes.

— Émerson! Mande-o entrar!

Valdo levantou-se alegremente surpreendido.

A porta abriu-se e um moço alto, moreno, elegante, apareceu na soleira. Aparentava uns trinta anos. Seus lábios entreabriram-se em um largo sorriso.

Abraçaram-se com prazer.

— Que bom vê-lo! Quando chegou?

— Faz uma hora. Deixei as malas no hotel e vim. Estava ansioso por encontrá-los.

— Sente-se e conte: por onde tem andado todos estes anos?

— Não receberam meus cartões?

— Vários. Cada um de um lugar.

— Pois foi por onde andei.

— Sempre me perguntei o que fez você sair assim pelo mundo, deixando aqui os parentes, os amigos, até Mildred, que sempre pergunta de você.

— Ela ainda não se casou?

— Não. Tem muitos admiradores, mas quando nos encontramos dá a entender que ainda espera por você.

Os olhos castanhos de Émerson brilharam, mas ele mudou de assunto:

— E vocês, como vão?

— Em casa tudo na mesma. Nestes oito anos que você esteve fora nada mudou. Sempre me intrigou essa sua vontade de sair pelo mundo em busca de aventuras. Encontrou o que procurava?

— Aprendi muito, e isso foi o mais importante.

— Nos últimos dois anos você não mandou nenhum cartão. Mamãe várias vezes mencionou esse fato, preocupada.

— Lamento. Mas é que fiquei três anos no mesmo lugar.

— Onde?

— Em uma pequena cidade da Índia.

— Fazendo o quê?

— Estudando em um mosteiro. Foi maravilhoso. Esse período mudou completamente minha visão da vida, das pessoas e do mundo.

— Então resolveu voltar. Vai ficar por aqui?

— Sim. Os monges me mandaram embora alegando que eu precisava experimentar o que aprendi lá. Achei melhor voltar para casa.

— Ótimo. O que pensa fazer?

— Primeiro, ver como andam os negócios.

— Meu pai tem cuidado de tudo muito bem. Acho que duplicou seus bens. Sempre se preocupou com sua falta de notícias. Desejava mandar-lhe dinheiro e prestar contas, mas você nunca quis.

— Tinha certeza de que tudo estava em boas mãos.

— Nós não entendemos como pôde viver tanto tempo sem pedir dinheiro.

— Trabalhei e aprendi a viver só com o necessário, o que foi ótimo. Quando saí daqui, pretendia enriquecer meu espírito. A experiência foi muito boa.

— Você veio para ficar. Quais são seus planos?

— Primeiro preciso me instalar. Depois veremos.

— Você não vai ficar em um hotel. Vamos agora mesmo buscar suas malas. Você ficará em nossa casa.

— Não quero incomodar.

— Nem fale nisso. Mamãe ficará ofendida. Vou dar um telefonema e depois iremos ao hotel. Deve estar cansado da viagem, mas assim que descansar vai contar-me detalhes de como passou todos estes anos. Estou curioso.

Émerson sorriu e respondeu:

— Não há muitas coisas. Embora os costumes sejam diferentes de país para país, as pessoas são muito parecidas. Os desafios, as emoções, os conflitos e os sonhos são os mesmos em toda parte. Foi por isso que decidi voltar. Minha vontade de andar pelo mundo acabou quando descobri isso.

— Vai encontrar nossa cidade um pouco diferente. Mais movimentada, mais moderna.

— Notei algumas mudanças. É natural. Mas, acredite, as aparências mudaram, porém a essência permanece a mesma.

Valdo olhou-o admirado.

— Você está diferente. Não sei bem o que é, mas você mudou.

Émerson riu bem-humorado.

— É só na aparência. Fiquei mais velho. No fundo, continuo o mesmo.

Valdo ligou para casa contando a novidade. Depois saiu com Émerson para buscar sua bagagem no hotel.

Embora se tratassem por primos, não havia parentesco de sangue entre eles. A mãe de Émerson, tendo ficado órfã, fora criada pela mãe de Almerinda e as duas haviam se tornado inseparáveis mesmo depois que ambas se casaram. Os dois maridos também se tornaram muito amigos, e Émerson crescera em convivência estreita com Laura e Valdo.

Quando os pais de Émerson morreram em um acidente de avião, ele estava com dezesseis anos. Era filho único, e, como não tinha outros parentes, Péricles assumiu sua tutela e foi nomeado administrador de seus bens pelo juiz. Émerson, chocado pela morte repentina dos pais, traumatizado, concordou em residir na casa de seu tutor, onde recebeu carinho e apoio.

Quando Émerson completou a maioridade, Péricles sugeriu-lhe que assumisse o controle de seus haveres, mas o rapaz pediu-lhe que continuasse a administrá-los, dizendo-se inexperiente.

Inteligente, arguto, questionador, não se conformava com a dramática morte dos pais. Aconselhado por Péricles a cursar a universidade, interessou-se por filosofia, mas, depois de três anos de curso, um dia chegou em casa dizendo que a faculdade não estava sendo satisfatória.

Almerinda e Péricles tentaram impedi-lo de interromper o curso, mas foi inútil. Alegando que nele não havia encontrado as respostas que procurava, decidiu que iria viajar, partir em busca do conhecimento que lhe faltava.

Péricles fechou-se com ele no escritório, pedindo-lhe que desistisse da ideia.

— Termine o curso, Émerson. Depois, se desejar viajar, vá. Mas é uma pena interrompê-lo quando faltam apenas dois anos para completá-lo.

— Pensei muito, tio. Noto que a vida não é como nos ensinam. As religiões, os intelectuais, os filósofos, cada povo tem suas próprias crenças. Onde encontrar a verdade? Onde buscar explicações para tantas injustiças que acontecem todos os dias no mundo?

— A vida tem seus mistérios — considerou Péricles. — Se os grandes pensadores divergem entre si, se os intelectuais não descobriram quem tem razão, você acredita que conseguirá resolver esse enigma? Não será melhor aceitar os limites que todos temos para entender certas coisas e tentar viver o melhor que for possível?

Émerson meneou a cabeça negativamente.

— Eu não me conformo, tio. Preciso saber mais. Em meio a tantas questões, opiniões e crenças, sinto que preciso desenvolver meu discernimento. E a única maneira que há para isso é experimentar.

— Experimentar? Como?

— Estudando a vida. Prestando atenção em como ela funciona, como age.

— Nunca ouvi uma coisa dessas! Você fala como se fosse possível entender a vida! Não será muita pretensão?

— Não, tio. Não sou materialista. Embora não seja religioso, reconheço a perfeição da natureza, o equilíbrio do universo. Sinto que em tudo há uma força de comando que age, alimentando tudo e todos.

— Você fala de Deus.

— Falo da fonte da vida. Do criador de tudo. Pode chamar de Deus, se quiser. Essa força comanda tudo, dirige o universo. Deve ter um propósito. A vida na Terra não pode ser apenas isso que vemos todos os dias. Deve haver algo mais que justifique tantas lutas e sofrimentos. Um universo tão belo e perfeito não pode existir apenas para que nossos olhos o contemplem e paguem por isso o preço da dor. Deve haver algo mais, fatos que ainda não conseguimos ver, mas que existem e podem nos dar a chave de tudo.

— Acho difícil isso. Depois, de que adianta saber, se tudo no mundo continua do mesmo jeito?

— Esse é o ponto mais importante. Será que se descobrirmos essa chave não encontraremos uma forma melhor de viver? Não poderemos criar um mundo melhor, mais harmonioso e feliz?

Péricles sacudiu a cabeça negativamente.

— Não entendo você. Por causa de um questionamento filosófico quer abandonar sua carreira, sair por aí sem rumo, em busca de uma ilusão.

— Ao contrário. O que eu quero é sair da ilusão, ir procurar a verdade, onde ela estiver.

— Não sei como chegou a essa conclusão. Um rapaz como você, amante dos livros, que tem estudado os grandes pensadores...

— Foram eles que me mostraram a que enganos a lógica humana pode nos conduzir. Por meio da lógica podemos chegar às maiores loucuras.

— Dessa vez, você exagerou. Quer invalidar o trabalho de grandes homens.

— Não. O que quero é conhecer a vida por mim mesmo. Preciso fazer isso, e o momento é agora.

— Vejo que está determinado.

— Estou.

— Nesse caso, desisto.

***

Émerson deixou a universidade, comprou passagem para a Europa, deixou Péricles cuidando de seus bens, apanhou uma boa quantia em dinheiro e partiu.

Sua família adotiva esperava que ele logo se cansasse e voltasse. Mas isso não ocorreu. Durante sua ausência e a falta de notícias, muitas vezes perguntavam-se onde ele estaria. De vez em quando, um cartão carinhoso contava por onde ele andava.

Agora, após oito anos, ele estava de volta para ficar. Era com ansiedade e certa curiosidade que a família toda o esperava chegar.

Quando ele e Valdo chegaram em casa, Almerinda esperava-os na entrada, ansiosa. Abraçou Émerson comovida, dizendo alegre:

— Que bom que está de volta! Senti muita saudade, meu filho! Como pôde ficar tanto tempo fora de casa?

— Eu precisava conhecer outras coisas.

— Espero que tenha voltado para ficar.

— Sim. Não pretendo viajar tão cedo.

— Ainda bem. É uma boa notícia.

— Vamos conversar na sala. Quero saber tudo que tem feito durante estes anos todos.

Valdo interveio:

— Mãe, ele chegou hoje de viagem. Deve estar cansado.

— Desculpe, meu filho. Que distração a minha. Talvez queira descansar primeiro.

— Não, tia. Estou bem.

Dirigiram-se para a sala enquanto Almerinda dizia:

— Laura ainda não sabe. Saiu logo cedo, mas virá para o almoço. Vai ter uma surpresa e tanto. Já avisei Péricles, que deve estar chegando.

Sentaram-se na sala e Émerson indagou:

— Como estão todos?

— Bem. Apesar do tempo decorrido, não vai encontrar muita diferença. As pessoas continuam as mesmas. O que pensa fazer agora? Vai voltar à faculdade?

— Não. Por enquanto vou assumir meus negócios. Chega de dar trabalho ao tio.

— Apesar de não me dar trabalho fazer isso, reconheço que você precisa cuidar do que é seu.

Émerson levantou-se alegre:

— Tio! Que bom vê-lo!

Péricles abraçou o rapaz com carinho. Gostava dele como se fosse seu filho. Assim que soube de sua chegada, largou tudo para ir abraçá-lo.

Depois de algumas palavras de boas-vindas, Péricles perguntou:

— O que pensa fazer? Quando cheguei, você dizia que não pretende voltar à faculdade.

— Não mesmo. No momento desejo conhecer minha situação financeira, meus recursos, enfim, saber como estão as coisas e com que posso contar. Depois, decidirei o que fazer.

— Bem pensado. Estou pronto para informá-lo de tudo, bem como ajudá-lo a gerenciar seus recursos.

— Agradeço, tio. Vou precisar mesmo.

A conversa fluiu alegre e fácil. Émerson falou dos lugares que havia conhecido, cujos costumes eram muito exóticos, e eles ouviram com interesse. Falava com vivacidade, e seus olhos brilhavam vibrantes, envolvendo os presentes com a magia de sua voz agradável, sua figura bonita, seu entusiasmo.

Laura chegou sem que ninguém notasse, e ficou parada na porta da sala sem coragem de interromper a narrativa, como que magnetizada.

Foi Émerson quem notou sua presença. Interrompeu o que estava dizendo, levantou-se e foi abraçá-la, dizendo:

— Laura! Como vai?

— Bem — respondeu ela enquanto se esforçava para controlar a emoção.

— Você ficou muda! — comentou Valdo.

— Foi a surpresa — balbuciou ela, ainda confusa. — Depois, não quis interromper a narrativa. Parecia tão interessante!

Émerson continuava abraçado a ela e conduziu-a para o seu lado no sofá.

— Venha. Eu falo demais. Agora quero ouvir você.

Ela deu de ombros:

— Não há nada para contar. Em minha vida tudo continua igual. Nada mudou. Aliás, faz tempo que não acontece nada. As mesmas pessoas em volta, as mesmas coisas. Não há o que contar.

A criada avisou que o almoço estava servido, e eles se dirigiram à copa. Laura respirou aliviada. Não gostava de ser o centro da conversa. Disfarçadamente, observava Émerson. Voltara ainda mais bonito. Ele havia sido seu primeiro amor, nunca revelado a ninguém. Ela contava nove anos quando ele fora morar em sua casa e desde os doze se sentia atraída por ele.

Émerson tratava-a com carinho e amizade. Ela se sentia gratificada por isso. Logo notou como ele atraía a atenção das garotas onde quer que fosse e muitas vezes chorou de ciúme às escondidas.

Quando ele começou o namoro com Mildred, ela tentou conformar-se. Afinal, Mildred era bonita, alegre, disputada pelos rapazes, enquanto ela era uma criança ainda, sem graça e sem atrativos.

Às vezes, imaginava-se mais velha, mais bonita, mais sensual, e via Émerson deixar Mildred e vir para ela, abraçando-a, beijando-a.

Depois, olhava-se no espelho e caía novamente em depressão. Ela nunca seria como a rival, e Émerson nunca viria a amá-la.

Quando ele resolveu viajar, ela sabia que iria sentir saudade, mas gostou de saber que ele havia terminado o namoro com Mildred antes de partir.

O tempo passou e aquela atração da adolescência esmaeceu. Laura acreditou que houvesse sido apenas uma fantasia de menina. Mas a emoção que sentiu vendo-o sentado na sala deixara-a surpreendida e sem palavras. Suas pernas tremeram, seu coração descompassou.

Ele voltara mais maduro, mais bonito. Ganhara em expressão. Em seus olhos havia um brilho diferente que ela logo notou, e que fez seu coração bater mais forte.

Estava difícil prestar atenção ao que diziam. A única coisa em que ela pensava era que ele havia voltado e, desta vez, para ficar.

Depois do almoço, quando ele subiu para o quarto para desfazer as malas, Valdo ia segui-lo, mas Laura o deteve, perguntando baixinho:

— Mildred sabe que ele voltou?

— Acho que não.

Émerson subiu e ela ficou na sala, pensativa. Se ele não avisou Mildred de sua chegada, talvez não pretendesse reatar o namoro. Ela nunca o esquecera. Tivera alguns namorados, nada sério. Sempre que

Mildred encontrava Laura, desabafava perguntando se tinham recebido notícias de Émerson, se sabiam quando ele voltaria.

Ele nunca escreveu para ela. Aliás, não escreveu para ninguém. Para a família, mandava os cartões e só. Mas Mildred não o esquecia. Dizia que não havia perdido as esperanças, que iria esperar sua volta e que, quando ele voltasse, se casariam e viveriam felizes.

A esse pensamento, Laura estremecia. E se ele resolvesse reatar o namoro? E se houvesse voltado pensando em casar-se, ter uma família?

Mildred continuava bonita e requestada. Era atraente e sensual. Por onde passava, sua beleza chamava a atenção. Por que não se apaixonara por outro?

Se Laura ao menos fosse atraente como Mildred! Mas seu tipo era comum, sem graça, nunca poderia competir com ela!

Ah, se ela fosse bonita como gostaria de ser! Se seu corpo fosse escultural, seus cabelos maravilhosos, seus olhos grandes e brilhantes... Se ela fosse charmosa o bastante para chamar a atenção aonde fosse e os homens a perseguissem encantados... Daria tudo para ser bonita e poder conquistar o amor de Émerson.

Ele a procuraria, diria que a amava. Ela, rodeada de rapazes, largaria todos para ficar com ele. E eles se casariam e seriam felizes para sempre!

Suspirou triste. Infelizmente aquele sonho nunca se realizaria. De que adiantava sonhar se a realidade era bem outra?

***

No quarto, Émerson desfazia as malas enquanto Valdo falava das mudanças ocorridas quando ele esteve fora. Depois que falou sobre todos os conhecidos, a política, os amigos, as garotas, Valdo finalizou:

— Não só Mildred, mas também todas as outras vão adorar sua volta. Já estou até vendo o burburinho! Vão crivar-me de perguntas, telefonar, convidar-nos para todas as festas e inventar programas para nós. Vai ser uma loucura!

Émerson fixou-o e respondeu:

— Espero que isso não aconteça. Pretendo levar minha vida de outra forma.

— O que quer dizer? Você sempre gostou da vida social.

— O tempo passa e as coisas mudam.

— Não vai me dizer que pretende isolar-se.

— Não disse isso.

— E então?

— Estive fora muito tempo. Desejo renovar amizades seguindo meus próprios critérios. Há muito deixei de ser convencional.

— Você me surpreende. O que direi quando nos convidarem?

— Diga que você não responde por mim. Aceite os convites, se quiser, mas deixe-me fora.

Valdo deu de ombros, dizendo:

— Bem, se é assim que você quer...

— Obrigado por entender.

— É. Percebo que você está mudado mesmo.

Vendo que Émerson tirava alguns livros da mala e colocava-os na estante, apanhou um deles dizendo curioso:

— Você leu todos estes livros em inglês?

— Li.

— Você mal pronunciava algumas palavras em inglês quando saiu daqui.

— É verdade. Tive de aprender. Quem viaja pelos países em que andei precisa pelo menos falar esse idioma. Na China, se não fala chinês, pelo menos precisa do inglês.

— Esteve na China?

— Estive. Esse pequeno livro é chinês.

— Você lê chinês?

— O suficiente para entender. Não falo corretamente. Prefiro o indiano. É mais fácil para mim.

— Puxa. Quantos idiomas você fala?

Émerson sorriu:

— Alguns. Agora preciso voltar ao português. Espero não ter misturado tudo.

— Pensou no que vai fazer, já que não pretende voltar à faculdade?

— Tenho alguns projetos e pretendo trabalhar neles.

— Projetos? De quê?

— Por enquanto são apenas ideias. Direi no momento oportuno.

Os dois continuaram conversando e Valdo, curioso, fazia o possível para que ele falasse sobre o futuro. No entanto, não conseguiu saber mais nada.

CAPÍTULO 3

Marcelo deu uma última olhada no espelho e constatou que estava mesmo muito elegante. Era sábado e ele havia combinado de passar na casa de Mirtes para irem ao cinema.

Já não pensava mais em acabar com o namoro. Estivera decidido, mas Mirtes tratara-o com atenção naquela semana e ele mudara de ideia.

Olhou o relógio e saiu apressado. Uma vez na casa dela, tocou a campainha, esperando. Foi Alzira quem abriu a porta.

— Oi, Marcelo. Como vai?

— Bem, Alzira. E você?

— Bem. Veio procurar Mirtes?

— É. Combinamos ir ao cinema hoje.

Ela hesitou, depois disse:

— Sinto muito, Marcelo, mas ela mandou dizer que não poderá ir.

— Aconteceu alguma coisa?

— Ela está com uma tremenda dor de cabeça. Foi se deitar. Pediu que a desculpasse. Amanhã ela lhe telefona.

Marcelo sentiu raiva, mas controlou-se. Seu rosto cobriu-se de rubor. Alzira apressou-se em dizer:

— Sinto muito, Marcelo.

— Ela poderia pelo menos ter me ligado, assim me pouparia de vir até aqui.

— Tem razão. Mas sabe como Mirtes é: decide na última hora.

— Decide o quê? Ficar doente?

— Não é isso que eu quis dizer. Ela ficou mal de repente. Não dava para telefonar. Você já devia ter saído…

— Está bem. Diga-lhe que desejo melhoras. Boa noite.

— Boa noite.

Alzira fechou a porta e subiu. Mirtes, diante do espelho, retocava a maquiagem.

— Nunca mais me peça para fazer esse papel com Marcelo. Se não gosta dele, por que não acaba esse namoro de uma vez? Você o faz de bobo. Ele não merece.

— Você deu agora para defender os mocinhos desamparados? Fique sabendo que não tenho pena de homem nenhum. Eles, quando podem, passam por cima de nossos sentimentos com facilidade.

— Marcelo é um rapaz bom.

— Parece. Garanto que qualquer dia vai mostrar as garras. Eu é que não vou nessa. Onde já se viu?

— O que você está fazendo não está certo. Por que combinou com ele se não pretendia ir?

— Eu pretendia. Mas depois apareceu aquele moreno fantástico e eu não ia perdê-lo por causa de Marcelo.

— Lembra-se de Valdo? Pode acontecer o mesmo. Você se ilude com rapazes finos, de classe. Eles não se interessam por moças de bairro, como nós.

— Bobagem. Um homem, quando se apaixona, casa-se com qualquer uma. Eu pretendo casar-me com um homem rico. Não quero acabar como mamãe, frustrada e pobre.

— Que exagero. Não nos falta nada.

— Para você, que se contenta com pouco. Não eu.

— Já pensou se Marcelo desconfia e fica vigiando a casa? Ele não ficou nada satisfeito com seu recado.

Mirtes deu de ombros.

— Se ele nos surpreender, não me importo. Ele é incapaz de reagir mesmo. Passei perto dele de braço dado com Valdo e ele não fez nada. E ainda me perdoou.

Alzira meneou a cabeça negativamente:

— Você não tem jeito mesmo.

Mirtes deu um retoque na maquiagem, uma última olhada no espelho e sorriu satisfeita.

— Hoje vai ser uma beleza. Estou muito bem. Garanto que o moreno não vai resistir.

Ela saiu e Alzira ficou observando-a pensativa, vendo-a entrar no luxuoso carro que a estava esperando na esquina.

Não entendia como Mirtes, agindo de forma tão leviana, fazia mais sucesso do que ela, que era sincera e bem intencionada com os rapazes. As pessoas costumavam dizer que ela era tão bonita quanto a irmã, mas não tinha tanta sorte quanto ela. Mirtes era muito requestada, nunca ficava um fim de semana sozinha. Sempre havia alguém lhe telefonando, convidando para sair.

Alzira foi para o quarto e olhou-se no espelho. Sabia que era bonita, elegante, cuidava da aparência, então por que estava sempre só? Saía com as amigas, coisa que sua irmã nunca fazia. Com Alzira, Mirtes só ia às compras ou aos lugares de necessidade, nunca saía a passeio. Costumava dizer que o lazer era para ser vivido a dois, com um parceiro bonito, alegre. A família e as amigas ela via em outra hora.

"O que será que Mirtes tem que eu não tenho?", questionava Alzira.

Resignada, apanhou um livro e sentou-se em uma poltrona para ler. Ia ficar em casa sozinha mais uma noite.

***

Na segunda-feira de manhã, assim que Marcelo chegou ao escritório, Gérson já o esperava na porta.

— Pela sua cara, vejo que aconteceu alguma coisa. O que foi?

O amigo pegou-o pelo braço e puxou-o dizendo:

— Venha aqui, para que ninguém nos ouça.

— Você me assusta. Está com aquela cara de suspense que já conheço. Qual é a bomba?

— Mirtes. Você não foi ao cinema com ela no sábado.

— Não. Como é que você sabe?

— Por que ela estava em uma boate com outro.

As pernas de Marcelo tremeram e ele sentiu uma pancada no estômago.

— Lá vem você de novo. Quem inventou essa história?

— Ninguém. Eu vi. No sábado fui com Marcos à festa de aniversário de uma colega da irmã dele, lá pelas bandas da Vila Madalena. Saímos de lá passava das duas. Quando passamos pela porta de uma boate, Mirtes estava saindo de lá com um sujeito alto, bem vestido. Fiz Marcos parar o carro e ficamos olhando enquanto o manobrista trazia o automóvel deles. Vi muito bem. Era ela mesma. Estava toda derretida com o sujeito. Queria que você visse.

Marcelo ficou vermelho de raiva. Estava fazendo papel de bobo diante dos amigos. Àquela hora todos os colegas já deveriam estar sabendo.

— Mas há algo que não lhe contei, Gérson — mentiu. — Nós acabamos o namoro. Ela agora é livre. Pode sair com quem quiser. Não tenho mais nada com ela.

Gérson abanou a cabeça incrédulo:

— A quem pensa que vai enganar? Quando saiu daqui na sexta-feira, você disse que estava com pressa, queria cortar o cabelo porque ia ao cinema com ela no sábado.

— Eu ia, mas não fui. Nós brigamos e não fomos. Espero que você esclareça esta história com Marcos. A esta hora ele já deve ter contado para todo mundo.

— Ele não faria isso. Nem eu. Mas sou seu amigo. Que diabo… Dói ver essa menina fazendo você de bobo.

— Não tenho mais nada com ela. Está tudo acabado. Esqueça Mirtes. É o que pretendo fazer.

Gérson deu de ombros:

— Bem, se é assim…

— É assim. Entre nós não há mais nada.

— Espero que isso o tenha curado de vez.

Marcelo entrou no escritório, foi direto para sua mesa e fingiu que começava a trabalhar. Mas sentia-se atordoado, seu estômago enjoado, como se de repente não pudesse digerir o que havia comido antes de sair de casa.

Gérson, que o observava disfarçadamente, aproximou-se:

— Você está pálido. Está se sentindo mal?

— É. Acho que comi alguma coisa que não caiu bem. Vou até a copa ver se tomo um sal de frutas.

Ele saiu e Gérson meneou a cabeça inconformado. Marcelo era um rapaz trabalhador, honesto, sincero, bem-apessoado. Tinha as melhores qualidades. Por que será que era tão sem sorte?

"As mulheres não sabem valorizar rapazes de bem", pensou ele. Gostavam mesmo era dos ousados, dos inconstantes, dos donos de carros de luxo. Mirtes era dessas, interesseira, falsa. Por isso ele, Gérson, não confiava em mulher nenhuma.

Marcelo tomou o sal de frutas e voltou ao trabalho. Sabia que Gérson não havia mentido. Fora enganado mais uma vez. Mas depois disso ele ia acabar definitivamente com aquele namoro.

34

Porém continuava apaixonado por ela. Chegara até a pensar em casamento. Só não fizera o pedido porque suas condições financeiras ainda não lhe permitiam oferecer uma posição melhor. Sabia que Mirtes tinha grandes pretensões. Ela já lhe dissera que só se casaria quando pudesse ter uma bela casa, com conforto, um carro para uso pessoal. Além disso, sua festa de casamento teria de ser inesquecível.

Ele ganhava bem, mas, para oferecer o que ela desejava, precisava esperar mais um pouco.

— Quero me casar com um homem de verdade. É ele quem deverá me sustentar, trabalhar para dar-me tudo que eu quero.

E ele sabia que ela queria carro, joias, viagens. Por que se iludira apaixonando-se por ela? Sua família era de classe média, desfrutavam de uma vida boa, mas não eram ricos. Se resolvesse casar, seus pais o ajudariam, mas ele não gostaria que gastassem suas economias prejudicando seu patrimônio. Não era justo. Haviam trabalhado para sustentá-lo a vida inteira, pagando seus estudos, ajudando-o de todas as formas.

Ele queria ser independente, abrir seu próprio caminho na vida.

Reconhecia que Mirtes não era moça para ele. Precisava acabar com aquela tortura e tentar esquecê-la. O rosto dela apareceu em sua mente e ele estremeceu. Seria difícil. Sentia-se muito atraído por ela. Seus beijos o entonteciam e ele perdia toda a resistência. Apesar disso, firmou o propósito de afastá-la de seu caminho.

O dia custou a passar e ele não via a hora de sair, ir para casa. Às seis, finalmente deixou o escritório. Gérson esperava-o.

— Vamos sair hoje à noite?

— Em plena segunda-feira?

— Bom, pensei que quisesse se distrair. Poderíamos ouvir música na casa de Marcos ou dar uma volta.

— Obrigado, Gérson, mas estou cansado. Prefiro ir para casa. Fica para outro dia.

— Você é quem manda. Até amanhã.

Marcelo saiu, apanhou o carro, mas não foi para casa. Precisava pensar, planejar o que fazer. Já estava escurecendo e as luzes da cidade estavam acesas. Deu algumas voltas e, ao passar por uma praça quase deserta, parou. Desceu do carro e andou procurando um lugar tranquilo. Encontrou um banco em um canto onde não havia ninguém e sentou-se.

Ao redor havia canteiros floridos, e agradável perfume pairava no ar, mas Marcelo, perdido em seus pensamentos, nem sequer notou. Só sua dor importava. O que fazer para libertar-se dela?

35

Tentou determinar o que lhe doía mais: se a traição, a mentira ou a necessidade de renunciar àquele amor sentindo-o ainda vibrando dentro de si.

Compreendia que Mirtes era diferente dele. Ela valorizava coisas que para ele não tinham muita importância. Reconhecia que desejava progredir, ter conforto, enriquecer se pudesse, tanto quanto ela. Mas a diferença estava nas prioridades. Enquanto Mirtes colocava o dinheiro como ponto principal e para conquistá-lo passava por cima de todos os outros valores, ele não se sentia capaz disso.

Em seu coração, o amor, a honestidade, a bondade, o respeito aos outros vinham em primeiro lugar. Um casamento assim nunca daria certo. Jamais poderia confiar nela. O que aconteceria se ele adoecesse, ficasse sem dinheiro? Ela não hesitaria em trocá-lo por outro.

Quanto mais pensava, mais sentia que precisava esquecer Mirtes. Então, lembrava-se de seu rosto, de sua figura bonita, elegante, seu sorriso, o brilho de seus olhos, e seu coração disparava, ele não se sentia com coragem de deixá-la.

Ficou ali muito tempo, atormentando-se com aqueles pensamentos sem conseguir chegar a uma decisão. Sabia que se ela o procurasse e se arrependesse, ele a perdoaria de novo. Passou a mão pelos cabelos desesperado. O que fazer para acabar com aquele tormento? Onde encontrar solução para aquela louca paixão que o deixava destruído, sem vontade, completamente infeliz?

Seu estômago doeu e ele consultou o relógio. Passava das dez. Não havia comido nada desde o almoço. Precisava ir para casa. Sua mãe devia estar preocupada com sua demora.

Levantou-se rapidamente e foi embora. Uma vez em casa, arrumou uma desculpa, comeu um lanche e foi se deitar. Seu corpo doía, sentia-se muito cansado. O melhor era tentar dormir. Talvez Mirtes não o procurasse mais, o que facilitaria separar-se dela.

Deitou-se, remexeu-se na cama algum tempo, mas finalmente conseguiu adormecer.

Foi no dia seguinte, quando estava pronto para ir trabalhar, que Marcelo deu por falta de sua agenda e de sua carteira. Procurou no carro e não encontrou. Recordou-se de havê-la apanhado e levado consigo quando foi sentar-se na praça. Gostava de fazer anotações sobre seus problemas. Era uma forma de estudá-los. Depois, a agenda continha informações importantes que ele colecionara durante muito tempo e que o ajudavam em seu trabalho. Precisava encontrá-la.

Resolveu passar pelo local e procurar. Era muito provável que a tivesse esquecido sobre o banco. Mas foi em vão. Não estava lá. Marcelo deu uma volta pelo local, indagou para algumas pessoas que circulavam por ali e não obteve resultado.

Desanimado, foi para o escritório. Gérson, vendo-o, foi logo dizendo:

— Não melhorou? Você está com uma cara...

— Estou preocupado.

— Com Mirtes, claro. Depois de ontem...

— Por que você é tão maldoso? Não é nada disso. Perdi minha agenda.

— Aquela que tem o diário de sua vida?

— Não caçoe. Ela tem material de trabalho. Vai me fazer muita falta. Acho que a perdi.

— Não se preocupe. Ela aparece. Se perdeu, alguém achou. Há o número de seu telefone nela. Logo vai encontrar. Ela só tem utilidade para você.

— É que minha carteira estava junto. Eu a coloquei na contracapa da agenda.

— Nesse caso, não vai ser fácil. Tinha dinheiro?

— Não muito. Só documentos.

— Puxa, que amolação. Por que não põe um anúncio no jornal?

— Para quê? Se a pessoa que achou quiser entregar, tem o número do telefone.

— É mesmo. O anúncio não vai adiantar muito.

Marcelo mergulhou no trabalho tentando esquecer os desagradáveis acontecimentos da véspera.

Passava das onze quando seu telefone tocou:

— Quero falar com Marcelo Rodrigues de Sousa.

— Sou eu. Pode falar.

— Ontem, passando pela praça Buenos Aires, encontrei uma agenda sobre um banco. Acho que lhe pertence.

Marcelo deu um pulo:

— Encontrou? Puxa, não sabe como está me fazendo falta...

— Foi o que pensei. Por isso, estou ligando. No momento não tenho um portador para mandar entregá-la. Eu mesmo terei um dia muito ocupado. Há alguém que possa vir apanhá-la?

— Irei agora mesmo. Qual é o endereço?

Ele anotou, depois disse:

— Gostaria de agradecer-lhe pessoalmente.

— Ficarei aqui ainda durante meia hora.

37

— Não estou muito distante. Chegarei antes disso. Obrigado mais uma vez.

Falou com a secretária e saiu apressado. Vinte minutos depois estava no endereço anotado. Surpreendido, reconheceu que estava diante da casa de Valdo.

Tocou a campainha e foi conduzido a uma sala. Instantes depois, Émerson apareceu diante dele com sua agenda na mão.

— É esta?

— Isso mesmo. Não sabe como lhe sou grato.

— Há também uma carteira com documentos. Veja se está tudo em ordem.

— Deve estar.

— É bom verificar. Ontem, quando fui dar uma volta na praça, ao sentar no banco a encontrei. Como não havia ninguém por perto, resolvi trazê-la e procurar o dono. Mas não sei quanto tempo ela ficou naquele banco. Alguém pode ter tirado alguma coisa.

Marcelo verificou e disse satisfeito:

— Está tudo aqui. Não sei como lhe agradecer. Esta é a casa de Valdo, não é?

— É. Meu nome é Émerson. Sou irmão de criação dele.

— Não me lembro de você.

— Estive fora durante oito anos. Voltei há poucos dias. Estou morando aqui provisoriamente, até reorganizar minha vida. Sente-se, Marcelo, vamos pelo menos tomar um café.

— Obrigado, mas não quero incomodar. Sei que deve sair dentro de alguns minutos.

— Combinei ver uma casa que desejo comprar. O corretor vai passar aqui. Temos tempo até ele aparecer. Sei que no Brasil as pessoas não primam pela pontualidade.

Marcelo sorriu, olhando-o curioso. Era muito diferente de Valdo: mais calmo, havia alguma coisa em seus olhos que o impressionou.

A criada apareceu e Émerson pediu-lhe que servisse um café. Depois, voltou-se para Marcelo:

— Costuma sentar-se naquele banco da praça?

— Não. Para dizer a verdade, nunca havia ido até lá. Mas ontem foi um dia danado e eu precisava colocar os pensamentos em ordem.

— Pois eu gosto daquele lugar. Tenho ido algumas vezes e escolho sempre aquele banco. É um lugar muito bonito e tem uma vibração muito boa.

38

— Pode ser, mas para mim não adiantou muito. Só consegui perder a agenda e me preocupar ainda mais.

Émerson fitou-o com seriedade e permaneceu alguns instantes calado. Depois disse:

— Preocupação não é solução. Só gera confusão. As boas ideias só aparecem nos momentos em que estamos calmos, harmonizados.

— Eu gostaria de ter serenidade, de enfrentar meus problemas com coragem. Mas não consigo. Quando estou sob pressão, só quero desaparecer, fugir, ignorar. Depois fico arrasado.

— Fica se culpando, sentindo-se covarde, fraco.

— Isso mesmo. Parece até que você me conhece.

— O medo é um sentimento doloroso. Por trás dele há sempre uma maneira inadequada de ver as coisas.

— Como assim?

— Há o medo real, quando nos defrontamos com uma situação que coloca em risco nossa segurança física, e há os imaginários. Estes são em maior número, mas muito mais fáceis de serem vencidos.

— Não é o que eu penso. Gosto de tudo direito, não faço mal a ninguém, mas consigo ser sempre prejudicado. Tudo sai errado. Surpreendido por um fato desagradável, fico paralisado, não reajo na hora, só muito tempo depois, e então perco a coragem para me posicionar. Acho que não vale a pena.

— Nessa hora sente-se fraco, irritado consigo mesmo.

Marcelo sorriu e concordou. A criada trouxe o café e ele apanhou a xícara que lhe estava sendo oferecida.

— Obrigado. Você acabou de descrever o que acontece comigo. Ontem foi um dia horrível. Como sempre, fugi do problema, mas não consegui esquecê-lo. Senti-me sufocar, então parei na praça, sentei-me naquele banco. Queria fazer alguma coisa para me sentir melhor. Por fim, cansei e fui para casa sem haver resolvido nada. Estava tão mal que só hoje de manhã, quando procurei a agenda, foi que dei pela falta dela. Para você ver como eu estava.

— Você se julga fraco, mas não é. Esse pensamento é apenas uma forma de defesa para não ter de reagir e tomar uma decisão.

— Defesa? De quê?

— Se você crê que certas coisas representam um perigo, que podem causar-lhe sofrimento, sua mente cria automaticamente um processo de defesa para protegê-lo. Entretanto, suas crenças podem ser ilusórias, aprendidas por meio da educação, e nesse caso sua defesa, em vez de ajudar, cria maiores obstáculos.

— Você é médico?

— Não. Sou terapeuta. Por isso, estive fora vários anos, estudando a vida em todos os seus aspectos.

— Você fala com segurança. Gostaria de saber mais. Disse que minha fraqueza é uma forma de defesa. Nesse caso eu não deveria ficar tão mal.

— Se suas crenças fossem verdadeiras, se sua forma de ver a vida fosse real, sua defesa seria eficiente. Mas, como ela procede de suas ilusões, não cria bons resultados. Em vez de eliminar, alimenta seus sofrimentos.

— Poderia explicar melhor?

— Você criou na mente a ideia de que confrontar situações ou pessoas é terrível. Acreditando-se um fraco, não vai precisar fazer isso.

— Bom, isso é verdade. Eu odeio brigar, contrariar os outros, ter de negar alguma coisa. Prefiro me prejudicar a ferir os outros.

— Essa é uma grande ilusão. O fato de dizer "não", de se impor quando algo o desagrada, não significa brigar ou apelar para a violência. É apenas uma postura natural que vai estabelecer para os outros o limite até onde podem chegar com você. As pessoas precisam desse referencial para se relacionarem umas com as outras. Quando você não faz isso, elas vão avançando e acabam abusando.

— Isso sempre me acontece.

— É porque você não toma conta de seu espaço.

A criada apareceu na porta.

— O que foi, Lina?

— O corretor chegou.

Marcelo levantou-se imediatamente:

— Que pena!

Émerson sorriu levemente.

— Preciso ir, mas podemos continuar nossa conversa outro dia.

— Gostaria imensamente. Sou muito grato por sua gentileza. Aceitaria jantar comigo? Pode marcar o dia.

— Claro. Pode ser na quinta-feira?

— Está marcado. Virei buscá-lo às oito.

— Combinado.

Marcelo deixou a casa satisfeito. Não só encontrara a agenda e a carteira com tudo em ordem, mas também ganhara um amigo.

Simpatizara com ele à primeira vista. Havia qualquer coisa em Émerson que inspirava confiança. Ele olhava nos olhos enquanto conversava, dizia coisas que o faziam pensar. Era prazeroso conversar com ele. Ainda bem que aceitara o jantar.

40

***

Naquela tarde, Marcelo, apesar do propósito de não procurar Mirtes, ficou pensando nela o tempo todo.

E se ela ligasse, o que lhe diria? O melhor era fingir que não sabia de nada, agir com naturalidade.

Ao pensar nisso, sentia um aperto no estômago. Não, ele não podia fazer isso. Tinha de tomar coragem e acabar o namoro. Não podia continuar fazendo papel de bobo.

Mas o tempo passou e Mirtes não ligou. Quando ela não telefonava por um ou dois dias, Marcelo costumava ligar para conversar e marcar encontro. Cada vez que o telefone tocava, ele estremecia. Não conseguiu prestar atenção ao trabalho, que rendeu muito pouco. Sua cabeça doía, e ele foi procurar um comprimido.

Ao sair do escritório, Gérson aproximou-se:

— Você está preocupado. Vai me dizer que é por causa de Mirtes.

— Não quero mais nada com ela.

— Mas ainda está apaixonado, e isso é o diabo. Está triste, dá para notar.

Marcelo suspirou e não respondeu. Gérson continuou:

— Olhe, Marcelo, é duro no começo, mas você vai esquecer. Lembra-se de meu caso com Marina? Eu estava louco por ela, mas, quando percebi que ela não gostava de mim e que estava me usando, caí fora. Hoje, quando a vejo, não sinto nada. Até me admiro de ter sido apaixonado por ela um dia. Você precisa se distrair, arranjar outra. Isso ajuda. Vamos sair hoje?

— Estou cansado. Para dizer a verdade, quase não dormi a noite passada. Vou para casa.

— Meu medo é que Mirtes o procure chorando e você comece de novo.

— Desta vez é definitivo. Estou decidido. Não dá certo mesmo.

— Assim é que se fala! Apesar disso, seria mais seguro se fôssemos dar uma volta. Sabe como é: pode aparecer alguém interessante, e aí você esquece a tristeza.

— Para isso precisaria estar de bom humor. Ninguém vai gostar de sair comigo nesta disposição em que estou. Iremos outra noite.

Marcelo chegou em casa, tomou um banho, jantou e foi para o quarto. Apanhou um livro e deitou-se disposto a ler. Contudo, seu pensamento estava voltado para o telefone. Mas ele não tocou. Mirtes teria marcado de sair novamente com o rapaz do sábado?

Precisava saber. Levantou-se, arrumou-se e saiu. Largou o carro em outra rua e foi até o bar que ficava na esquina da casa de Mirtes.

Sentou-se em uma mesa de onde podia observar a casa dela, pediu um refrigerante e esperou.

Olhou para o relógio. Oito horas. Eram oito e dez quando a porta se abriu e Mirtes saiu toda arrumada. Marcelo apertou os lábios com raiva. Levantou-se e foi até a porta. Ela caminhou até a esquina, onde havia um carro de luxo à espera. Um rapaz alto saiu e dirigiu-se a ela. Cumprimentaram-se, ele abriu a porta do carro, ela entrou e foram embora.

Marcelo, cego de raiva, pagou o refrigerante e saiu rápido. Não podia duvidar mais. Era mesmo verdade. Ela o trocara por outro. Teve vontade de esmurrá-los, de gritar sua revolta, de bater em alguém. Diante da própria impotência, não conseguiu segurar as lágrimas que desceram por seu rosto.

Ao virar a esquina, bateu de frente com uma moça que caminhava em sentido contrário. Ela perdeu o equilíbrio e caiu. Imediatamente, ele a segurou pelo braço e ajudou-a a se levantar.

— Marcelo! É você?

Olhos molhados, rosto contraído, mãos trêmulas, ele reconheceu Alzira, irmã de Mirtes.

— Desculpe... Não a vi. Machucou-se?

— Não. Estou bem. O que está fazendo aqui? Você está transtornado. Por acaso...

— Sim, eu a vi sair. Fiquei sabendo o que aconteceu sábado. Vim verificar e vi. Estava andando depressa para pegar meu carro e ir atrás deles.

Alzira assustou-se:

— Para quê?

— Para desabafar, brigar, pelo menos fazer alguma coisa. Agora eles se foram. Sabe para onde?

— Não, e mesmo que soubesse não lhe diria. Quer ir até minha casa, tomar alguma coisa? Você está muito nervoso.

— Obrigado. É melhor não. Não quero ver ninguém.

— Você não pode ir embora assim. Vamos até seu carro conversar um pouco.

Alzira pegou o braço dele e foram caminhando até o carro. Ele abriu a porta e entraram.

— Você quer me confortar, mas estava encobrindo-a. Devem ter dado boas risadas à minha custa.

— Não diga isso. Não gosto do que ela está fazendo. Várias vezes já lhe disse que, se ela quisesse sair com outros, deveria acabar com o namoro de vocês. Seria mais digno. Mas você sabe como ela é: só faz o que tem vontade. Não ouve ninguém. Minha mãe já cansou de dar-lhe conselhos.

— Preciso esquecê-la. Ela não me ama, não é para mim.

— Isso mesmo. Mirtes tem a cabeça cheia de ilusões, mania de grandeza. Quer se casar com um homem rico, não está à procura de amor.

— O diabo é que gosto dela. Está difícil aceitar a separação.

Alzira suspirou inconformada. Não podia entender como um rapaz bonito e bom como ele se humilhava daquela forma. Disse com voz firme:

— Melhor aceitar o rompimento agora do que prosseguir nessa relação e vir a sofrer muito mais. Sabe de uma coisa? Mirtes não está preparada para um namoro sério. Não sabe o que quer. É incapaz de ser fiel.

— Você deve saber o que está dizendo.

— Sei.

Notando o abatimento dele, ela continuou:

— Por que não dá um tempo? Quem sabe mais tarde ela tome juízo.

— Está dizendo isso para consolar-me.

— Não, sério. Mirtes tem sede de viver, é cheia de ilusões. Minha mãe costuma dizer que é da idade, que ela vai amadurecer.

— Você é mais nova e não procede como ela. Acho que é temperamento mesmo.

Alzira não respondeu. Ela sabia que ele estava certo, mas não queria falar mal da irmã.

— Olhe, vá para casa e pense no que eu lhe disse.

— Vou pensar. Aliás, não consigo pensar em outra coisa. Não vou procurá-la outra vez. Para mim acabou. Só tenho medo de que ela venha pedir-me perdão, dizer que está arrependida.

— É isso mesmo que ela vai fazer. Enquanto estiver interessada nesse com quem saiu hoje, ela nem se lembrará de você. Porém, se ele a deixar ou se ela perder o interesse, certamente irá procurá-lo.

— O problema está aí. Não sei dizer "não" a ela.

Alzira irritou-se.

— Ela faz o que faz porque conta com isso. Vive dizendo que você não tem coragem de romper o namoro. Quer saber de uma coisa? Se você fosse mais durão, ela pensaria duas vezes antes de fazer o que faz.

— Quer dizer que a culpa é minha? — respondeu nervoso.

— Ela é volúvel e você não tem pulso. Por isso, ela não o respeita. O que ela está fazendo é falta de respeito.

Marcelo baixou a cabeça envergonhado.

— Tem razão — disse vagarosamente. — Preciso reagir. Mas não gosto de brigar. É horrível. Faço tudo para viver em paz.

43

— Bom, se você pensa assim, deve procurar uma moça que seja calma, sincera, bem-comportada, nunca alguém como Mirtes.

— Seria melhor. Por que será que fui me apaixonar logo por ela?

— Porque você gosta de mulher provocante. Nem repara nas outras.

Marcelo sorriu. Era verdade. Para ele uma mulher tinha de ser vistosa, cheia de vida, chamar a atenção aonde fosse.

— Pelo jeito você me conhece mais do que eu. É a primeira vez que conversamos.

— Sou observadora. Quanto mais Mirtes faz das suas, mais você a deseja. Começo a pensar que, no fundo, o que você gostaria mesmo é de ser igual a ela, de ter coragem para seduzir, de ser audacioso, requestado, desejado por todas as mulheres.

— Isso não é verdade. Sou pacato, discreto, não gosto de chamar a atenção.

— Não creio. O que você sente por minha irmã não é amor, é paixão. E a paixão aparece exatamente quando você vê no outro um comportamento que gostaria de ter, mas que não tem coragem de adotar.

— Você está fantasiando.

— Pense e verá que tenho razão. Você gostaria de ter a coragem dela, de fazer o que ela faz, por isso você a perdoa quando ela volta. Porque no fundo, apesar de ver-se preterido, justifica-a e admira-a.

Marcelo não encontrou resposta. As palavras dela o incomodavam, e ele decidiu encerrar o assunto.

— Obrigado por me ouvir. Foi bom termos conversado.

Alzira abriu a porta do carro dizendo:

— Sinto-me aliviada. Não gosto de situações dúbias. Foi ótimo conversar com você. Até outro dia.

Ela se foi, e Marcelo, durante o trajeto de volta, ficou pensando no que ela dissera. Não, ele não queria ser igual à Mirtes. Lembrou-se de Valdo. Ele, sim, era igual a ela. Bonito, elegante, charmoso, volúvel, chamava a atenção onde aparecia. Gostava de estar em evidência. E, além de tudo, era rico.

Marcelo abanou a cabeça negativamente. Nunca poderia ser como ele. Não gostava de aparecer, de chamar a atenção. Era discreto, sério, honesto, educado. Alzira estava errada.

CAPÍTULO 4

Émerson contemplou a sala com satisfação. O ambiente era simples e aconchegante, exatamente como queria. Sentou-se na poltrona, apanhou uma pasta e, abrindo-a, iniciou a leitura atenta de seu conteúdo.

Não podia esquecer nenhum detalhe. Desenvolvera aquele projeto quando ainda estava no mosteiro, depois que seu professor e mestre o chamara e dissera:

— Hoje você terminou sua iniciação. Até agora a vida lhe deu tudo que foi possível para que você conquistasse seu progresso espiritual. Você recebeu esclarecimentos, luz, aprendeu alguns dos mistérios que só os iniciados podem penetrar. É hora de experimentar, de conferir, de descobrir quanto você captou do que lhe foi passado. E isso só será possível vivendo.

— Mas quero ficar um pouco mais. Conheci outros povos, outros conceitos, experimentei situações, mas foi aqui que encontrei a sabedoria, a paz, que minha sensibilidade se abriu e pude contemplar outras dimensões do universo. Sou muito grato pelo carinho com que me acolheram. Gostaria de poder permanecer aqui para sempre.

— Nós o amamos muito, meu filho. Nosso coração pede a Deus por sua felicidade. Mas sua missão é lá entre seu povo, que precisa de conhecimento. Você veio para ser o intermediário entre a sabedoria divina e seu grupo de evolução. Ficar aqui seria impedir seu crescimento e a multiplicação do bem. Você sabe que a separação não existe quando estamos unidos pelo amor divino. Você tem mais um mês para estar conosco. Portanto, deve programar como deseja iniciar seu trabalho em benefício dos seus.

Émerson baixou a cabeça pensativo. Voltar seria encontrar novamente as injustiças sociais, a perturbação de uma sociedade descrente mergulhada nas próprias ilusões. Teria forças para manter o próprio equilíbrio conquistado durante aqueles anos?

O mestre colocou a mão sobre seu ombro, dizendo com voz suave:

— Se você não conseguir manter a serenidade em qualquer circunstância, então de nada lhe valeu o tempo que passou aqui.

Émerson entendeu. Era preciso enfrentar a turbulência do mundo para saber se havia aprendido. Abraçou seu mestre, curvou-se e saiu.

A partir daquele dia, começou a programar que rumo daria à sua vida quando voltasse. Depois de muito meditar e de pedir a ajuda espiritual dos grandes mestres do universo, Émerson começou a esboçar seu projeto.

Acreditava na perfeição da vida, em sua bondade e sabedoria. Descobrira que a infelicidade do homem era causada por sua incapacidade de orientar-se, deixando-se conduzir pelas ilusões, pagando por isso o preço da dor.

A inversão de valores criara regras sociais que deturpavam a verdade, dificultando que as pessoas pudessem escolher melhor seus caminhos.

A maneira de enxergar a vida é fundamental porque influi nas atitudes e escolhas, programando os resultados que terão no futuro. Portanto, o sofrimento humano é um problema de educação espiritual.

Se os homens descobrissem a finalidade da vida, se pudessem conhecer os verdadeiros valores do espírito eterno, certamente mudariam suas atitudes e evitariam muitos sofrimentos.

A evolução do espírito é uma lei universal. A vida cria desafios todos os dias para que a alma conquiste maturidade. As dores do crescimento são inevitáveis. Entretanto, elas são insignificantes diante do volume de sofrimentos que o homem cria por ignorar como a vida funciona.

Pensando assim, Émerson resolveu que criaria um instituto do conhecimento espiritual, onde desenvolveria um trabalho de iniciação ensinando tudo que aprendera no mosteiro. Esse conhecimento fizera-lhe imenso bem.

Saíra do Brasil cheio de dúvidas, motivadas pela perda de seus pais de forma tão violenta. Vivia inquieto, inseguro. O medo do desconhecido perturbava-o. Para ele, seus pais representavam segurança, mas o acidente provou que no mundo nada é seguro. Isso o tornou depressivo e infeliz.

Na China, aprendera conceitos novos de saúde e medicina, contemplara a serenidade dos sábios, começara a desenvolver sua sensibilidade e a perceber que a vida era mais do que o mundo material.

Mas foi na Índia, naquele mosteiro, que realmente encontrou a explicação para os problemas que o angustiavam, aprendeu os segredos da conquista da serenidade interior, desenvolveu mais sua sensibilidade.

O amor, o respeito e o carinho dos mestres encantaram-no. Naquele ambiente, sua sensibilidade se abriu a ponto de Émerson sair do corpo conservando a lucidez e entrar em contato com seres de outras dimensões, de onde regressava trazendo dentro do peito uma felicidade intraduzível.

Quando falou com seus mestres sobre suas ideias, eles concordaram com entusiasmo, aconselhando-o a planejar tudo nos mínimos detalhes.

O primeiro ano seria de formação. Para levar esse projeto para a frente, Émerson precisaria formar pessoal habilitado, para depois se aventurar a ensinar publicamente.

Enquanto relia o que estava descrito em seu projeto, Émerson recordava-se das orientações de seus superiores. Ele comprara uma casa confortável para morar. A fortuna que herdara dos pais fora bem administrada e aumentara consideravelmente. Péricles informara-o de tudo, colocando-se à disposição para auxiliá-lo no que precisasse.

Ele resolvera comprar um terreno em local aprazível e sossegado, longe do bulício da cidade, e projetar o prédio do instituto.

Colocado a par dos planos, Péricles preocupou-se. Preferiria que Émerson continuasse trabalhando no mesmo ramo em que ele aplicara seu dinheiro com sucesso. Porém, diante do entusiasmo e da determinação de seu protegido, acabou concordando e até o orientou na aquisição do terreno e na elaboração do projeto.

Na casa que Émerson comprara havia um grande salão de festas que ele decorou para iniciar seu trabalho. Acarpetou o piso, construiu uma fonte no pequeno jardim ligado à porta dos fundos, pintou as paredes de creme, instalou luz indireta e regulável. A um canto, uma estante com livros e um aparelho de som. Algumas poltronas, uma mesa onde colocou alguns objetos místicos que recolhera em suas viagens. Vasos com plantas, flores no vaso sobre um aparador. Grossas cortinas foram colocadas nas grandes janelas e nas portas de vidro, isolando os ruídos externos. Émerson gostou do ambiente impregnado de incenso, onde se sentia ligado ao mosteiro, em suas meditações.

A notícia de sua volta correu rápida por seus antigos amigos.

Valdo encarregou-se de dar detalhes, avisando que Émerson voltara diferente, místico, cheio de ideias humanitárias, tendo se tornado terapeuta em um mosteiro na Índia.

A curiosidade foi grande, principalmente de Mildred, que esperava ansiosamente sua volta. Preparou-se para aquele encontro com esmero, cuidando de sua aparência mais do que nunca.

Valdo convidara o amigo para diversas festas, mas Émerson recusara todas.

— Antes você gostava de festas. Pretende isolar-se?

— Não. Ao contrário, pretendo me relacionar melhor com as pessoas.

— Então, por que não quer ir?

— Tenho andado muito ocupado. Gosto de meu projeto, e o prazer que sinto em trabalhar nele vale mais do que uma festa. Logo terei concluído a parte inicial, então haverá tempo para acompanhá-lo.

Valdo abanou a cabeça negativamente:

— Você está diferente. Gosta do silêncio, da meditação... Não vai se sentir bem com o barulho. A música alta, as pessoas gritando todas ao mesmo tempo querendo conversar... Não me parece que você vai aguentar. Eu mesmo converso um pouco, arranjo companhia e procuro um lugar mais sossegado.

— Não pretendo fugir ao convívio social. Eu posso me manter imune ao ruído. Sei como me isolar do que não me agrada.

— Em sociedade isso é o ideal. Às vezes somos forçados a escutar coisas desagradáveis e sorrir.

Émerson olhou-o sério.

— Não vou isolar-me, mas pretendo estar nos lugares que me dão prazer. Escutar banalidades, fingir que me interessam, é perda de tempo e não está em minhas cogitações.

— Nesse caso, ficará sozinho. A sociedade é puro interesse e conveniência.

— Não se iluda com as aparências. As pessoas entram no convencional, vivem papéis, e isso não satisfaz. Por dentro, estão desejando o melhor, o mais verdadeiro para serem felizes. É preciso descobrir o que se esconde atrás do que parece, selecionar aqueles com os quais você tem afinidades ou com quem pode aprender alguma coisa, e em pouco tempo sua vida ganha em alegria, motivação, prazer.

— Você pensa diferente de todo mundo. Se todos estão se escondendo, como é que vamos ver o que está atrás? Quem pode saber o que se oculta atrás de um sorriso de mulher ou de um almoço de negócios?

Émerson sorriu, mostrando os dentes alvos e bem distribuídos, depois respondeu:

— Não é difícil, porque o corpo fala. A boca diz uma coisa, mas a postura, os gestos, os olhos são reveladores e podem nos contar a verdade. Basta observar.

— Gostaria muito de aprender como.

— Pretendo desenvolver estudos sobre esse assunto. Por enquanto, vou trabalhar com as pessoas em terapia. Mais tarde, em meu instituto quero formar terapeutas e multiplicar o processo. É incrível como as pessoas se prendem, se limitam, se machucam, se iludem.

— Pretende curá-las?

— Quero que descubram sua maneira de obter felicidade. A vida só vale a pena quando sabemos vivê-la. Encontrei a serenidade e a paz. Desejo passar esses conhecimentos para aqueles que se interessarem a aprender como viver melhor.

— Não sei se eu daria para isso. Apesar de tudo, gosto de estar em sociedade, conversar, dançar, saber as novidades. Você sabe: eu não consigo ficar parado durante muito tempo. Essa coisa de meditação, silêncio, solidão, não é comigo.

Émerson sorriu de novo e respondeu:

— Também gosto das coisas que você gosta. Entretanto, aprendi que há momentos em que o bulício do mundo nos perturba e precisamos fazer silêncio para ouvir o que nossa alma quer e recuperar a serenidade. O segredo está em como você faz as coisas, e isso depende sempre de como você as vê. Quando você está sereno, lúcido, a vida trabalha a seu favor, oferecendo-lhe momentos de prazer e bem-estar.

— Isso porque você gosta de estudar esses assuntos. Comigo acho que não daria certo.

— Como é que sabe, se nunca experimentou? O equilíbrio espiritual é um estado de felicidade interior que só o conhece quem já o sentiu. A vida é fonte de alegria, prazer, bem-estar. Todos podem conquistar esse estado, desde que aprendam como. Conhecer-se é o primeiro passo. Saber como a vida funciona é fascinante. Agora mesmo você está na defensiva, pensando que para estudar a espiritualidade terá de deixar tudo e tornar-se um monge. Essa ideia tem sido divulgada pelas religiões, que se apoiam em modelos de santidade.

— Você tem se afastado das festas e da sociedade.

— Desejo executar meu projeto e estou entusiasmado. Mas aprecio as boas coisas da vida e não desejo abrir mão delas. Porém, desde já esclareço que não farei nada que me desagrade. Esse é um princípio fundamental para manter meu equilíbrio.

Valdo balançou a cabeça negativamente e ajuntou:

— Você não existe! Como pode acreditar que em um mundo como o nosso alguém só fará o que gosta?

— Se precisar fazer alguma coisa desagradável, tentarei encontrar uma maneira melhor de encará-la. Já lhe disse que na vida tudo depende de como você olha para as coisas.

**

Os dias passaram e, finalmente, Émerson disse a Valdo que estava pronto para voltar ao meio social, rever os amigos.

A notícia despertou interesse de seus antigos conhecidos. Sua volta depois de oito anos de ausência e principalmente o mistério que havia em torno dele, que Valdo contribuíra para alimentar, fez com que os convites chovessem. Entretanto, Émerson decidiu frequentar apenas os lugares da moda e o tradicional clube do qual ele e a família de Valdo eram sócios.

Onde quer que aparecesse, despertava logo a atenção dos presentes, e os comentários multiplicavam-se. Émerson percebia, mas não se incomodava, pois estava habituado com a popularidade de Valdo, sempre rodeado de pessoas onde quer que fosse.

— Viu aquela roda dos magnatas do petróleo? — perguntou-lhe Valdo.
— As mulheres estão disputando a primazia de sua presença na mesa delas. Lila perguntou-me se você aceitaria jantar na casa dela na próxima quinta.

— Talvez.

— Ela pretende formalizar o convite.

— Você quer me atirar às feras, e não estou disposto a enfrentá-las. Não é isso que quero.

— Não entendo você. Disse que estava disposto a frequentar a sociedade, mas continua arredio. Julguei que quisesse se relacionar com pessoas de classe e valorizar seu instituto. Lila, se você esqueceu, é de uma família muito poderosa, com gente colaborando no governo. Além do mais, tem muito dinheiro. É a pessoa certa para quem deseja obter sucesso. Sua amizade será de grande utilidade para você.

Émerson lançou um olhar para a mulher elegante, bonita, rodeada de algumas pessoas que procuravam captar sua atenção, e disse:

— Ela não é o que parece ser. Seu rosto é uma máscara com a qual se defende daquilo que ela pensa que é. Não tem condições de ajudar ninguém. Ao contrário, é a mais necessitada.

Valdo abanou a cabeça admirado.

— De onde tirou essa ideia? É a mulher mais invejada do clube.

— Pode ser. As pessoas só veem o exterior. Eu desejo contatar pessoas que venham somar comigo, capazes de entender meu projeto. Pessoas que acreditem na espiritualidade, dispostas a conquistar o equilíbrio interior.

— Neste mundo louco é quase impossível o que você quer.

— Engana-se, Valdo. O desenvolvimento do espírito, a conquista do progresso são anseios de todos. Só que ninguém ensina como alcançá-los. Essa escola é a que quero fundar.

— Quer dizer que você já sabe como conquistar tudo isso?

— Tenho estudado como a vida funciona. O universo é regido por leis cósmicas que mal conhecemos. Aprendê-las é encontrar uma forma de viver melhor, de ser mais feliz.

— Isso que você diz é muito vago. Desde que o mundo é mundo, vários filósofos tentaram definir o caminho da felicidade. Inutilmente, pois eles mesmos não foram felizes.

— Não estou interessado em filosofias, embora tenham alguns fundamentos. Quero descobrir como as coisas acontecem. Por que uma pessoa que acreditamos bondosa é atingida pela maldade, sofre doenças penosas ou tragédias sem-fim, enquanto outras que julgamos menos boas levam uma vida normal, com saúde, dinheiro e até fama.

Valdo não se conteve:

— O que pretende com isso? A vida é assim, e não há como mudar.

— Engana-se, Valdo. Cada pessoa cria o próprio destino. Aquilo em que você acredita, sua maneira de ver o mundo, suas ilusões, suas atitudes formam o ciclo de experiências que você vai atrair no dia a dia. Quando você muda suas crenças e reformula seu mundo interior, toda a sua vida muda.

— Isso não é possível. Como eu posso mudar os outros só mudando meus pensamentos?

— Quando você muda suas crenças, você modifica suas energias, e são elas que movem todos os acontecimentos à sua volta. Pode crer. Você, por exemplo, acredita que é inteligente, bonito, privilegiado. Vive de bem com a vida e por isso é aceito por todos com prazer. Aonde quer que vá, espalha energias positivas, alegres, e as pessoas sentem isso e recebem-no com satisfação. Já uma pessoa insatisfeita, que se sente inadequada, mal-amada emana energias desagradáveis, e as pessoas não a tratam com a mesma atenção com que tratam você. Já reparou isso?

— Já. Eu mesmo fujo de pessoas que estão sempre reclamando. Gosto da vida e não quero perder o bom humor.

— Essa é a chave de seu sucesso.

Valdo ficou pensativo por alguns instantes, depois disse:

— É interessante. E tem certa lógica.

Émerson sorriu e ajuntou:

— É preciso valorizar o que você sente, ficar atento para os recados de sua intuição. Se você fizer isso, nunca será enganado ou surpreendido com as atitudes das pessoas. Elas podem mentir, e o fazem com relativa facilidade, porém as energias que exalam transmitem o que elas pensam de verdade. Sempre que sentir rejeição por alguma pessoa, preste atenção e tente perceber o que está atrás do que parece ser.

— Eu já senti isso. E, todas as vezes que não dei atenção, me arrependi.

— Isso mesmo.

***

Foi em um jantar na casa de Almerinda que Émerson se encontrou com Mildred face a face. Cumprimentou-a com naturalidade. Olhando-o nos olhos seriamente, ela comentou:

— Faz tanto tempo que não nos vemos! Você não mudou nada.

— Nem você. Continua bonita como sempre.

Ela sorriu satisfeita. Fora àquele jantar disposta a aproveitar a oportunidade de ficar perto de Émerson. Já não era mais a jovem ingênua de outros tempos. Mais experiente, desta vez tinha certeza de que iria conquistá-lo em definitivo.

Eles haviam se amado, e, assim como ela não conseguira esquecê-lo, ele por certo ainda guardaria no coração as lembranças do passado. Reviver aquele amor era o que ela mais desejava na vida.

— Valdo me disse que você voltou para ficar.

— É verdade. Estou reorganizando minha vida.

— As coisas mudaram muito por aqui.

— Aparentemente. No fundo, tudo continua igual.

— Não concordo. Os costumes, as pessoas, tudo está diferente de oito anos atrás.

— A procura da felicidade continua.

Mildred sorriu:

— Essa é a grande ilusão.

— Não acredita em felicidade?

— Claro. Na que é possível obter neste mundo. Saúde, uma boa conta bancária, boas amizades. Usufruir de uma vida agradável enquanto der.

— Você citou algumas coisas boas, mas quem as possui está sempre querendo mais. As conquistas materiais são insuficientes. Eu falo de um estado de realização interior que independe das coisas de fora. É quando você se sente alegre, não deseja nada, está em paz.

— Foi isso que você foi procurar pelo mundo afora?

— Foi.

— E encontrou?

— Sim.

Mildred não se deu por achada e comentou:

— Pelo que tenho ouvido a seu respeito, você não se tornou um guru pobre. Ao contrário, comprou uma belíssima casa e não parece disposto a renunciar o conforto nem o dinheiro.

— Não mesmo. Cada coisa tem seu valor pelo bem que nos pode proporcionar. Jogar fora o que a vida nos deu é desvalorizar a oportunidade de viver melhor. Eu nunca disse que o dinheiro é um mal. Como qualquer outro recurso neste mundo, depende do uso que cada um faz dele.

— Digamos que você é um guru diferente.

— Não sou um guru. Sou apenas uma pessoa interessada em aprender a viver bem. Tive grandes mestres com os quais descobri muitas coisas, principalmente o que é importante para mim agora. Foi tão enriquecedor que pretendo continuar estudando.

— Valdo me disse que está abrindo um instituto. Do que é?

— Por enquanto, é apenas um grupo de pessoas interessadas em estudar a espiritualidade. Mas falemos de você. O que tem feito este tempo todo?

— O mesmo de sempre. No fundo, você tem razão. Apesar das mudanças, tudo continua o mesmo.

Émerson sorriu e concordou. Almerinda havia colocado Mildred ao lado de Émerson na mesa do jantar. Ela tinha esperanças de que eles acabassem reatando o namoro. Mildred era a mulher ideal para Émerson. Ele estava retomando a vida social e ninguém melhor do que ela para colocá-lo em evidência.

Émerson percebeu as intenções de Almerinda, mas não se importou. Não tinha nenhum interesse em reatar com Mildred. Agora, depois de tantos anos, chegara à conclusão de que ele e ela tinham temperamentos incompatíveis e que nunca seriam felizes juntos. Apesar de muito bonita, ela não era a mulher que Émerson desejava. Não sentia mais nada por ela. O antigo entusiasmo havia desaparecido.

Durante o jantar, procurou manter uma conversação trivial, enquanto ela, notando sua indiferença, procurava provocá-lo, recordando o passado, falando de como sentia saudade daqueles tempos.

Depois que todos se foram, Valdo comentou com Émerson:

— Então, que achou de Mildred? Continua bonita como sempre.

— É verdade.

— Só isso? A presença dela não mexeu com suas lembranças? Ela falou nisso o tempo todo. Continua a fim de você.

— Talvez esteja mesmo.

— Você não parece nem um pouco interessado.

— E não estou mesmo.

— Houve tempo em que você pensou em casar-se com ela.

— Ainda bem que não nos casamos. Nunca daria certo. Somos muito diferentes de temperamento.

— O quê? Sempre achei que ela era a mulher certa para você.

— Engana-se. E gostaria que vocês não ficassem querendo nos aproximar. Não tenho nenhuma intenção de namorá-la novamente. Digo isso para que vocês não insistam.

— Minha mãe é que gostaria de vê-los reatar o compromisso. Ela acompanhou todo o sofrimento de Mildred, que aguardava seu retorno cheia de esperanças.

— Que eu nunca alimentei. Antes de partir, terminamos tudo. Nunca lhe escrevi. Se ela resolveu esperar por mim, fez mal. É melhor que ela perceba quanto antes que o passado acabou e não há nenhuma chance de voltar.

— Você fala com uma certeza...

— Aquele ciclo de minha vida se fechou. Agora, em meus planos, não há lugar para ela. Quanto antes ela perceber isto, melhor. Não pretendo enganar ninguém.

— Se é assim, faz bem. Não há nada pior do que uma mulher apaixonada esperando alguma coisa que nunca iremos dar. Eu tenho horror a essas mulheres nos envolvendo com olhos suplicantes, sempre querendo alguma coisa.

Émerson riu.

— Elas devem estar à sua volta em todos os lugares. Tenho notado.

— Pois faço de conta que não vejo.

— Esse é o preço da popularidade. Elas apreciam seu sucesso.

— Grudam e eu não aguento. Eu gosto mesmo é de conquistá-las, isso sim. Apesar de tudo, não gosto de ficar sozinho. Já você parece que gosta de viver só.

— Não é isso. Não corro atrás das mulheres, se é o que quer dizer. Acredito que, quando você está bem, as coisas acontecem naturalmente. A mulher que vou amar vai aparecer em minha vida e eu a reconhecerei logo.

Valdo abanou a cabeça negativamente.

— Qual, só você mesmo para ter uma ideia dessas!

— É preciso estar bem para atrair a companhia de uma pessoa que traga bem-estar e felicidade. É isso que pretendo encontrar.

— Que nada, você é um sonhador. Cuidado! Essa forma de pensar pode lhe trazer muita desilusão.

Émerson sorriu e não respondeu. Sabia o que estava dizendo, e Valdo não tinha como entender.

CAPÍTULO 5

Mildred chegou em casa arrasada. Arrumara-se tanto para aquele encontro, idealizara como seria, mas nada que esperava havia acontecido. Émerson tratara-a cordialmente, mas ela era suficientemente inteligente para perceber que ele havia mudado. Em seus olhos não havia mais aquele brilho quando a fixava, e em nenhum momento ele demonstrara alguma atenção especial.

De que lhe valera esperar tantos anos? Ele a tratara de forma banal, e notava-se que não estava nem um pouco interessado em voltar ao passado.

Mildred atirou a bolsa sobre a cama, tirou os sapatos e deitou-se mesmo vestida, pensando numa maneira de reverter a situação.

Não pretendia aceitar a indiferença dele. Era uma mulher atraente. Ele a havia amado. Não podia deixar-se abater. Oito anos era muito tempo. Ele a havia esquecido, mas sob aquela indiferença deveria haver ainda um pouco daquela chama que ela se encarregaria de fazer reviver.

Não estava habituada a perder. Não podia desanimar logo no primeiro encontro. Pensando bem, a resistência dele tornaria mais interessante a conquista.

A família de Valdo mostrara claramente a intenção de promover o namoro deles. Isso mostrou-se contraproducente. Sabia como eles pensavam, e devem ter comentado sobre quanto ela o amava e esperara sua volta. Pois ela faria justamente o contrário. Fingiria haver esquecido o passado e talvez até desse um pouco de corda a seus admiradores para provocar o ciúme de Émerson.

Resolveu que na primeira oportunidade falaria claramente com ele. Diria que do passado restou apenas a amizade, que ela gostaria de reatar. Ouvira-o falar com entusiasmo sobre o instituto que pretendia fundar. Mostraria interesse e tentaria participar ativamente. Era apenas questão de tempo. Haveria de tê-lo novamente a seu lado, apaixonado e submisso.

Animada, levantou-se e preparou-se para dormir. Deitou-se, mas demorou a pegar no sono, pensando em como realizar seus planos.

No dia seguinte, à tarde, ligou para Laura:

— Estou precisando fazer umas compras. Quer me fazer companhia? Depois poderemos ir a uma confeitaria tomar sorvete.

— Eu não pretendia sair hoje.

— Eu gostaria muito de conversar com você. Posso apanhá-la dentro de meia hora?

Laura hesitou um pouco, depois concordou. Quando desligou o telefone, Valdo, que ouvira a conversa, perguntou:

— O que foi? Você está com uma cara...

— Era Mildred. Ela me convidou para sair. Estou surpresa.

— Eu sei. Vocês nunca se afinaram muito. Você sempre se esquivou dela.

— Não gosto dela. É antipática, falsa, faz tipo de mulher fatal.

Valdo desatou a rir.

— Não está exagerando?

— Não.

— Então por que concordou?

— Fiquei curiosa. Ela quer falar comigo.

— Hmm... Vai ver quer sua ajuda para reconquistar Émerson.

— Se for isso, não vai conseguir nada. Não tenho vocação para me meter na vida dos outros.

— É bom mesmo. Seria pura perda de tempo. Émerson foi claro ontem comigo: não quer mais nada com ela. Não gostou da atitude de mamãe tentando aproximá-los.

— Mamãe esperava que ele voltasse interessado em reatar o compromisso com Mildred.

— Ele disse que nunca lhe deu esperanças. Antes de viajar, terminou tudo definitivamente.

— Ela faria melhor se cuidasse de encontrar outro.

— Notei um brilho de alegria em seus olhos, Laura. Gostou da atitude dele, não é?

— Claro. Não gostaria que ele se casasse com Mildred. Ele merece coisa melhor.

— Pensando bem, também acho.

Laura suspirou resignada e foi arrumar-se para esperar Mildred. Sentia-se aliviada. Na noite anterior, vendo Mildred tão elegante, chamando a atenção com sua beleza, teve medo de que Émerson se interessasse de novo por ela. Embora ele não tenha demonstrado nenhum interesse especial por ela, Laura precisou fazer muito esforço para que ninguém notasse o quanto estava preocupada e com ciúme. Se Mildred pensava em usá-la para chegar a ele, escolhera errado. Ela faria tudo para impedir o namoro.

Uma hora depois, sentada em frente a Mildred na confeitaria, Laura foi direto ao assunto:

— Você disse que queria falar comigo. Do que se trata?

Mildred remexeu-se na cadeira, hesitante, depois disse:

— Trata-se de um assunto íntimo, confidencial mesmo. Inicialmente pensei em conversar com dona Almerinda, mas fiquei com vergonha. Ela poderia me interpretar mal. Então pensei em falar com você.

— Minha mãe tem por você uma grande amizade. Poderia falar com ela sobre qualquer assunto.

— Sim, eu sei. Mas é sobre Émerson… Nem sei como começar…

— Fale.

— Bem, você sabe… Nós fomos namorados e todos pensavam que um dia nos casaríamos. Mas isso acabou. Ele foi embora e ficamos todos estes anos sem nos vermos.

Ela se calou pensativa.

— Continue — pediu Laura.

— Durante o tempo que ele esteve fora, todos em sua casa falavam que, quando ele voltasse, mais amadurecido, nós nos casaríamos. Mas o tempo passou, e confesso a você que meu amor por ele acabou.

— Como assim? — fez Laura surpreendida.

— É verdade. Eu sabia que não o amava mais. Mas como não apareceu nenhum outro que me interessasse, deixei o tempo passar e, quando os amigos tocavam no assunto, eu não desmentia. Contudo, ontem, ao encontrá-lo novamente em sua casa, percebi claramente que não o amo mais. Apesar de tudo, eu ainda conservava um pouco do passado, como um sonho romântico. Mas, vendo-o, tive certeza de que nada mais é possível entre nós.

Laura procurou disfarçar a alegria e disse com naturalidade:

— Tem certeza?

— Tenho. Ele mudou, eu mudei. Gosto dele como amigo. Aprecio sua inteligência e não desejo perder sua amizade. Por isso pensei que talvez você pudesse me ajudar.

— De que forma?

— Conversando com sua família. Pedindo para que não tentem nos aproximar. Sei que eles têm boa intenção, mas sinto-me constrangida. Não desejo que Émerson pense que ainda estou interessada nele. Pode fazer isso por mim?

— Claro. Tem certeza de que não vai se arrepender, isto é, de que não vai apaixonar-se por ele de novo?

— Tenho. Para ser bem sincera, estou começando a interessar-me por outra pessoa...

— É mesmo? Eu conheço?

— Conhece. Mas no momento prefiro manter segredo.

Laura sentiu-se bem-disposta e até começou a pensar que Mildred não era tão antipática, como sempre pensara.

Voltou para casa contente. Vendo-a, Valdo comentou:

— Para quem saiu contrariada, você está melhor do que eu esperava.

— Estou alegre mesmo. Não era nada do que esperávamos.

— Não vai me contar?

— Claro. Ela confessou que não quer mais nada com Émerson. Não o ama mais. Quer que eu peça a todos, principalmente a mamãe, que não façam mais nada para aproximá-los.

— Não diga! Será verdade? Até há bem pouco tempo, quando ela me via, mostrava-se ansiosa por notícias dele. Tem certeza de que entendeu bem?

— Tenho. Ela me explicou que guardava dele uma lembrança de outros tempos e que, vendo-o, descobriu que não o amava mais. Parecia sincera. Chegou a afirmar que está interessada em outro.

— Quem diria! As mulheres são mesmo surpreendentes...

— Oito anos é muito tempo.

— Émerson vai ficar satisfeito.

Naquela noite mesmo, Laura conversou com os pais sobre Mildred. Péricles comentou com a esposa:

— Não lhe disse? Eles notaram seu interesse em aproximá-los. É melhor não nos envolvermos mais. É problema deles.

— Tem razão — respondeu Almerinda um pouco decepcionada. — Pensei estar ajudando Mildred. Ela vivia perguntando por ele com olhos brilhantes, emocionada. Quem poderá entender?

— As mulheres são imprevisíveis. Não vamos nos meter na vida de ninguém.

Quando mais tarde Valdo contou a Émerson o que acontecera, este se sentiu aliviado.

— Melhor assim. Poderemos nos encontrar sem constrangimento. Pretendo manter boas relações com as pessoas, interessá-las em meu projeto.

— Como vai indo?

— Muito bem. Os primeiros interessados começam a aparecer.

— Todo mundo pergunta o que você pretende, e eu não sei bem. O que devo dizer?

— Nada. Dentro de alguns dias saberão.

— Que mistério!

— Não há nenhum mistério. Acontece que ainda estou me organizando.

Valdo abanou a cabeça e disse sorrindo:

— Já sei de um punhado de moças que irão procurá-lo, seja o que for que você fizer.

— Pretendo fazer um trabalho sério. E o farei apenas com quem estiver disposto a isso. O tempo é precioso. Não vou atender quem não estiver realmente interessado em cuidar melhor da própria vida.

Valdo deu de ombros.

— Você é quem sabe. Só quero ver como elas vão reagir quando descobrirem que não adiantou jogar charme.

Émerson sorriu e não respondeu. Sabia o que queria e como fazer.

***

Marcelo entrou em casa cansado. Não via a hora de tomar um banho e relaxar. Gérson convidara-o para ir ao cinema, e ele recusara.

— Você precisa reagir. Largar Mirtes foi o melhor que lhe aconteceu. Não deve ficar em casa pensando nela.

— Mirtes é um caso encerrado. Não sinto mais nada por ela. Não quero sair porque estou cansado. Iremos outro dia — respondera.

61

A verdade, no entanto, é que ele perdera o prazer de divertir-se, de sair com os amigos. Mirtes não lhe saía do pensamento. Não era amor, mas apenas orgulho ferido. Ela o passara para trás sem nenhuma explicação. Várias vezes sentira vontade de ir conversar com ela, para dizer-lhe que não a queria mais.

Apesar disso, quando o telefone tocava, imaginava que era ela. Se ela voltasse a procurá-lo, como das outras vezes, o que lhe diria? Imaginava um diálogo em que ela implorava e ele não voltava atrás. E mais: desprezava-a, provando assim que não a amava mais.

Porém um mês passara sem que ela o procurasse. Aos poucos, ele foi aceitando que a perdera de fato. Tentava convencer-se de que tinha sido melhor assim, que ela era falsa, volúvel e que ele tivera sorte de livrar-se dela. Mas era inútil. Cenas do namoro vinham-lhe à mente e ele sentia que, apesar de tudo, desejava estar com ela. A atração que Mirtes exercia sobre ele não desaparecera. Chegou à triste conclusão de que não conseguia controlar seus sentimentos e que não adiantava querer negar: ele a amava e não desejava perdê-la, ainda que para isso precisasse humilhar-se, sofrer, perdoar as traições que ela lhe fizera.

Vivia insatisfeito, desejando que ela voltasse, mas ao mesmo tempo, pressentindo que iria sucumbir às suas rogativas como sempre fizera, não queria que ela o procurasse. Era contraditório, contudo, fosse qual fosse o pensamento que lhe ocorresse sobre ela, sentia-se derrotado, fraco. Sem ela, sentia-se infeliz; com ela, incapaz. Aquela sensação desagradável de fracasso não podia continuar. Tinha de libertar-se dela. Se tentasse namorar outra moça, talvez conseguisse vencer aquele estado de espírito.

Quando se preparava para tomar banho, sua mãe apareceu na porta de seu quarto entregando-lhe um envelope e dizendo:

— Esta carta é para você. Chegou semana passada. Lina apanhou a correspondência e esta caiu atrás do sofá. Ela nem percebeu. Foi só hoje que achamos. Abra para ver se é alguma coisa importante.

Marcelo apanhou o envelope bonito que Iolanda lhe estendia e comentou:

— Não acho que seja importante. Ninguém me escreve.

— Pode ser alguma conta. Melhor abrir.

Ele abriu e leu:

"Convidamos você para a inauguração do Instituto de Desenvolvimento Espiritual. Contamos com sua presença." Seguia-se a data e o endereço. Estava assinado por Émerson de Menezes.

— É hoje à noite — comentou Iolanda. — Que instituto é esse? Nunca ouvi falar.

— É um lugar de estudos. Quem está convidando é aquele moço que encontrou minha agenda. Lembra?

— Sei. Você vai?

— Acho que não. Estou cansado.

— Ultimamente não tem saído. Precisa distrair-se. Desde que brigou com Mirtes, fechou-se em casa e não vai a lugar nenhum. Vai ver está esperando que ela apareça para perdoá-la, como sempre.

— Não é nada disso. Desta vez, não tem volta. Acabou mesmo.

Iolanda sacudiu a cabeça e saiu. Marcelo apanhou o convite, novamente indeciso. Não sentia vontade de sair com os amigos, encontrar os conhecidos que não faziam outra coisa senão falar sobre sua paixão por Mirtes. Sua mãe tinha razão: precisava sair, distrair-se. Mas queria ir a um lugar diferente, conhecer outras pessoas.

Consultou o relógio e decidiu ir. Guardara uma excelente impressão de Émerson, que fora muito atencioso. Haviam jantado juntos e conversado sobre vários assuntos interessantes.

***

Marcelo chegou ao local dez minutos antes da hora marcada e admirou-se com o movimento. Foi difícil encontrar um lugar para estacionar. À porta, foi recepcionado por um rapaz simpático que recebeu seu convite, convidando-o a entrar.

Do *hall* ele divisou o salão e foi até lá. Émerson conversava com duas moças e, vendo-o, imediatamente foi recebê-lo.

— Que bom vê-lo! Seja bem-vindo.

Marcelo apertou a mão que ele lhe estendia com prazer.

— Fique à vontade.

— Obrigado.

Valdo aproximou-se e Émerson chamou-o, dizendo:

— Você conhece Valdo. Ele veio gentilmente cooperar comigo esta noite.

— Como vai? — cumprimentou Marcelo. — Apesar de conhecê-lo, nunca havíamos conversado.

63

— Bem... Você está sozinho? Venha, vou apresentá-lo a algumas pessoas.

Marcelo acompanhou-o sentindo-se alvo das atenções, pois Valdo apresentou-o a várias pessoas e ficou com ele até vê-lo conversando com duas moças. Mostrou-se atencioso e educado com ele, tratando-o com cortesia, e Marcelo, que sempre antipatizara com ele, começou a pensar que talvez estivesse errado.

Conversando com a moças, Marcelo descobriu que ninguém sabia bem do que se tratava o instituto que Émerson estava inaugurando. O salão estava em penumbra e havia um ar de mistério nos objetos místicos que ele trouxera do Oriente e com os quais decorara o lugar. No ar havia uma música diferente, que emprestava ao ambiente um encanto especial. Além das flores nos dois aparadores, havia cadeiras em formato de auditório onde as muitas pessoas já haviam se acomodado. Ao fundo, pequena plataforma com um microfone.

Às oito horas em ponto, Émerson dirigiu-se para lá, o que fez as duas moças que estavam com Marcelo convidarem-no a sentar-se. Émerson apanhou o microfone e saudou as pessoas presentes, dando-lhes as boas-vindas. Depois explicou:

— Hoje é um dia muito feliz para mim, porque estou começando um trabalho com o qual venho sonhando há algum tempo. Muitos de vocês me conhecem e sabem que há oito anos saí pelo mundo em busca de novos conhecimentos. Estava inquieto, com muitas indagações a respeito da vida, sem encontrar nenhuma resposta satisfatória nos conhecimentos de nossa sociedade ou nos livros que li.

Émerson fez ligeira pausa e, constatando que o ouviam com interesse, continuou:

— Observando a perfeição da natureza, o equilíbrio do universo, a magia da vida, eu não podia entender a causa de tantas injustiças, tantos sofrimentos, tantas guerras existentes no mundo. Acreditando na perfeição de Deus, tanta infelicidade parecia-me inexplicável e injusta. Parti e, durante oito anos, visitei mosteiros, procurei sábios, mestres, e com cada um fui aprendendo a ter uma visão diferente e percebendo como contribuímos para agravar os fatos que nos afligem no dia a dia. Foi num mosteiro de uma pequena cidade da Índia onde estive por mais de três anos que meu aprendizado se tornou mais profundo. Para ser sincero, eu gostaria de ter ficado lá para sempre. Havia tanta serenidade, tanta sabedoria, tanta luz, tanto amor entre as pessoas que considero um privilégio ter estado lá.

"Porém um dia me comunicaram que estava na hora de voltar para minha cidade e começar a tarefa para a qual a vida me havia preparado antes do nascimento e que eu aceitara realizar. Foi-me revelado que eu deveria voltar, fundar um instituto para continuar meus estudos sobre a vida e ao mesmo tempo ensinar tudo quanto havia aprendido com os mestres.

"Aqui estou, dispondo-me a isso. Uma das coisas que aprendi foi que os homens, manipulados por uma educação colocada a serviço dos interesses escusos de grupos ambiciosos que buscam poder e domínio, foram invertendo os valores verdadeiros do espírito. Encontram-se perdidos no cipoal duvidoso das indagações de uma filosofia materialista, com o espírito incapacitado para enfrentar os desafios do amadurecimento que se fazem necessários para a conquista da lucidez, que todos viemos buscar. Perderam a fé no próprio poder, não acreditam que são responsáveis por tudo quanto lhes acontece. E fazem mais: preferem colocar-se na posição de vítimas de um destino cruel, entregando-se à depressão ou à revolta. Torna-se preciso acordar a consciência de cada um para sua missão neste mundo, conhecer de onde viemos, saber o que estamos fazendo aqui, trabalhar para construir uma vida melhor.

"Neste instituto serão realizados cursos e conferências, terapias e estudos, com prática experimental, que vão procurar a verdade onde quer que esteja, facilitar que cada pessoa compreenda qual o melhor caminho para si e resolva trabalhar para melhorar seu padrão de vida. A felicidade é conquista que tem diferentes portas, e só a encontra quem descobre sua porta e a própria chave para abri-la.

"Aqui não vamos dar receitas, fórmulas, caminhos. Apesar de estarmos juntos no mesmo objetivo, vamos individualmente procurar o que é melhor para nós agora.

"Estou muito feliz por estarmos juntos esta noite. Na secretaria os interessados poderão buscar as informações dos trabalhos deste instituto, que começarão na próxima semana. Agradeço a Deus a oportunidade que está nos oferecendo e de minha parte farei tudo para desempenhar meu trabalho com amor e alegria. Obrigado."

Uma salva de palmas ecoou no ar, e Marcelo, na plateia, de repente sentiu como se ele já tivesse visto aquela cena. Teria sonhado? Quando ele já teria presenciado aquilo? Aquela lembrança apareceu forte em sua mente e ele se emocionou.

Enquanto as pessoas eram encaminhadas para a sala ao lado, onde seria servido o coquetel, Marcelo aproximou-se de Émerson, que estava sendo muito cumprimentado, e abraçou-o dizendo baixinho:

— Quando estiver livre, preciso falar com você. Agora há pouco me aconteceu uma coisa muito esquisita.

Émerson sorriu e respondeu:

— Você já tinha visto esta cena.

Marcelo assustou-se:

— Como é que você sabe?

— Eu sei. Você é um dos nossos.

Em outro canto da sala de conferência, Mildred dizia para a amiga que a acompanhava:

— Vamos à secretaria pegar os folhetos.

— Você vai frequentar aqui?

— Claro que vou. Adorei a conferência.

A outra dirigiu-lhe um olhar malicioso e não fez comentários. Depois de conseguir as informações, Mildred foi à sala do coquetel. Embora estivesse interessada em tudo quanto Émerson fazia, não queria demonstrar isso. Seu plano tinha de dar certo.

Olhou em volta. Precisava encontrar alguém para fingir que estava interessada. Viu quando Marcelo abraçou Émerson e pensou: "Que homem bonito, elegante... Esse serve".

Durante o coquetel, aproximou-se de Valdo e pediu:

— Queria que me apresentasse àquele moço bonito. Você o apresentou às outras e me deixou de lado.

— Marcelo? Venha. Vamos lá.

Depois dos cumprimentos, Mildred perguntou a Marcelo:

— Não me lembro de tê-lo visto antes. Faz tempo que conhece Émerson?

— Não. Nosso encontro foi casual, mas ele teve a gentileza de me mandar um convite.

— Somos amigos de infância. Pretende frequentar o instituto?

— Sim. Há algumas respostas que quero encontrar. Émerson me impressionou muito desde nosso primeiro encontro. É um mestre. Ficarei feliz se ele me aceitar como aluno.

— Ele é fascinante, apesar de imprevisível. Nunca pensei que fosse dedicar-se ao misticismo e à religião.

— De fato, ele não parece um religioso.

— Claro que não. Gosta da vida em sociedade, é galante com as moças, apaixonado quando se interessa. Vamos ver quanto tempo dura esse modismo dele.

— Não acredita que ele esteja falando sério? Ele me pareceu muito convicto e sincero.

— É. Vamos ver. Um moço rico como ele pode dar-se a certos caprichos.

Marcelo fitou-a pensativo. Os olhos dela tinham um brilho duro que o fez lembrar Mirtes. Não eram parecidas fisicamente, mas o olhar era semelhante.

Aquilo o incomodou. Estaria tão apaixonado que tudo lembrava sua ex-namorada? Essa impressão desapareceu quando Mildred segurou seu braço dizendo com um sorriso amável:

— Vamos dar uma volta, estou com sede...

Eles foram, e Mildred não o largou mais. Laura, que estava ao lado de Valdo, comentou:

— Acho que Mildred disse a verdade. Não está mais interessada em Émerson. Nunca a vi assim. Ela, sempre distante, a deusa, a inconquistável, pendurou-se nesse rapaz desde que chegou.

— A mim também parece estranho.

— Pode ser amor à primeira vista. O rapaz é muito bonito.

— Mas pobre para as ambições dela. As aparências enganam. As mulheres adoram os truques e as armadilhas.

— Como você é maldoso.

— Você agora deu para gostar dela. Por que será?

Laura enrubesceu e respondeu:

— Minha opinião sobre Mildred continua a mesma. Não gosto dela. Também não gosto de ser maldosa. Ela é livre para se interessar por quem quiser.

— Tem razão. Você não vai apanhar os folhetos? Sempre gostou de misticismo. Vive estudando esses temas.

— Já apanhei e acho que você deveria fazer o mesmo. Aliás, está na hora de começar a estudar a vida.

— Para quê? Tudo está correndo bem para mim. Émerson já me disse que estou bem como estou.

Laura sorriu. De fato, Valdo estava muito bem. Ela, sim, precisava compreender melhor por que não conseguia esquecer aquele amor impossível.

Gostaria de encontrar outros interesses que dessem novo colorido à sua vida. Ia frequentar o instituto não por causa de Émerson, mas para procurar um jeito de viver melhor.

Seu amor por ele era sem esperanças. Ele nunca a amaria. Por isso havia tentado esquecê-lo de todas as formas. Entretanto, olhando para ele enquanto expunha seus projetos naquela noite, esse amor veio à tona com mais força do que nunca.

Estremeceu quando ouviu a voz de Émerson a seu lado:

— Então, Laura, o que achou?

Tentando controlar as emoções, ela respondeu:

— Sua ideia é genial. Sempre acreditei que temos muito a aprender com outros povos, outras culturas. Até aí nada de novo. Há muitas escolas filosóficas ou religiosas voltadas ao aprimoramento do ser. O que me agradou em sua exposição foi sua postura aberta, colocando a individualidade como fundamento, sem imposição de ideias ou regras, apenas com intuito de facilitar o conhecimento. Tenho certeza de que somos o produto do que acreditamos, que nossas atitudes refletem nossas ideias e os resultados que colhemos dimensionam a conquista de nossa felicidade. Você propõe uma escola que nos ensine a viver, que estude práticas que vão nos levar a sermos mais alegres e felizes. Eu desejo participar.

Émerson fitou-a com olhos brilhantes e considerou:

— Você entendeu o que eu quis dizer. Gostaria de poder contar com sua ajuda na organização do instituto.

— Eu?! Não sei se estou pronta.

— Está. Sinto que sua presença será de grande valia para nosso projeto. Convidei algumas pessoas para uma reunião domingo à tarde, aqui. Você pode comparecer?

— Sim. Conte comigo.

Valdo, que ouvia calado, tornou:

— Fez boa escolha, Émerson. Laura tem muito conhecimento. Só que não gosta de mostrar, fala pouco, coloca-se em segundo plano.

Émerson sorriu e respondeu:

— Com o tempo ela vai descobrir e assumir suas reais aptidões. Então se livrará dos preconceitos sociais e se mostrará como é.

— Não sou preconceituosa — defendeu-se ela.

— Claro que é. Vive se comparando com os outros, pensando que sabem mais do que você. Julga-se menos e teme que os outros notem isso. Por isso, prefere se calar. Às vezes, sente prazer ao constatar as falhas dos outros, principalmente dos que se colocam em evidência.

Laura olhou-o surpreendida.

Por que ele a via de maneira diferente do que ela se julgava ser? Sempre acreditara não ter preconceitos.

Vendo que ela não respondia, Valdo retrucou:

— Você está enganado, Émerson. Laura não tem preconceitos. Não faz diferença entre as pessoas.

— Não falo da aceitação das minorias raciais ou culturais. Falo de como ela se vê, de suas ideias sobre a própria capacidade. Ela tem conceitos preconcebidos sobre si mesma que são falsos. São eles que a impedem de progredir, de se mostrar como é, de posicionar-se com clareza, de participar do banquete da vida. Vive se atormentando com pequenas coisas aprendidas às quais se condicionou a ponto de acreditar que não merece ser verdadeiramente feliz.

Laura baixou a cabeça para esconder o brilho de uma lágrima que ameaçava cair. Émerson continuou:

— Não estou criticando você. Quero que tome consciência do que vai em seu coração. Reconhecer o que sente é o primeiro passo. Você está madura para grandes voos. Estou dando uma amostra de como vamos trabalhar neste instituto.

— Ela ficou mais muda do que antes. Desse jeito não voltará mais aqui. Não acha que está sendo duro demais? — indagou Valdo, que se sentia incomodado com a reação da irmã.

Laura levantou o rosto emocionada e respondeu:

— Nunca ninguém me disse tanto em tão poucas palavras. Você está enganado, Valdo. Não perderei a reunião de domingo por nada.

Émerson abraçou-a com carinho:

— Assim é que se fala. Eu sabia que podia contar com você.

Valdo fitou-os surpreendido. Ele admirava a inteligência da irmã, notava que ela se apagava diante dos outros, e várias vezes insistira para que ela mudasse. Porém, sempre que tocava no assunto, ela não queria ouvir, ficava nervosa, não aceitava o que ele dizia.

— É, meu caro, você leva jeito. Começo a pensar que vai conseguir tudo que quer.

— Vou mesmo. As pessoas estão querendo o melhor. Eu descobri algumas chaves para que elas consigam. O resto é consequência. Tudo vai dar certo. Vocês verão.

Os outros dois se calaram, mas não duvidaram que ele tivesse razão. Nunca as pessoas precisaram tanto aprender a lidar com as próprias emoções. Aquele instituto ia ser um sucesso.

CAPÍTULO 6

Mildred desligou o telefone com raiva. Marcelo havia lhe perguntado se ela estaria presente na reunião do domingo à tarde. Respondera que sim e imediatamente foi falar com a administração do instituto para inscrever-se. Mas para sua surpresa ficou sabendo que aquele era um encontro do qual participariam somente alguns convidados de Émerson.

Imediatamente procurou-o, dizendo que queria ir àquela reunião.

— Nessa você não poderá ir — respondeu ele. — Mas posso recomendar alguns cursos cujas inscrições estão abertas e que seriam mais adequados a você.

Mildred dissimulou a contrariedade e preferiu não insistir. Pelo tom firme de Émerson, percebeu que ele não mudaria de ideia.

Decidiu agir por conta própria. Telefonou para Laura no dia seguinte. Depois dos cumprimentos, perguntou se ela iria ao instituto no domingo.

— Irei.

— Você viu aquele moço moreno, lindo?

— Quem?

— Marcelo. Ele se interessou por mim e eu gostei dele. Combinamos de nos encontrar lá. Por isso, irei com você.

— Desculpe perguntar, mas Émerson a convidou?

— Não… Mas nós somos amigos. Se eu for, ele vai gostar.

Laura hesitou um pouco, depois disse:

— Olhe, Mildred, ele me disse que não vai permitir a presença de ninguém além dos que escolheu. Trata-se de uma reunião de trabalho. Nem Valdo ele convidou. Disse claramente que não queria que ele fosse.

Por isso, se deseja mesmo estar lá, fale com ele. Eu não tenho autorização para levar ninguém.

— O que é isso, Laura? Estou estranhando você. Sempre foi muito educada.

— Desculpe. Não posso tomar essa liberdade com Émerson. Ele está levando muito a sério seu trabalho. Depois, nem sei do que vamos tratar nessa reunião. Se você gostaria de ir, fale com ele.

Mildred sentou-se no sofá tentando engolir a raiva. A sonsa da Laura ainda iria lhe pagar por aquela desfeita. Onde já se viu? Ela, que sempre fora invejada e disputada onde quer que fosse, não podia aceitar aquela humilhação.

Sabia que à tarde Laura não estaria em casa e resolveu aproveitar para visitar Almerinda. Ela gostava de tomar chá com algumas amigas.

Encontrou Almerinda sozinha e disse sorrindo:

— Senti saudade de tomar um chá com a senhora. Faz tempo que não tenho esse prazer.

— Fez bem, minha filha. Sente-se, por favor.

— Obrigada. Ontem estivemos na inauguração do instituto de Émerson. Não a vi lá.

— Não pudemos ir. Mas já estive naquele lugar e gostei muito. Laura voltou entusiasmada. Adorou.

— E Valdo?

— Bem, ele gostou, mas, para ser sincera, a meditação, o estudo, não é bem seu forte. Ele gosta mais do ruído, do movimento, da agitação. Apesar disso, admira muito o trabalho de Émerson.

— Na verdade, Émerson mudou muito. Eu o preferia como era antes. Mas isso passou. Hoje eu o vejo de outra forma.

— Seu amor por ele acabou?

— Nem sei se foi amor. Acho que foi ilusão da juventude, nada mais. Quando o vi depois de tantos anos, senti que tudo estava acabado.

— Ainda bem. Vocês são muito diferentes. Não sei se seriam felizes juntos.

— Eu gosto muito dele. Nossa amizade continua. Desejo que tenha êxito. Mas não sei se está começando bem...

— Por quê?

— Ele ontem falou muito bonito. Disse que as pessoas precisam descobrir o próprio valor, mas, pelo que percebi, na hora de agir ele não faz o que prega.

72

— Não?

— Não. Diz que o instituto é para todos, mas começa fazendo diferença entre as pessoas, privilegiando algumas em detrimento de outras.

— Explique melhor. Émerson não me parece capaz disso.

— Mas é. Convidou algumas pessoas para uma reunião especial. Quando mostrei interesse em ir, ele não deixou. Convidou Laura, até um moço desconhecido que estava lá, e deixou-me de lado. Eu desejo aprender, estudar, quero ir a essa reunião.

— Se quer mesmo, fale com ele. Talvez tenha se esquecido. Nos últimos dias tem estado muito atarefado.

— O pior é que eu pedi e ele disse que não. Eu desejo tanto ir! A senhora poderia pedir para ele me convidar? Não precisa dizer que estive aqui.

Almerinda remexeu-se no sofá. Era desagradável um pedido daqueles. Não costumava intrometer-se nas atividades de ninguém. Percebeu por que Mildred fora à sua procura. Apesar do desconforto, Almerinda disse com voz firme:

— Não posso fazer isso. Não costumo me envolver no que fazem meus filhos, muito menos Émerson. Ele sabe bem o que quer e como fazer. Nunca me pediu opinião, é dono de si, e eu não vou me intrometer. Aliás, ele sempre se saiu muito bem em tudo que fez. Se ele disse "não", deve saber o que está fazendo. Se está ressentida com a atitude dele, seria bom dizer-lhe francamente.

Mildred sentiu uma onda de rancor, mas esforçou-se para dissimular. Por que será que as pessoas sempre faziam o que Émerson queria? Ninguém tinha coragem para enfrentá-lo. Ele sempre fizera tudo de seu jeito e seus tutores nunca usaram nenhuma autoridade para com ele. Ficara oito anos fora, como um andarilho pelo mundo, sem eira nem beira, em vez de terminar a universidade, como seria de bom-tom.

Tentando dissimular o rancor que estava sentindo, ela baixou os olhos pensativa, hesitou um pouco e depois respondeu:

— Farei isso. Afinal, nossa amizade nos permite essa franqueza. Ele perdeu os pais em uma idade difícil. Por isso, vocês o mimaram muito. Ele sempre fez o que quis. Foi uma pena ter deixado a universidade.

Almerinda olhou-a nos olhos e respondeu com voz firme:

— Cada pessoa deve seguir a própria vocação. Suas palavras me fazem crer que não aprova seus projetos. Nesse caso, por que deseja frequentar o instituto?

Mildred mordeu os lábios e disse com voz que esforçou por parecer natural, mas na qual Almerinda notou um fundo de irritação:

— A ideia é boa: melhorar a qualidade de vida. Ele acredita que podemos fazer isso. Quero descobrir se ele tem razão. Afinal, quem não deseja ser feliz?

— Concordo. O chá está servido. Vamos?

Mildred notou que Almerinda estava decidida a encerrar o assunto e não voltou a ele. Conversou sobre outras coisas, e Mildred despediu-se dissimulando sua contrariedade.

Laura chegou e Almerinda contou-lhe sobre a visita da moça, finalizando:

— Veio aqui para me usar. Pretendia que eu insistisse com Émerson para deixá-la ir com você à reunião de domingo.

— Por que ela não pede a ele?

— Já pediu e ele disse "não". Ela está inconformada.

— Naturalmente você recusou.

— Sim.

— Isso a deixa furiosa. Mildred odeia ouvir um "não".

— Ela foi desagradável. Fiquei constrangida. Questionou até a educação de Émerson, insinuando que lhe demos excessiva liberdade.

— Ela vai continuar tentando. Telefonou-me ontem e disse que iria comigo, como minha convidada. Ela vai cercar todo mundo.

— Vai acabar dando um jeito.

***

Mildred chegou em casa e ligou para Marcelo. Uma voz de mulher respondeu que ele só voltaria depois das sete. Mildred deixou o nome e o número e pediu que ele ligasse quando chegasse.

Marcelo recebeu o recado admirado. Apesar de Mildred haver se mostrado atenciosa, não esperava que ligasse. Era moça muito bonita, de classe, frequentava a alta sociedade. Chamava a atenção por onde passava. Teria se interessado por ele?

Não se sentira atraído por ela, porém ficou envaidecido. Havia sido passado para trás por Mirtes, e o interesse de Mildred levantou seu moral.

Gérson tinha razão. Vivia repetindo que ele poderia conquistar qualquer mulher e que deveria esquecer Mirtes de uma vez.

Ao pensar nela, sentiu um aperto no peito. Apesar de tudo, ainda doía. Mas, para esquecer um amor, nada melhor que outro.

Tomou banho, jantou, foi para o quarto, apanhou o telefone e ligou. Mildred atendeu, dizendo amável:

— Que bom que ligou! Já estava pensando que não lhe haviam passado meu recado.

— Foi minha mãe quem atendeu. Ela nunca esqueceria de me avisar. Como vai?

— Foi bom ouvir sua voz. Estava me sentindo tão para baixo…

— Você? Custo a crer.

— É verdade. Estou triste mesmo. Liguei para avisar que não irei à reunião de domingo, no instituto. Eu havia combinado com você…

— Não? Aconteceu alguma coisa?

— Émerson me proibiu de ir.

Marcelo ficou surpreso e não soube o que dizer. Vendo que ele não respondia, ela prosseguiu:

— Pode imaginar uma coisa dessas? Eu estava tão entusiasmada, com tanta vontade de aprender…

— Deve ter havido algum engano. Falou com ele?

— Sim. Mas ele disse que essa reunião não é para mim. Senti-me inferior aos demais.

— Não deve sentir-se assim. Certamente ele não teve essa intenção. Disse que ia separar as pessoas por grupos. Você deve estar destinada a outro grupo.

— Disse para eu me inscrever em um dos cursos na secretaria, como qualquer pessoa comum, enquanto selecionou vocês para algo especial.

— Talvez nos destine para algo mais fácil. Digo isso porque é a primeira vez que frequento um lugar como aquele. Gostei das ideias de Émerson, mas confesso que sou leigo no assunto. É provável que você esteja destinada a um grupo mais adiantado.

— Está dizendo isso para me confortar. Mas penso que quando um projeto começa errado nunca dará certo.

— Por que diz isso?

— Ele pregou a harmonia, a fraternidade, e fez diferença entre as pessoas. Vocês podem, eu não. Isso é discriminação.

— Você está muito zangada com ele.

— Estou magoada. Somos amigos de infância. Vou passar o domingo triste, sozinha, sem ter com quem conversar.

Marcelo ficou calado por alguns instantes. Depois respondeu:

— Você deve ter muitos amigos. Arranjará companhia com facilidade.

— Eu não quero qualquer um. Ainda se fosse você...

— Infelizmente, prometi ir a essa reunião. Se concordar, irei vê-la assim que terminar.

— Eu não devia lhe pedir isso. Afinal nos conhecemos tão pouco! Nem sei por que estou me abrindo com você. Não é meu costume. Esqueça.

Marcelo inquietou-se, pensou um pouco e resolveu:

— Você precisa ir a essa reunião, já que deseja tanto. Falarei com Émerson e você irá comigo.

— Fará mesmo isso por mim?

— Farei. Amanhã irei procurá-lo. Depois telefonarei para combinarmos. Está bem assim?

— Puxa, como você é gentil! Não se arrependerá de me haver ajudado.

Marcelo desligou o telefone bem-disposto. Entre todos os amigos, Mildred escolhera-o para desabafar, pedir ajuda. Sentiu-se importante. Tinha certeza de que, se explicasse, Émerson concordaria com a presença dela.

***

Na tarde seguinte, quando deixou o escritório, Marcelo passou pelo instituto à procura de Émerson. Uma atendente avisou-o que ele estava em meditação e que não podia ser interrompido.

— Ele vai demorar?

— Não sei. Faz quase duas horas que está lá.

— Vou aguardar. Com certeza não vai demorar.

Sentou-se na sala de espera, apanhou uma revista e começou a folheá-la. Era uma pesquisa sobre reencarnação. Interessou-se. Um cientista hindu relatava alguns casos comprovados de lembranças reencarnatórias.

Marcelo nunca se interessara por aquele assunto, que julgava fruto da crendice de pessoas ignorantes. Entretanto, o pesquisador era um cientista credenciado, com formação acadêmica e um currículo invejável.

Impressionado, leu o artigo com muito interesse e nem notou o tempo passar. Surpreendeu-se quando ouviu a voz de Émerson dizendo:

— Como vai, Marcelo?

— Bem. O assunto estava tão interessante que nem percebi sua presença.

76

Émerson sorriu e respondeu:

— As pesquisas sobre reencarnação são muito interessantes.

— Para dizer a verdade, estou admirado. Não pensei que cientistas se dedicassem a um assunto desses.

— Por que não? Conhecer os fenômenos da vida é muito importante. Todos nascemos e morremos. Saber de onde viemos e para onde vamos é fundamental.

— Você acredita em reencarnação?

— Sim. É a única forma de entendermos as desigualdades sociais. Esse assunto é matéria de nossos cursos.

— Gostaria de saber mais.

— Para isso, fundamos o instituto. Vamos tomar um café na copa.

Marcelo acompanhou-o. Émerson apanhou duas canecas, serviu café e convidou-o a sentar-se. Depois se sentou a seu lado, tomou um gole de café e disse olhando-o nos olhos:

— Você me procurou para tratar de um assunto de outra pessoa, não é?

Marcelo meneou a cabeça afirmativamente, mas sentiu-se acanhado de repente. Émerson continuou:

— Você possui grande potencial de realização. Nesta encarnação poderá conseguir grande progresso espiritual e dar um passo à frente na conquista de sua felicidade. Porém, deixa-se levar pelas aparências, engana-se com facilidade. Sua ingenuidade e o medo de errar têm criado situações desagradáveis para você, principalmente na parte afetiva.

— De fato, não sou feliz em meus relacionamentos. Apaixonei-me por alguém que não me valoriza e me deixa de lado sempre que aparece outro mais rico ou mais bonito. Não tenho sorte com as mulheres que amo.

— Não se trata de sorte. É você com sua maneira de agir que atrai esse tipo de pessoa em seu caminho. Você acabou um namoro recentemente, não é?

— Sim. Ela me trocou por outro.

— Se arranjar outra, vai acontecer a mesma coisa.

— Nesse caso, devo ficar sozinho. Não quero passar por isso de novo. É um sofrimento.

— Você é responsável pelo que está acontecendo. Precisa descobrir quais as suas atitudes que estão atraindo esse tipo de mulher.

— Você está dizendo que sou o culpado por ela ter me traído?

— Não se trata de culpa, mas de pensar de forma inadequada. A vida responde de acordo com o que você acredita.

— Mas eu acreditei que Mirtes me amava. Ela parecia tão interessada! De repente, ela estava me enganando, dizendo que estava doente quando na verdade saía com outro.

— Não me refiro à sua boa-fé nem à sua ingenuidade, mas às crenças que você tem, à sua maneira de olhar a vida. Você se julga menos do que os outros e procura dissimular isso sendo passivo, aceitando tudo que eles querem sem reagir. Pensa que sendo "bonzinho" conquistará a admiração e o respeito. Mas não é assim que funciona. Você entra nesse papel e esconde seus verdadeiros sentimentos. Quantas vezes diz "sim" quando seu coração está gritando "não"?

Marcelo baixou a cabeça pensativo. Émerson prosseguiu:

— Você tem medo de posicionar-se. Pensa que, se disser "não", se contrariar as pessoas, será julgado mau. Isso não é verdade. Não é assim que os outros o veem. Eles pensam que você é um fraco, sem vontade própria e que não merece consideração. Não é isso que sempre fazem com você?

— Pior que é. Você descreveu a minha vida.

— Por isso, está na hora de mudar.

— Acha possível?

— Claro. Quando se conscientizar da verdadeira causa de seus problemas e agir de maneira mais adequada a seu temperamento, tudo mudará para melhor.

Marcelo ficou pensativo por alguns instantes, depois disse:

— Acho que eu não devia ter vindo interceder por Mildred. Foi isso que vim fazer. Se você disse "não" a ela, deve saber o que está fazendo.

— Isso mesmo. Mildred usou você para conseguir o que ela queria. Eu sei o que estou fazendo. Ela não tem condições de estar na reunião de domingo. É bom que perceba a verdade. Pessoas mimadas não suportam um "não". Isso é vaidade. No instituto, estou interessado em ensinar as pessoas a serem verdadeiras, a jogarem fora os papéis sociais de conveniência que tanto as têm infelicitado. Por isso, meu amigo, não aceito interferência de ninguém. Cada um precisa cuidar de si. Cada um responde apenas por si.

Marcelo levantou-se e estendeu a mão:

— Desculpe ter vindo incomodá-lo. Isso não voltará a acontecer.

— Venha sempre que quiser algum esclarecimento. Estou à disposição.

— Obrigado.

78

Marcelo saiu pensativo. Mildred tentara usá-lo e ele caíra feito um bobo. Precisava ficar mais atento. Émerson fora preciso e claro.

Uma coisa o intrigava: ele não chegara a dizer o motivo de sua visita. Como Émerson sabia? Alguém teria lhe contado? Mas quem? Mildred, certamente, não.

Voltou para casa preocupado. Logo mais ela iria ligar. O que lhe diria? Pensou em arranjar uma desculpa, dizer que estivera ocupado e não pôde ir ao instituto. Dizer-lhe que sua visita fora inútil e que dera razão a Émerson era-lhe penoso. Sentiu uma desagradável sensação de fracasso. Talvez fosse melhor não voltar para casa, ir dar uma volta, ver os amigos, ir ao cinema. Assim não teria de enfrentá-la.

As palavras de Émerson vieram-lhe à mente:

— Mildred usou você. Pessoas mimadas não suportam um "não". Isso é vaidade.

De repente compreendeu. Mildred era mimada, julgava-se melhor do que os outros, por isso queria que sempre lhe fizessem a vontade. Émerson tinha razão, mimo é vaidade pura.

Marcelo lembrou-se de seu primo Olavo. Os pais dele o mimavam fazendo-lhe todas as vontades, e a cada dia ele ficava mais enjoado e exigente. Toda a família, inclusive Marcelo, antipatizava com o menino. Várias vezes ouvira sua mãe dizer que Olavo não tinha culpa. Estava sendo estragado pelos pais, que lhe faziam todas as vontades. Eles, sim, eram os responsáveis.

Mirtes fazia o mesmo. Era mimada, julgava-se mais bonita, mais desejada, mais sexy do que qualquer outra. Era atraente, agradável quando queria, mas de vez em quando se tornava insuportável.

Fazer todas as vontades de uma pessoa, ser passivo, deixar-se usar por ela pensando em ser amado, reconhecido, valorizado, é um erro. É fazer com que a pessoa fique cada vez mais mimada e insuportável.

Várias vezes comentara com Gérson que as mulheres preferiam os homens "durões". Agora entendia o porquê. Quanto mais seus tios mimavam Olavo, mais rebelde e desobediente ele se tornava. Émerson dera-lhe a chave para entender esse comportamento. Não encontrando resistência a suas imposições, Olavo julgara-os fracos e perdera o respeito. Dominava-os com facilidade e a cada dia tornava-se mais irônico e implicante.

— É a adolescência! — justificava a tia.

— Um dia esse menino vai crescer — completava o pai.

Marcelo sentiu que precisava dizer a verdade a Mildred. Não podia mimá-la ainda mais.

Por que era-lhe tão difícil dizer "não"? O que havia de errado nele, que detestava contrariar as pessoas ainda quando sentia que essa seria a atitude mais adequada? Até então acreditara que fazia aquilo por respeito aos outros, por bondade. Seus tios também pensavam assim e, no entanto, estavam fazendo muito mal ao filho. Quantas coisas ele fazia acreditando ser um bem e não eram? Émerson dissera em sua palestra que o bem sempre dá bons resultados. Se alguém está infeliz, se tudo está dando errado, é porque a pessoa está na ilusão do bem, não no bem verdadeiro.

Querer agradar aos outros a todo custo a pretexto de ser bom seria uma ilusão? Ele fizera isso a vida inteira e os resultados não haviam sido positivos. Fora preterido, desvalorizado. As pessoas o julgavam um fraco, ele dava essa impressão. Mas isso não era verdade. Se evitava brigas, desentendimentos, não era por medo, mas por não gostar de violência nem de ser visto como mal-educado.

Sua mãe sempre lhe dizia que só parte para a força bruta quem não tem inteligência para argumentar. Sempre se julgara inteligente e pensava que tudo na vida poderia ser resolvido através do diálogo. Estaria errado? Isso não estava muito claro em sua cabeça. Talvez Émerson pudesse esclarecer melhor. Em todo caso, resolveu enfrentar Mildred. Iria para casa e não mentiria.

Assim que chegou, ligou para ela. Apesar de haver decidido dizer-lhe a verdade, estava tenso, sentindo uma desagradável sensação de fracasso. Por que se sentia assim se não fora ele quem decidira dizer "não" a ela?

Pensou em desligar, mas ouviu a voz dela:

— Como vai, Marcelo?

Não podia mais recuar.

— Vou bem. E você, está mais animada?

— Esperando sua resposta. Então, falou com ele?

— Sim... — Hesitou um pouco e completou: — Falei que você queria ir.

— E então?

— Olhe, Mildred, ele disse que está agrupando as pessoas de acordo com os projetos que tem. Você, ele quer que vá para outro grupo.

— Quer dizer que ele disse "não"?

Embora ela tentasse dissimular, ele notou irritação em sua voz.

— Isso.

— Talvez você não tenha sido convincente. O que lhe disse?

Marcelo percebeu claramente que ela estava insinuando que ele não havia se esforçado para obter sucesso. De repente, alguma coisa se rebelou dentro dele, que respondeu:

— Olhe aqui, Mildred, você me pediu para ir falar com ele, insistir em uma coisa que ele já havia dito que não. Para lhe fazer um favor, fui, mas me arrependi. Fiquei constrangido.

— Por quê? Ele foi grosseiro com você?

— Absolutamente. Foi muito atencioso e deu-me todas as explicações. Eu percebi que não deveria ter me intrometido.

— Como assim? O que foi que ele disse?

— É melhor ficarmos por aqui.

— Não. Falaram sobre mim e quero saber.

— Está certo. Você pediu. Ele me explicou que, para o trabalho ter sucesso e as pessoas aproveitarem mais os cursos, ele as agrupou conforme alguns critérios. Você não iria se dar bem em nosso grupo. Por isso, ele lhe pediu que se inscrevesse em outro.

— Ele disse isso, mas eu sei que o grupo de domingo é especial. Foi o único para o qual ele selecionou pessoas. Quanto aos demais grupos, mandou as pessoas escolherem e se inscreverem no que achassem melhor. Já se vê que ele me colocou de lado.

— Não foi isso que eu notei. Ele a tratou com muito respeito.

— Mas não quer que eu vá. Isso me põe para baixo. Estou me sentindo rejeitada. Até a sonsa da Laura foi convidada. Por que você não insistiu?

— É melhor se conformar. Ele sabe o que está fazendo e não vai voltar atrás.

— Pois não me conformo. Nunca fui passada para trás deste jeito.

— Ele disse também que você está insistindo não porque faz questão de aprender, mas porque é mimada e não consegue ouvir um "não". Por sua reação, noto que ele tem razão.

— Agora você me ofende! Como pode dizer uma coisa dessas? Você mal me conhece. Onde está seu cavalheirismo, sua educação?

— Eu é que sou mal-educado? Mesmo não me conhecendo bem, você me usou para que as coisas fossem do jeito que quer. Como Émerson foi firme, sabe o que está fazendo e disse não, você se vira contra mim, que me dei ao trabalho de fazer-lhe um favor. Para mim foi o bastante. Não me peça mais nada nesse sentido porque não vou fazer. Entendeu?

Mildred ficou silenciosa. Marcelo parecera-lhe fácil de manipular. Teria se enganado? Logo agora que ela contava em fazer ciúme para Émerson desfilando com ele pelos lugares da moda. Tentou contemporizar:

— Desculpe. Tudo bem. Vamos esquecer esse desagradável incidente. Apesar de nos conhecermos pouco, simpatizei com você e não quero que fique sentido comigo por uma bobagem assim. Não irei no domingo, mas teremos outros momentos no instituto. Estou muito interessada em aprender lá.

— É melhor assim. Nós nos veremos outro dia. Agora preciso desligar. Minha mãe está me esperando para jantar.

— Está zangado comigo?

— Absolutamente.

— Continuamos amigos?

— Claro.

Quando desligou o telefone, Marcelo sentiu-se como se houvesse ganhado uma batalha. Sentiu-se forte, seguro de si. Notara claramente quanto ela era manipuladora. Mas dali para a frente estaria mais atento. Émerson estava certo. Pela primeira vez falara firme assim com uma mulher, e, em vez de ela brigar, tornara-se cordata, delicada. Talvez se tivesse se comportado assim com Mirtes, tudo teria sido diferente.

Mas valeria a pena continuar com aquele namoro? Mirtes se revelara mentirosa, interesseira, mimada. Ele, porém, gostava muito dela. Era muito atraente. Quando saíam, Mirtes chamava a atenção por onde passavam. A seu lado, ele se sentia um vencedor. Ao mesmo tempo, reconheceu que ficava inseguro, enciumado, angustiado. No fundo, havia sempre o medo de perdê-la. Parecia-lhe que ela era demais para ele e que a qualquer momento o deixaria.

Por que o amor fazia sofrer tanto? O melhor seria mesmo esquecer. Ela não era para ele. Nunca daria certo aquele relacionamento.

Ao pensar nisso, sentiu-se triste, deprimido. Sua amizade com Émerson aconteceu na hora certa. Ao lado dele teve certeza de que encontraria esclarecimento e forças para deixar aquele namoro de lado.

CAPÍTULO 7

Mirtes levantou-se de sua cama e atirou a revista de lado. Estava aborrecida. A tarde já ia findando e nada de interessante havia para fazer. Entediada, ela se olhou no espelho. Precisava arrumar-se, sair, ver se arranjava um namorado novo.

Nos últimos tempos não havia tido muita sorte. Nada dava certo. Como sair daquela apatia? Pensou em Marcelo. Fazia dois meses que não o via. O que estaria fazendo? Nunca ficara tanto tempo sem a procurar. Teria arranjado outra? Ele era bonito e fácil de manejar. Se fosse rico, não hesitaria em casar-se com ele. Ele ganhava bem, mas ela desejava mais. Queria ter muito dinheiro, comprar joias, viajar pelo mundo, desfrutar de luxo e conforto, gastar à vontade.

Olhou-se no espelho e deu uma volta, observando seu corpo bem--feito. Seus olhos brilharam de satisfação. Era bonita! Podia desejar tudo. Atraía a atenção onde passava, gostava de aventuras, mas nada que pudesse ferir sua reputação.

Pretendia um marido rico. Se ao menos tivesse dinheiro para frequentar altas rodas! Seu pai era contador de uma empresa de porte médio. Ganhava o suficiente para manter a família com conforto, mas sem luxo. Havia comprado o sobradinho em que moravam e sentia-se satisfeito com a vida modesta que levavam.

Várias vezes Mirtes tentara induzi-lo a procurar um emprego melhor, sem resultado. Por fim, ela entendeu que, se quisesse ser rica, deveria agir por conta própria.

Gostava de Marcelo. Era bonito e fazia boa figura. Era boa companhia também. Notava os olhares de inveja das garotas quando saíam. Mas para casar ele não lhe servia.

"Se ele aparecesse hoje, eu até sairia", pensou.

Abriu a bolsa e procurou a carteira. Estava vazia. Sentou-se na cama irritada.

Alzira entrou no quarto e ela aproveitou para dizer:

— Preciso de dinheiro. Quanto você tem?

— Nada — respondeu a irmã.

Ela sabia que Mirtes gastava tudo e nunca devolvia. Alzira estava economizando para um curso que pretendia fazer.

— Não acredito. Você não costuma gastar nada. Guarda até os centavos. Estou precisando.

— Lamento, mas não tenho nada. Mamãe disse para você tomar banho logo porque papai está para chegar e não gosta de esperar pelo jantar.

— Ele tem mania de andar com o relógio na mão. Nunca vi ninguém tão metódico.

— Cada um é do jeito que é.

— Não sei como mamãe aguenta. Se fosse comigo...

Alzira não respondeu. Sentiu vontade de dizer que ela, sim, andava insuportável, mas preferiu calar-se. Não gostava de discutir.

Mirtes foi tomar banho e demorou o mais que pôde. Precisava cuidar de sua beleza.

Quando desceu, uma hora depois, recendendo a perfume e muito bem maquiada, foi à sala de jantar esperando as reclamações costumeiras. Não encontrou ninguém.

Ouviu vozes na sala de estar, mas as portas estavam fechadas. Alzira apareceu na porta da cozinha e Mirtes indagou:

— Aconteceu alguma coisa? Eles estão fechados na sala.

— Não sei. Papai chegou, chamou mamãe e fecharam-se lá.

Faz meia hora que estão conversando.

— E você não quis saber o que aconteceu?

— Seja o que for, logo saberemos.

— Vou ver o que é. Não sou como você.

Foi até a porta e bateu. Houve silêncio por alguns instantes, depois Estela abriu a porta:

— O que você quer?

— Quero dizer que estamos prontas para jantar.

— Pois jantem vocês. Nós não vamos agora.

— O que aconteceu?

— Faça o que estou dizendo. Depois conversaremos. Comam vocês.

Estela fechou a porta e Alzira puxou a irmã dizendo:

— Venha, vamos comer. Mamãe nos contará depois.

— Não sei como você pode ser tão mosca morta. Alguma coisa muito séria aconteceu. Desde que me lembro de existir, papai nunca deixou de jantar na hora de costume. Mesmo quando ele e mamãe tinham assuntos urgentes, eles se reuniam depois do jantar.

Alzira deu de ombros.

— Eu vou jantar. Estou com fome.

Mirtes foi atrás dela resmungando.

Haviam terminado de comer quando Estela apareceu na sala de jantar e foi direto à cozinha.

Olhando o rosto pálido da mãe, Mirtes foi atrás dela.

— Mãe, alguma coisa de muito séria está acontecendo. O que é?

— Seu pai perdeu o emprego. Foi demitido.

— Só isso? Acho que foi bom. Lá não dava futuro mesmo. Agora ele vai ter de procurar um lugar melhor. Vou falar com ele.

— Não vai, não. Ele não está com disposição para conversar. Vou fazer um chá para ver se ele fica mais calmo. Quanto a você, se já jantou, trate de ir para seu quarto.

Alzira observava calada. Aproximou-se e disse:

— Pode ir, mãe. Eu arrumo a cozinha.

— Obrigada, minha filha.

— Vou levar o chá. E você, Mirtes, trate de ajudar sua irmã.

Depois que ela se foi, Mirtes disse irritada:

— Vou para meu quarto. O clima aqui em casa hoje está horrível. Talvez consiga alguém para sair. Preciso respirar um pouco.

— Não vai me ajudar?

— E estragar minhas unhas? Passei a tarde inteira caprichando nelas. Depois, você sabe fazer isso muito melhor do que eu.

Alzira olhou para a irmã e não respondeu. Depois que ela subiu, Alzira sentiu-se triste. Sabia que seu pai adorava aquele emprego. Depois, ele passara dos cinquenta anos. Não seria fácil encontrar outro trabalho.

Mirtes foi para o quarto e olhou para o relógio. Eram sete e meia. Apanhou o telefone e ligou para Marcelo. Ele atendeu e ela disse:

— Como vai? Sim, sou eu. Bateu a saudade. Estou muito triste. Aconteceu uma desgraça. Preciso desabafar, e você é a única pessoa em quem confio.

Marcelo preocupou-se:

— O que foi?

— O ambiente aqui em casa está muito triste. Gostaria de falar pessoalmente. Você pode vir se encontrar comigo?

Ele hesitou:

— Estou ocupado.

— Agora? Sei que está sentido comigo, mas, por favor, não me deixe neste desespero. Nesta hora só consigo pensar em você. Preciso desabafar, conversar... Se não gosta mais de mim, saberei compreender. Quero que venha como amigo. Sua presença me confortará.

— Está bem. Irei.

— Estarei na porta esperando.

Marcelo desligou o telefone sentindo uma desagradável sensação de fracasso. Havia estabelecido o propósito de nunca mais sair com ela. Mas Mirtes parecia muito aflita. O que teria acontecido? Recorrera à sua amizade. Não podia deixá-la sozinha naquela hora.

Apanhou a chave do carro e saiu. Mirtes esperava-o na porta. Assim que ele parou, ela se aproximou e entrou. Marcelo fitou-a um tanto desconfiado. Ela estava bem arrumada, perfumada, não parecia preocupada.

Depois dos cumprimentos, ele considerou:

— Você não parece triste. Se for uma nova desculpa, irei embora agora.

Ela baixou a cabeça e respondeu com voz triste:

— Estou desesperada, mas sei conservar as aparências.

— O que aconteceu?

— Vamos dar uma volta. Preciso respirar um pouco.

Marcelo deu partida e foi andando devagar. Escolheu uma rua tranquila, parou e disse:

— Pode falar.

— Meu pai perdeu o emprego. Chegou em casa hoje muito abatido. — Parou alguns instantes e continuou: — Preciso fazer algo para ajudá-lo. Ele adorava aquele emprego. Não vai se conformar.

— De fato, é um momento difícil. Mas ele é um bom profissional. Logo conseguirá outro. Quem é bom nunca fica muito tempo desempregado.

— Não sei... Ele está muito triste. Chegou a chorar! Nunca vi meu pai assim. Minha mãe, então, parecia doente de tão pálida.

Mirtes segurou o braço dele com força e encostando-se em seu ombro continuou com voz chorosa:

— Estou arrasada, Marcelo! Por favor, ajude-me!

Sua proximidade, seu perfume, o calor de seu corpo fizeram-no estremecer. Tentou resistir. Ela notou sua emoção e aproximou seu rosto do dele, dizendo baixinho:

— Marcelo! Que saudade! Neste momento triste, pensei em você, em seus beijos, seu carinho. Por favor, não me deixe!

Ele não resistiu mais. Abraçou-a e beijou-a várias vezes. Ela correspondeu com ardor. Emocionado, Marcelo sentiu que ainda amava aquela mulher. Agora ela estava ali, em seus braços, e ele não iria perder a oportunidade. O que acontecesse depois pouco importava. Apertou-a em seus braços cobrindo-a de beijos como nunca fizera antes. Mirtes deixou-se envolver pelo momento e eles se esqueceram de tudo.

Ele abriu a porta do carro e puxou-a levando-a para o banco de trás. Uma vez lá, continuou beijando-a, apertando-a em seus braços, murmurando palavras de amor em seus ouvidos.

Naquele instante ele pensou que precisava viver aquele momento com toda a intensidade. Era possível que logo ela se afastasse novamente e tudo terminasse.

— Você é minha! — disse. — Pelo menos esta noite. Vou ensinar você a amar.

Mirtes perdeu o controle. Entregou-se completamente, sem pensar em mais nada.

Quando se acalmaram, ela, ainda atordoada, empurrou-o dizendo aflita:

— Marcelo! Por que fez isso? Jamais esperei que abusasse assim de minha confiança.

— Mirtes! Quando vim a seu encontro, não pensei em fazer nada. Mas eu a amo. Não resisti à sua proximidade. Depois, você também quis. Não me repeliu.

Ela o fitou com raiva:

— Eu não queria nada disso.

— Não fique assim. Eu a amo. Não se preocupe. Amanhã mesmo falarei com seu pai. Vamos nos casar e tudo ficará bem.

Ela disse irritada:

— Casar com você? Nunca! Eu não quero. Tenho outros planos, e você complicou tudo. Quero ir embora. Leve-me para casa.

Ele tentou acalmá-la:

— Não fique assim! Não fizemos nada de mau. Garanto que tudo vai ficar bem. Eu assumo a responsabilidade pelo que fizemos.

— Você assume?

— Quero me casar com você!

— Casar? Você? Mas eu não quero. Não estou disposta a me tornar uma dona de casa submissa, pobre, arrastando filhos sem futuro.

— Não entendo o que está dizendo. Ganho bem, posso oferecer uma vida confortável. Depois, eu a amo. O amor é o mais importante.

— Para mim, não. Tenho outros planos. Quero posição, sucesso, alta sociedade. Pretendo brilhar, não ser uma dona de casa insignificante. O que aconteceu hoje não se repetirá. Esqueça. Você não me deve nada.

Ele ainda tentou argumentar, mas ela disse com voz firme:

— Casamento está fora de cogitação. Agora leve-me para casa, senão vou embora sozinha.

Marcelo não respondeu. Acomodaram-se na frente e ele deu partida no carro em silêncio. Estava chocado. Não falaram durante o trajeto. Quando ele parou o carro diante da casa, Mirtes disse com voz fria:

— Não desejo mais vê-lo, Marcelo. Faça de conta que nunca nos conhecemos.

Ela entrou em casa e ele ficou alguns instantes parado sem saber o que fazer. Mirtes não era igual às outras que conhecia. Enquanto a maioria procurava o casamento, ela o repudiara. Sentiu um aperto no peito. Angustiado, reconheceu que Mirtes nunca o amara. Por que então o procurara? Por que se entregara daquela forma? Era difícil entender. As emoções que havia experimentado ainda estavam presentes e ele se sentia mexido, emocionado, inseguro. Talvez Mirtes houvesse reagido daquela forma por descontrole emocional. Ele havia sido o primeiro a entrar em sua intimidade. Era possível que ela refletisse e voltasse atrás. A esse pensamento, seu coração batia descompassado e as cenas de paixão que tinham desfrutado voltavam à sua mente com toda a força.

Não. Não era possível que ela mantivesse aquela atitude.

Foi para casa. No dia seguinte, com certeza, Mirtes lhe telefonaria arrependida. Das outras vezes, ela sempre lhe telefonou. Agora tinha um motivo maior.

Pensando assim, Marcelo deixou-se embalar nas asas do sonho. Tudo iria se resolver. Eles se casariam. Sabia que Mirtes tinha gênio forte, mas com o tempo ela haveria de modificar-se.

***

Mirtes entrou em casa irritada. Não se conformava de ter fraquejado daquela forma. Gostava de provocar, mas nunca se envolvera a ponto de perder o controle. Por que havia acontecido aquilo? Não estava apaixonada por Marcelo, embora gostasse de seus beijos e de sua proximidade.

A casa estava silenciosa, e ela tirou os sapatos. Não queria que sua mãe a visse chegar descomposta como estava. Cautelosamente, foi para o quarto tomar um banho.

Deitou-se, tentando não dar importância ao que havia acontecido. Mas as cenas de paixão que vivera com Marcelo voltaram à sua mente e ela reconheceu que ele era muito atraente. Se fosse rico, seria o marido ideal: manipulável, bonito, apaixonado. Precisava tomar cuidado. Nunca havia se envolvido daquela maneira. Recordando-se daqueles momentos, sentia o coração descompassar-se, e uma onda de calor a acometia.

Aquele era um relacionamento perigoso. Ela não podia perder o controle. Tinha seus objetivos de vida e não podia se deixar dominar. Mas a lembrança voltava e ela estremecia. Nunca imaginara que Marcelo fosse capaz de tanto fogo. Quanto mais reconhecia isso, mais firmava o propósito de resistir e de nunca mais tornar a vê-lo.

Ela era uma mulher moderna, que sabia o que queria da vida. Não ia desistir de seus projetos. Nunca seria como sua mãe, resignada, cuidando dos serviços da casa, sendo manipulada pela família inteira, sempre passiva, como uma criada, zelando pelo conforto de todos. Ela desejava ser servida, amada, frequentar festas, ser valorizada, brilhar, ter luxo, conforto. Ser feliz. Essa era a felicidade que Mirtes queria.

Por isso, apesar de ter dormido mal, das emoções daquele encontro com Marcelo, Mirtes não o procurou no dia seguinte como ele esperava.

Em casa, o clima era de tristeza. O pai havia comprado o jornal e tentava conseguir um emprego. A mãe fazia contas e mais contas na mesa da cozinha enquanto Alzira cuidava dos arranjos da casa.

— Ainda bem que levantou — disse Estela assim que ela apareceu na cozinha. — Tome café e depois vá ajudar sua irmã.

Mirtes sentou-se no canto da mesa que estava posta para o café e calmamente comeu. Depois levou a xícara para a pia e ia se afastando quando Estela tornou:

— Não saia, não. Trate de lavar a louça do café.

— Alzira me disse que vai lavar.

Estela franziu o cenho, levantou os olhos e fixou-a dizendo com voz irritada:

— Estou mandando você fazer isso. Tem de acabar com essa mania de empurrar tudo para sua irmã. Nesta casa, todos devem colaborar com o trabalho. Não é justo que fique tudo por conta de um.

— A senhora sempre fez tudo. Nunca me deixou fazer nada. Sabe que não tenho jeito para certos serviços.

— Não tem vontade de aprender, isso sim. Hoje estou ocupada com outras coisas. Trate de lavar logo essa louça.

Apesar de contrariada, Mirtes resolveu obedecer. Sua mãe estava mal-humorada, e ela não estava com vontade de discutir. Depois, o pai estava em casa. Se Estela se irritasse, ele, como sempre, ficaria a favor dela.

Cerrou os lábios contrariada. Se antes sua mãe já reclamava por ela não gostar de fazer os serviços de casa, agora, que o pai estava desempregado, seria pior.

Suspirou inquieta. Precisava fazer alguma coisa, cuidar de seu futuro. Não podia esperar mais. Lembrou-se de Valdo. Ele seria o marido ideal. Era uma conquista difícil. Depois daquele cinema, passava por ela como se nunca houvessem saído.

O que fazer para chamar sua atenção? Não frequentava sua roda de amigos. Se pudesse ir aos lugares que ele frequentava, tinha certeza de que chamaria sua atenção. Era bonita, elegante, os homens a desejavam.

Acabou de lavar a louça e foi para o quarto. Estendeu-se na cama, pensativa. Precisava encontrar um jeito de vê-lo com frequência. Mas como?

Pensou em fazer amizade com alguma moça da sociedade. Esse seria o caminho. De repente, lembrou-se de Laura. Se conquistasse sua amizade, poderia frequentar sua casa, ver Valdo na intimidade da família.

Alzira entrou no quarto com um jornal na mão.

— Por que está deitada a esta hora? Já passa das dez.

— Não é da sua conta.

— Arrumei as camas e você está amassando tudo. Sabe que mamãe não gosta de ver nada desfeito.

Mirtes não respondeu. Vendo Alzira arrumar-se, indagou:

— Vai sair?

— Sim. Vou ver um emprego. Aliás, você também deveria fazer isso.

— Eu?! Deus me livre!

— Papai está desempregado. Já pensou no que acontecerá quando acabar o dinheiro que temos?

— Não sei por que vocês se afligem. Ele logo arranja outro emprego e tudo será como antes.

— Não vai ser fácil. Ele já passou dos cinquenta anos.

Mirtes deu de ombros.

— Ele é quem deve trabalhar. Como pai, tem obrigação de sustentar a família. Aliás, sempre teve dificuldade para fazer isso.

— Você é ingrata mesmo. Nunca nos faltou o essencial.

Mirtes lançou-lhe um olhar de comiseração e considerou:

— Você é como eles: conforma-se com a miséria. Mas eu não. Você vai ver. Ainda serei muito rica.

Alzira olhou para ela com seriedade. Ia retrucar, mas desistiu. Ela nunca entenderia.

Apanhou a bolsa, avisou a mãe e saiu. Lendo o recorte que havia separado, achou o nome da empresa familiar, mas não descobriu o porquê.

Depois de conversar com a recepcionista, foi selecionada para fazer um teste. Estava esperando em uma sala com mais duas candidatas quando viu Marcelo passar no corredor.

Imediatamente foi atrás dele e o chamou:

— Marcelo!

Ele se voltou surpreendido:

— Alzira! O que faz aqui?

— Vim por causa da vaga de auxiliar de escritório.

— Você não vai mais fazer aquele curso?

— Não. Meu pai perdeu o emprego e não posso esperar mais. Preciso trabalhar. Estou esperando para fazer um teste. Acha que conseguirei a vaga?

— Quem sabe? Vou ver o que posso fazer.

— Vai ser muito difícil?

— Não. Fique calma.

— Preciso muito do emprego.

— Vou recomendá-la. — Hesitou um pouco, depois perguntou: — Como vai Mirtes?

— Como sempre. Você me avisa se souber de alguma coisa?

— Aviso. Boa sorte.

Marcelo despediu-se dela. Mirtes não havia ligado, e com certeza não contara nada à irmã do que havia acontecido.

No fim da tarde, Marcelo procurou o departamento pessoal para ver o teste de Alzira. Ela se saíra bem. Mas não tinha prática. Eles preferiam outra candidata. Marcelo interveio:

— Vocês devem dar uma oportunidade a Alzira. Trata-se de uma moça muito séria e inteligente. Tenho certeza de que em pouco tempo aprenderá tudo.

— A praxe é admitir pessoas experientes…

Marcelo olhou para sua interlocutora e sorriu. Sabia que ela sentia por ele um interesse especial. Colocou a mão em seu braço e disse:

— Escolha Alzira. Será um favor que fará para mim.

— Por que tanto interesse nessa moça?

— Sou amigo da família. O pai ficou desempregado, ela precisa muito trabalhar.

— Está bem. Vou ver o que posso fazer.

— Obrigado. Serei sempre muito grato a você.

Depois que ele se foi ela pensou: "Não vou facilitar para essa moça vir. Ela é bonita e ele deve estar interessado nela".

No fim do dia, quando saiu do escritório, Marcelo decidiu passar na casa de Alzira. Era um bom pretexto para saber de Mirtes.

Tocou a campainha. Mirtes abriu a porta, surpreendida.

— Como vai?

— O que quer aqui? Eu pedi que não viesse me procurar.

— Vim falar com Alzira. Ela está?

— Alzira? Isso é desculpa para me ver.

Antônio apareceu no *hall*, indagando:

— Quem está aí, Mirtes?

Vendo o pai, ela não respondeu de pronto. Marcelo interveio:

— Vim falar com Alzira. Ela está?

— Está lá em cima. Vá chamá-la, Mirtes. Entre, por favor.

— Obrigado.

Marcelo entrou enquanto Mirtes furiosa subiu à procura da irmã.

— Marcelo está lá embaixo e arranjou uma desculpa esfarrapada para me ver. Disse a papai que quer falar com você.

Alzira deu um pulo e desceu as escadas correndo. Entrou na sala ansiosa.

— Marcelo! Tem uma resposta?

— Ainda não. Mas eu a recomendei e é quase certo que a vaga será sua.

Entusiasmada, ela o abraçou contente:

— Tomara! As duas candidatas eram mais experientes que eu. Em todo caso, obrigada por ter me recomendado.

— Obrigado, Marcelo — disse Antônio, comovido. — Não queria que Alzira trabalhasse por enquanto. Depois que a firma em que ela trabalhava faliu e ela ficou desempregada, eu queria que ela voltasse a estudar, mas infelizmente não deu certo. No momento estamos vivendo uma situação inesperada.

Alzira abraçou o pai, dizendo:

— Adoro trabalhar. Estou contente, papai, torcendo para esse emprego dar certo.

— Peça à sua mãe para fazer um cafezinho para nós.

Alzira saiu e Marcelo ficou conversando com Antônio. Mirtes tinha decidido não descer, mas a curiosidade foi maior. O que estariam conversando na sala?

Ficou no alto da escada e viu quando Alzira foi à cozinha e pediu para a mãe servir café. Por que tanta deferência com Marcelo? O que ele tinha dito?

Desceu no momento em que Estela levava a bandeja até a sala e servia o café. Admirada, ouviu que seu pai conversava com Marcelo sobre trabalho. A mãe saiu da sala e, vendo Mirtes parada no *hall*, disse:

— Vá lá. Marcelo está arranjando emprego para Alzira.

Então era aquilo. Ela fora pedir emprego a ele. Ficou irritada. Alzira estava se aproveitando do amor que ele sentia por ela. Não queria ficar devendo favores a ele.

Foi para o quarto. Meia hora depois, Alzira entrou e Mirtes não se conteve:

— Você não vai aceitar esse emprego...

— Se sair, eu aceito.

— Marcelo está fazendo isso por minha causa. Terminamos tudo. Não quero ficar devendo favores a ele.

— Engana-se. Ele nem sabia que eu queria trabalhar. Vi o anúncio no jornal e me candidatei. Fui fazer o teste e o encontrei no corredor. Conversamos e ele se prontificou a verificar como me saí.

— Claro que ele vai dar um jeitinho de colocar você na empresa. Só quero ver o que vai acontecer quando descobrirem que não tem competência. Vai ser despedida.

— Tenho muita vontade de trabalhar. Isso conta. Na situação em que estamos, você deveria fazer o mesmo.

Mirtes olhou admirada para a irmã:

— Eu? Nunca! Tenho tutano. Não vou sujeitar-me a um empreguinho qualquer. Tenho outros planos. Ainda vou ser muito rica.

Alzira olhou para ela e não respondeu. As palavras de Mirtes não conseguiram empanar a alegria que sentia pela possibilidade de conseguir a vaga. Não se importava com o que a irmã dizia. Desde pequena sabia que pensava muito diferente dela. Suas palavras ferinas, sua arrogância, sua mania de grandeza e sua preguiça não a incomodavam nem um pouco. Se assumia de boa vontade o serviço que a mãe mandava Mirtes fazer e que esta simplesmente ignorava, era porque se sentia bem ajudando a mãe nos afazeres domésticos. Sentia-se útil. Achava justo cooperar, uma vez que usufruía da proteção da família, que a sustentara desde seu nascimento.

Na verdade, ela via as atitudes de Mirtes com naturalidade. Embora pensasse diferentemente, respeitava sua maneira de ser. Não se impressionava com ela e agia do seu jeito. Dessa forma, convivia com a irmã sem problemas.

Por ela estar sempre bem-humorada, calma, e por não revidar suas malcriações, Mirtes a considerava fraca, inexpressiva.

Embora os pais amassem as duas filhas, não dispensavam igual tratamento a ambas. Por seu temperamento, Alzira era respeitada, tratada com carinho e, muitas vezes, eles repreendiam Mirtes pela sua agressividade. Essa situação irritava-a.

Ela se julgava mais bonita, mais inteligente, e não entendia como Alzira, tão sonsa, era mais protegida.

Agora então, com Alzira trabalhando para ajudar, seria o máximo. Certamente a elegeriam a santa da família.

Vendo a expectativa de ela conseguir o emprego, pensou: "Eles não perdem por esperar. Quando eu arranjar um marido rico, irei embora para sempre. Então eles vão correr atrás de mim. E eu farei de conta que não os conheço, claro. Eles não têm classe para viver em sociedade".

Mirtes continuou pensando, pensando. Não aguentava mais a vida em casa. Agora, então, com o pai sem emprego, seria ainda pior. Precisava agir. Retomou a ideia de fazer amizade com alguma moça da sociedade. Mas como? Não tinha dinheiro para frequentar os lugares da moda.

Resolveu que na tarde seguinte se arrumaria muito bem e iria circular pelas melhores lojas da cidade fingindo estar fazendo compras. Não precisaria de dinheiro para isso. A sorte haveria de favorecê-la. Animada, finalmente adormeceu.

CAPÍTULO 8

Marcelo entrou na elegante perfumaria à procura de um presente para Laura. Quando começou a frequentar os cursos de Émerson, dois meses antes, iniciara amizade com Laura, e na véspera ela o convidara para sua festa de aniversário. Ela era moça fina, e ele pensara em um perfume francês. Enquanto a balconista o atendia e ele tentava escolher, foi surpreendido por uma voz amável:

— Marcelo, como vai?

— Mildred, que surpresa!

— Já sei! Laura o convidou também.

— É verdade. Estou tentando escolher um perfume para ela.

— Que bom que você vai! Por causa da teimosia de Émerson em nos separar, não temos nos visto muito. Como vai o misterioso curso do qual fui banida?

— Vai bem. Sei que você continua frequentando o instituto.

— É. Continuo. Não me deixo vencer com facilidade.

Marcelo riu bem-humorado. Separou um frasco e disse à balconista:

— Vou levar este. Embrulhe para presente, por favor. — E, dirigindo-se a Mildred, perguntou: — Também vai comprar perfume?

— Não. Vou levar um estojo de maquiagem.

— Laura quase não usa pintura.

— Por isso mesmo. Quero ver se ela melhora.

Marcelo ignorou o tom irônico e disse alegre:

— Vou ao caixa.

Ela colocou a mão no braço dele, dizendo amável:

— Estou com sede. Vamos tomar alguma coisa em algum lugar?

Naquele instante, Marcelo empalideceu. Mirtes acabava de entrar na loja. Desde que ele fora à casa dela, um mês atrás, eles ainda não haviam se encontrado novamente.

Mildred notou a emoção dele e seguiu seu olhar. Quem seria aquela moça bonita que ela não conhecia? Por que ele se emocionou tanto ao vê-la? Estava claro que havia alguma coisa, e ela desejou saber o que era.

— Moça bonita. É sua namorada?

— O que disse?

— Essa moça, é sua namorada? Você ficou pálido!

— Não.

— Não a conheço. Quem é?

— Uma amiga.

Mirtes aproximou-se deles simulando não os ter visto. A moça que estava com ele tinha classe. Não se lembrava do nome, mas vira seu retrato em uma revista. Notou logo que ela estava se insinuando para Marcelo. Conhecia bem aquele ar de sedução que ela estava jogando para cima dele. Fingindo estar distraída, esbarrou em Mildred como por acaso. Voltou-se para ela, sorriu e disse amável:

— Desculpe. Estava olhando a vitrine e não a vi.

— Não foi nada — respondeu Mildred entrando no jogo dela.

Estava claro que ela os vira e desejava chamar a atenção. Mirtes olhou para Marcelo e disse surpreendida:

— Marcelo! Como vai?

Ele já havia se refeito da surpresa e respondeu:

— Bem, Mirtes. E você?

— Muito bem. Obrigada.

Ficou parada olhando para eles, e Marcelo fez as apresentações. Mildred observava-os tentando descobrir o que havia entre eles. Estava claro que ele se perturbara vendo-a. Por isso, disse com delicadeza:

— Eu e Marcelo vamos à confeitaria tomar um refresco. Quer vir conosco?

— Não sei se devo. Não quero ser inoportuna.

Mildred riu bem-humorada e respondeu:

— Não se preocupe. Somos apenas amigos.

Marcelo pegou o pacote de presente e saíram. Uma vez na confeitaria, ele se sentiu mais animado. Mirtes fizera questão de ser notada por ele e aceitara acompanhá-los. Talvez ela estivesse querendo reatar o namoro.

A certa altura, Mirtes olhou para o pacote de presente que ele colocara sobre a mesa e perguntou:

— Você vai a alguma festa?

— Vou. É aniversário de Laura. Você conhece, é irmã de Valdo.

Mirtes esforçou-se para controlar a raiva. Então Marcelo andava mesmo frequentando a alta sociedade. Falava de Laura com intimidade. Era possível até que estivessem namorando. Afinal, Marcelo era bonito, fazia boa figura. Procurou dissimular:

— Não sabia que você a conhecia.

Mildred interveio:

— Laura ultimamente tem se tornado muito sociável. Principalmente depois que Émerson voltou e abriu o instituto.

— Instituto?

Foi a vez de Marcelo explicar.

— Émerson é irmão de criação de Valdo. Ele foi estudar no exterior. Ficou oito anos fora. Regressou e abriu um instituto onde ensina as pessoas a viver melhor.

— Ele é médico?

— Não. É terapeuta.

Mirtes não sabia bem que profissão era aquela. Mas imaginou que fosse alguma coisa chique.

— O que se aprende lá? — indagou curiosa.

— A lidar com os próprios problemas, a olhar a vida pelo melhor lado.

— E dá resultado? — indagou ela, curiosa.

Dessa vez, foi Mildred quem respondeu:

— O instituto está na moda. As vagas são muito concorridas.

Mas, para dizer a verdade, estou indo há dois meses e minha vida continua igual.

— Pois eu venho alcançando ótimos resultados. Tenho conseguido enfrentar meus problemas com mais coragem, o que não fazia antes. Isso me deu muita satisfação.

Mirtes não perdeu a oportunidade. Aquele instituto deveria ser frequentado por rapazes ricos e por pessoas de classe. Baixou a cabeça e disse com tristeza:

— Eu gostaria muito de frequentar esse instituto. No momento, estou enfrentando muitos problemas. Há momentos em que sinto que não vou aguentar.

Marcelo fitou-a preocupado. Estava claro que ela se referia ao que acontecera entre eles. Sentindo-se culpado, disse sério:

— Se quiser, poderei apresentá-la. Tenho certeza de que lá encontrará respostas a muitas de suas indagações.

— Pois eu faço melhor. Convido-a para ir comigo ao aniversário de Laura. Assim poderei apresentá-la a Émerson.

Os olhos de Mirtes brilharam de alegria. Ela procurou controlar-se. Baixou os olhos e disse:

— Gostaria muito. Mas acho que não ficaria bem. Eles não me conhecem. Depois, não fui convidada.

Mildred sorriu e respondeu:

— Frequento aquela casa desde menina. Se eu levar uma amiga, será muito bem recebida, tenho certeza.

— Bem, se é assim... aceito.

Marcelo sentiu-se um pouco inquieto. Mirtes andara interessada em Valdo. Seria prudente levá-la à casa dele? A visão dos dois saindo do cinema de braços dados surgiu em sua mente. As duas nem notaram seu embaraço, pois trocavam telefones, endereço, combinavam tudo.

Mildred despediu-se e Mirtes viu-se sozinha com Marcelo.

— Eu também vou embora — disse ela.

— Tem certeza de que deseja ir a essa festa?

— Claro que sim. Mildred foi amável me convidando!

Levantou para ele os olhos nos quais havia um pouco de tristeza e concluiu:

— Estou precisando de distração. Ultimamente tenho estado muito triste.

Marcelo segurou a mão dela dizendo:

— Não há nenhum motivo para ficar triste. Minha proposta de casamento ainda está de pé.

Ela retirou a mão tentando esconder a raiva. Ele poderia atrapalhar seus planos com aquela história. Tinha de pensar em algo para afastá-lo. Mas antes precisava introduzir-se no ambiente que ela desejava. Era lá que encontraria o marido rico. Depois, Valdo era uma possibilidade, e faria tudo para conquistá-lo. Seria a glória desfilar ao lado dele, ser a escolhida.

— Não quero falar mais nisso. Esqueça. Eu já esqueci.

— Mas não compreendo. Pensei que...

— Não pense nada. Não desejo me casar com você.

— Bem, nesse caso, por que me procura?

— Nós nos encontramos por acaso. Aceitei ir a essa festa porque desejo fazer novas amizades. Tenho estado muito triste. As coisas lá em casa vão mal. Gostei de Mildred. Foi por ela que aceitei esse convite. Por isso, não imagine coisas que eu não fiz. Agora preciso ir. Adeus.

Ela se foi sem esperar resposta, e Marcelo, irritado, ficou olhando seu vulto desaparecer em meio aos transeuntes.

De volta para casa, ele não conseguia esquecer aquele encontro. Precisava tirar Mirtes de seu pensamento. Ela o havia usado mais uma vez. Era ambiciosa e sempre desejara frequentar a alta sociedade. Mildred era muito conhecida, aparecia constantemente nas revistas de moda, era citada pelos colunistas sociais com frequência. Se Mirtes tivesse mais classe, não teria aceitado aquele convite, feito mais por educação. Mas ela queria infiltrar-se, e não perdeu a chance.

Aborrecido, Marcelo decidiu não ir à festa. Não queria aparecer como amigo de Mirtes. Ela com certeza o usaria se não conseguisse alguém melhor.

***

No sábado, Marcelo acordou tarde. À noite ficara revirando na cama sem conseguir dormir. Quando adormeceu, teve um pesadelo no qual Mirtes passava de braço dado com Valdo, rindo muito. Vendo-o disse:

— É com ele que quero casar. Você não passa de um pobre coitado que não serve para nada.

Acordou suando, sentindo o peito oprimido e certo mal-estar. Levantou-se, foi à cozinha, tomou um copo de água e deitou-se de novo. Mas só dormiu quando o dia estava clareando.

Levantou-se e foi tomar um banho. Ele não podia deixar-se dominar por uma mulher fútil e ambiciosa. Quando voltou ao quarto, viu o presente de Laura sobre a mesa e irritou-se. Aceitara o convite para a festa com prazer. Lá estariam as pessoas que ele apreciava, seus colegas dos cursos do instituto. Gostava de Laura, e ela contava com sua presença. Por que se privaria daquele prazer?

Resolveu comparecer. Enfrentaria os joguinhos de Mirtes e não se deixaria usar. Estaria atento. Ao mesmo tempo, perguntou-se por que ela exercia tanto poder sobre ele, por que sua presença o deixava inquieto, inseguro, nervoso.

Antes pensava que fosse porque a amava e não era correspondido. Mas agora, refletindo melhor, notava que a causa não era essa. Acreditava que Mirtes fosse mais forte porque enfrentava as coisas de forma diferente dele. Mas isso não significava que ela estivesse agindo melhor, de forma mais adequada. Quando estava com ela, ficava esperando que ela o ferisse de alguma forma. Mas Mirtes era o que era e ele não podia esperar que ela agisse como ele gostaria, porque ela nunca faria isso. Ela não era do jeito que ele desejava. Seria inútil esperar que ela mudasse seu temperamento.

Não aceitando casar-se com ele, Mirtes estava fazendo-lhe um favor. Eles pensavam de forma muito diferente, e essa união nunca daria certo.

Naquele instante, tudo ficou claro em sua cabeça e Marcelo começou a rir. Reconheceu que se sentira atraído por Mirtes, mas que nunca a amara verdadeiramente. Estar com ela, exibi-la perante os amigos era uma espécie de autoafirmação. Namorá-la representava a conquista de um troféu para dissimular sua falta de confiança em si. Ao lado dela, ele se sentia um homem valorizado. Por isso, a indiferença dela o fazia sofrer, porque o obrigava a encarar a própria desvalorização.

Ele se olhou no espelho e gostou do que viu. Era jovem, tinha boa aparência, saúde e um bom emprego. Depois, era honesto, digno, respeitava a vida, as pessoas, pensava no bem. Não tinha nenhum motivo para sentir-se inferior. Se não era mais do que ninguém, também não era menos. Sua felicidade dependia só de si mesmo.

Apesar de tudo, passou o dia esperando que Mirtes ligasse. Ir àquela festa era um bom pretexto para ela se introduzir na roda que tanto desejava frequentar. Ficou imaginando que ela lhe telefonaria para que a acompanhasse, não porque desejasse sua companhia, mas para aproveitar-se de seu relacionamento com Laura e sua família. Só por isso teve vontade de não ir. Depois, pensando melhor, decidiu que iria, mas sem ela. Dizer "não" para Mirtes deixava-o nervoso, mas ser usado novamente por ela irritava-o ainda mais.

Porém ela não lhe telefonou. Teria desistido de ir?

Pouco depois de chegar à festa, Marcelo obteve a resposta. Ela chegara com Mildred, que a apresentou a todos.

Mirtes estava linda. Muito elegante em seu vestido vermelho-escuro que ressaltava mais a beleza de sua pele clara e perfeita. Os cabelos louro-escuros, brilhantes e bem penteados, emolduravam graciosamente seu rosto delicado e bonito.

Mildred a apresentou à aniversariante e a seus pais, que a receberam com gentileza. Ela se sentiu feliz olhando ao redor, sem saber o que admirar mais, se a beleza da casa, a decoração festiva ou a elegância das pessoas.

Sentiu-se em casa. Era naquele ambiente que desejava viver. Muito à vontade, notando o sucesso que fazia entre os rapazes, Mirtes esqueceu-se completamente de Marcelo. Foi gentil com todos, delicada, procurando demonstrar simpatia. Marcelo a observava a distância, pensativo. Nem notou quando Émerson aproximou-se:

— Ela é bonita mesmo — disse sorrindo.

Marcelo sorriu e respondeu:

— É verdade. Mas cuidado com ela!

— Você a conhece?

— É Mirtes. Já lhe falei sobre ela.

Émerson calou-se por alguns segundos, depois disse:

— Veio com você?

— Não. Mas de certa forma sou responsável pela presença dela. Encontrei Mildred por acaso em uma loja e Mirtes apareceu. Apresentei-as e parece que se deram muito bem.

Émerson sorriu e respondeu:

— É a lei das afinidades.

— Mildred parece-me muito diferente dela.

— Mas não é. Observá-las pode ensinar-lhe muitas coisas. Elas podem adotar diferentes maneiras para conseguir o que desejam, mas na essência são iguais.

— A última aula deixou-me pensando. Não é fácil perceber o que há atrás das aparências.

— Por isso eu disse que observá-las pode ajudá-lo a compreender. Para tornar-se mais consciente, lúcido e desenvolver o bom senso, é preciso ir além do que as coisas parecem ser.

— As pessoas dissimulam. Fica difícil.

— Mas o corpo fala. Os olhos expressam, a boca dá sinais, a postura revela, os gestos exprimem o que seu espírito sente. Você pode dissimular, mentir, desejar encobrir sua realidade, mas o corpo automaticamente revela seus verdadeiros sentimentos, inconscientemente. Um bom observador consegue fazer isso.

— Assim se livra de muitos problemas. Ninguém vai enganá-lo.

— Muitos gostam de ser enganados. A verdade nem sempre é bem aceita.

— Era nisso que eu pensava ainda há pouco observando Mirtes. Ela usa as pessoas para conseguir o que deseja. Eu me deixei usar muitas vezes por ela. Mas agora percebi como ela é, e estou prevenido.

Émerson olhou-o nos olhos e disse sério:

— Apesar de saber, muitas vezes, não conseguimos evitar a recaída.

Marcelo passou a mão pelos cabelos, nervoso:

— Espero não fraquejar mais com ela.

— Mas se acontecer, não desista. Entre aprender e assimilar é preciso algum tempo. Nesse período as recaídas acontecem. O importante é perceber nosso ponto fraco e refletir. Mudar pensamentos alimentados durante muito tempo requer paciência e perseverança.

— Sei o que quer dizer. Muitas vezes, depois do que ela me fez, prometi a mim mesmo nunca mais fraquejar. Mas não sei por que acabo sempre cedendo. Ainda não resisto quando alguém chora.

Émerson colocou a mão no ombro do amigo dizendo:

— É assim mesmo. Nesses momentos você fica com raiva de si mesmo, julga-se um fraco, parece que retrocedeu. Mas não. Você está avançando, só que não tão rápido quanto imaginou.

Mildred aproximou-se com Mirtes. Estendeu a mão a Émerson e disse:

— Como vai, Émerson? E você, Marcelo?

Eles apertaram a mão que ela lhes estendia. Em seguida, ela apresentou Mirtes a Émerson, que a cumprimentou com gentileza.

Mirtes notou logo o interesse de Mildred por Émerson e, embora estivesse interessada em conhecer outros rapazes, procurou manter a conversação. Desejava agradá-la a todo custo. Aquela amizade era preciosa. Por meio dela conseguiria o que tanto desejava.

Laura aproximou-se sorrindo:

— Vocês estão aí tão distantes dos outros... Estão sendo bem atendidos?

Eles disseram que estava tudo bem, e ela continuou:

— Para dizer a verdade, eu estava com vontade de ficar com vocês. A última aula mexeu comigo. Não consegui pensar em outra coisa.

— Aconteceu o mesmo comigo — tornou Marcelo.

Mildred trocou um olhar significativo com Mirtes. Émerson interveio:

— Mais tarde, quando for oportuno, poderemos conversar a respeito. Nesta noite estamos aqui para celebrar seu aniversário, Laura. Você quer dançar comigo?

Ela sorriu e seus olhos brilharam alegres.

— Será um prazer.

Depois que os dois foram dançar, Marcelo tornou:

— Vocês vão me dar licença. Tenho de cumprimentar uma pessoa que acabou de chegar.

Vendo-o afastar-se, Mirtes ficou aliviada. Não queria que ele ficasse junto para não comprometê-la. Mildred comentou:

— Preciso descobrir o que está acontecendo. Laura está diferente. Não sei o que é. Ela sempre foi apagada, sem graça, tímida. Você notou como ela está chamando a atenção? Até Émerson foi dançar com ela.

— Vai ver, quis ser gentil. Afinal, é a dona da festa. Acredito que ele gostaria mais de dançar com você.

Os olhos de Mildred brilharam.

— Tenho certeza disso. Ele sempre foi apaixonado por mim. Antes de ele viajar, estávamos namorando firme.

— Não entendo por que um moço rico e bonito como ele ficou tanto tempo longe de casa.

— Para falar a verdade, eu também não. Mas ele meteu algumas ideias na cabeça e ficou oito anos andando de um lado para outro.

— Manias de gente rica. Se ele precisasse trabalhar para viver, não teria feito isso.

Mildred sorriu:

— Sabe que tem razão? Mas, apesar disso, ainda o prefiro rico como sempre foi. O dinheiro é um dos atributos indispensáveis ao homem.

Mirtes concordou satisfeita.

— Pois eu também acho. Para dizer a verdade, minha família não é rica. Mas se um dia eu me casar, terá de ser com alguém que possa dar-me conforto e as coisas boas da vida.

— Logo vi que você é inteligente, pensa como eu.

— Veja Marcelo. Sempre foi apaixonado por mim. Chegou a me pedir em casamento. Mas recusei. Ele ainda não se conformou.

— É mesmo? Ele me parece um rapaz fino. Pensei que fosse rico.

— Não, ele é de classe média. Ganha bem. Mas eu desejo mais.

— É um moço muito atraente. Você não se apaixonou por ele?

— Marcelo é agradável, bem-educado, mas não serve para mim.

— Tem certeza de que não está mesmo apaixonada por ele?

— Tenho. Por que pergunta?

— É que pensei em circular um pouco com ele. Afinal, é bem-apessoado. Todas olham quando ele aparece.

— Por isso o namorei. Mas agora não posso mais perder tempo. Quero encontrar alguém que valha a pena.

— Nesse caso você não vai se importar se eu sair com ele.

Mirtes hesitou um pouco, depois respondeu:

— Pensei que você estivesse interessada em Émerson.

— E estou. Depois que ele voltou, tem estado arisco. Isso me motivou mais a conquistá-lo. Por isso pensei em provocar um pouco de ciúme, saindo com Marcelo.

— Pois faça isso. Tenho quase certeza de que dará certo.

— Vamos circular um pouco. Vou apresentar-lhe alguns amigos importantes.

Mirtes sorriu com prazer. Finalmente havia encontrado a pessoa certa. Dali para a frente, faria tudo para tornar-se indispensável a ela.

As duas continuaram circulando e conversando animadamente. Marcelo, apesar de estar distante, conversando com outras pessoas, observava-as discretamente. Percebeu o que estava acontecendo e teve certeza de que dali para a frente Mirtes tentaria introduzir-se cada vez mais nesse ambiente até conseguir o que desejava. Reconheceu, com uma ponta de tristeza, que ela era bonita, sabia seduzir e por certo logo encontraria o marido rico que pretendia.

Sentia-se dividido. Sabia que ela só lhe traria infelicidade. Entretanto, por que sua presença ainda o perturbava tanto? Por que o comportamento dela ainda o deixava triste?

Foi até o jardim e sentou-se em um banco discreto. Queria entender as emoções que lhe roubavam a paz. Tinha consciência de que não era amor o que sentia. Era uma dependência. Mirtes era audaciosa, ambiciosa, persistente. Queria viver bem, subir na vida. Ele também desejava isso, só que não se julgava merecedor. Lembrou-se das palavras do pai:

"Dinheiro não traz felicidade."

Não era aquilo que observava convivendo com amigos ricos. Émerson era um exemplo vivo de que seu pai estava enganado. Mas nem todos os ricos eram felizes, e Marcelo chegou à conclusão de que outros são os fatores que trazem felicidade. Mas, sem dúvida, o dinheiro, quando bem utilizado, pode ajudar muito.

Notou que, apesar de não aprovar a falta de escrúpulos de Mirtes, gostaria de ter sua audácia, sua persistência, sua autoconfiança. Naquele instante reconheceu que a admirava e gostaria de ser como ela.

De repente, Marcelo ouviu um ruído, parecendo um soluço. Prestou atenção e teve certeza: alguém estava chorando. Levantou-se e procurou descobrir de onde vinha. Atrás do banco onde ele estava havia uma cerca de plantas altas que dividia a área da piscina. Deu a volta e viu: sentada em um banco, uma moça chorava desconsolada.

Ouvindo-o chegar, parou assustada.

— Desculpe, se a assustei.

Ela se levantou hesitante. Ele lhe ofereceu um lenço, dizendo:

— Não se incomode comigo. Há momentos em que não suportamos a pressão. Também já passei por isso.

Ela enxugou os olhos fitando-o nervosa.

— Não sabia que havia alguém por perto.

— Se quer saber, sentei-me naquele banco para pensar. Há ocasiões em que precisamos de silêncio.

Ela dirigiu a ele os olhos brilhantes e ainda molhados de pranto. Apesar da escuridão da noite, Marcelo notou emocionado a beleza de seu rosto.

— Sente-se. Não se preocupe comigo.

Ela se sentou novamente e Marcelo postou-se ao seu lado.

— Eu não deveria ter vindo.

— Aqui há oportunidade de se distrair, esquecer os problemas.

— É inútil. Onde quer que eu vá, os problemas vão comigo.

Ela fez menção de levantar-se. Ele colocou a mão em seu braço.

— Não vá embora. Também me sinto triste esta noite. Fique. Vamos conversar.

— Não. É melhor eu ir. Não estou em condições de consolar ninguém.

— Nem eu. Um amigo me ensinou que uma situação tem vários lados. Ela será boa ou ruim, dependendo de como você a olha.

— Diz isso para me consolar. Agradeço a boa intenção, mas a meu ver o que nos causa dor tem um lado só, e é sempre ruim.

— Aí é que você se engana. Uma cirurgia pode causar muita dor, mas cura. A saúde é um bem.

Ela suspirou e ficou alguns instantes em silêncio. Depois olhou-o nos olhos dizendo:

— Reconheço sua boa intenção. Nem sequer me conhece.

— Não seja por isso. Meu nome é Marcelo. E o seu?

— Renata.

Ele estendeu a mão, que ela apertou em silêncio.

105

— É amiga de Laura?

— Nossas famílias se relacionam há muitos anos. Nós nos conhecemos desde a infância, mas não temos intimidade.

— Então deve conhecer Émerson.

— Superficialmente. Ele esteve fora muito tempo.

— Ele é meu professor. Tem me ensinado muitas coisas. Frequento seus cursos no instituto.

— Ouvi falar a respeito.

— Ele tem me ajudado a ver a vida com mais otimismo.

— Acho que não adiantou muito. Você disse que está triste. Deve ser infeliz.

— Já estive pior. De vez em quando ainda tenho uma recaída, como nesta noite. Antes eu ficava desesperado, inquieto, sofrendo. Agora, procuro trabalhar meus pensamentos e ver o lado bom dos fatos.

— Eu não consigo. Sinto-me impotente, tenho vontade de desaparecer.

— Fugir não adianta. Como você disse, os problemas estão dentro e a acompanharão aonde você for.

Ela suspirou e guardou silêncio. Ele prosseguiu:

— Eu estava ali atrás tentando encarar uma realidade que me desagrada, mas que não posso mudar.

— Como assim?

— Vou explicar melhor. Durante anos fui apaixonado por uma garota linda, mas ambiciosa. Quer ser muito rica. Procura um marido que possa dar-lhe luxo e projeção social. Como sou de família modesta, durante o tempo do nosso namoro, sempre que aparecia um rapaz bem de vida, ela me traía. Dizia estar doente, inventava desculpas e saía com ele. Eu a surpreendia com outros e ela fingia nem me ver. Quando seu novo namoro acabava, ela me procurava, e eu, que havia jurado nunca mais voltar para ela, acabava cedendo. Depois ficava com raiva de mim, sentia-me um fraco, sem personalidade.

— Sei como é isso.

— Ela me usava sempre. E eu, apesar de saber que ela nunca me amou, cedia.

— É por motivo semelhante que me sinto impotente. Fico chorando, mas não consigo arrancar este amor do peito. Não consigo aceitar a rejeição do homem que mais quero neste mundo.

106

— Não é fácil, mas é preciso enfrentar esse desafio. Émerson me ajudou muito. Sinto-me mais forte. Tenho conseguido vencer algumas vezes. Ela sempre quis frequentar a alta sociedade. Ela se insinuou para uma conhecida minha, que a convidou para esta festa. Está mais linda do que nunca, rodeada por rapazes ricos, sendo admirada. Eu me senti ainda mais rejeitado. Antes eu teria ido para casa, passaria uma noite me revirando na cama, infeliz. Mas agora sei que tudo depende do ponto de vista. Eu posso olhar as coisas de outra forma.

— Dá para fazer isso?

— Dá. Sei que ela não me ama. Não posso mudar isso. Se me casasse com ela, certamente seria infeliz. Assim vai doer um pouco, minha vaidade está ferida. Mas o fato de ela não me querer é até benéfico, porque pode evitar que eu seja infeliz.

— Gostaria de pensar como você. Infelizmente não posso. O homem que eu amo, por quem eu daria a própria vida se fosse preciso, me trocou por outra. Esta noite ele a trouxe à festa, está todo derretido por ela, dando-lhe atenções que nunca me dispensou enquanto estávamos namorando.

Marcelo começou a rir, e ela disse irritada:

— Está rindo de minha infelicidade?

— Não, Renata. Estou rindo de nossa situação. Uma noite maravilhosa, um luar lindo, esta festa, a piscina, o jardim, a música. Nós somos jovens e, em vez de aproveitarmos todas as coisas boas que a vida está nos oferecendo, ficamos chorando por alguém que não se interessa nem um pouco por nós. Não acha que estamos perdendo tempo?

— Gostaria de ser como você. De certa forma, reconheço que tem razão.

— Sugiro que voltemos à festa juntos. Vamos mostrar a eles que não estamos nem um pouco tristes, que a paixão que nos dominava acabou. Vamos fingir que estamos interessados um no outro. Assim pelo menos nosso orgulho sairá vitorioso. Isso nos tornará fortes para enfrentar seja lá o que for.

Ela pensou um pouco e decidiu:

— Está certo. Rômulo sempre fez comigo o que quis. Eu aceitava tudo. Queria preservar nosso namoro. Não adiantou. Parece que foi pior. Agora é nossa vez. Vou me arrumar um pouco e voltaremos à festa.

Ela abriu a bolsa, retocou a maquiagem e perguntou:

— Então, parece que estive chorando?

Ele a conduziu perto da luz e respondeu:

— Não. Você está linda. Vamos lá. A noite é nossa.

De mãos dadas e cabeça erguida, encaminharam-se para o salão.

CAPÍTULO 9

Quando os dois entraram no salão de mãos dadas, a orquestra tocava uma música romântica. Marcelo enlaçou-a, dizendo-lhe ao ouvido:

— Vamos esquecer nossos problemas. Neste momento, nós nos amamos e só temos olhos um para o outro.

— Vou tentar.

Na penumbra do salão ele a apertou contra si, colando seu rosto no dela. Renata fechou os olhos e deixou-se conduzir pelo sabor da música. A princípio tentou imaginar que estava nos braços de Rômulo e suspirou angustiada.

— O que foi? — indagou Marcelo.

— Imaginei que estava dançando com ele e me senti pior.

— Eu fiz diferente. Imaginei que você é a companhia com quem sempre sonhei. E me senti muito bem. Tente fazer o mesmo. Pense que sou o homem de sua vida e que me ama muito.

Marcelo apertou levemente a cintura de Renata, e ela pensou no homem que gostaria de amar. Imaginou que o estava abraçando e sentiu-se enlevada. Esforçou-se para imaginar seu rosto, mas não conseguiu.

A música acabou e logo começou outra, e os dois continuaram dançando, como se no salão houvesse apenas eles.

Mirtes ficou curiosa. Quando se viu a sós com Mildred, indagou:

— Quem é a moça que está dançando com Marcelo?

— É Renata.

— Será que estão namorando?

— Não creio. Ela foi noiva de Rômulo. Está vendo? É aquele rapaz alto, moreno, que está dançando com Nora, aquela moça de vermelho. Dizem que a família dele perdeu todo o dinheiro e ele ficou noivo de Renata. Ela é filha única e muito rica. Mas ele se apaixonou por Nora e, como ela também tem dinheiro, fez a troca. Sei de fonte limpa que Renata não se conformou. Vive chorando pelos cantos. Nem queria vir à festa. A mãe dela, que não perde ocasião de aparecer em sociedade, obrigou-a.

Mirtes ficou em silêncio observando Marcelo dançar. Por fim, disse:

— Pelo jeito ela já se conformou. Está agarrando Marcelo e não parece disposta a largar.

Mildred sorriu levemente:

— O que é isso? Está com ciúme?

— Eu?! Que ideia! Estou apenas observando.

Calaram-se por alguns segundos, depois Mildred concluiu:

— É por isso que não acredito em amor. É tudo um jogo de interesses.

Mirtes concordou.

No salão, enquanto dançava com Nora, Rômulo disfarçadamente observava Renata e Marcelo. Nora notou e disse:

— O que foi? Achou que ela continuaria chorando por você toda a vida?

— Do que está falando?

— Não se faça de tolo. Você não tira os olhos de Renata. Ainda está interessado nela?

— Claro que não. Que bobagem. Foi apenas curiosidade. Disseram-me que ela estava doente por causa de nosso rompimento.

— Está vendo que não era verdade. Ela até que se arranjou muito bem. Ele é um rapagão.

— Você o conhece?

— De vista. É amigo de Émerson. Por que tanto interesse?

— Já disse que é curiosidade. Estou contente. Melhor assim. Estava cansado de os amigos virem me falar da tristeza dela.

Marcelo notou os olhares do casal e comentou:

— Estão falando de nós. Está dando certo.

— E sua ex-namorada, nos viu?

— Viu. É aquela que está conversando com Mildred. Estão dissimulando, mas tenho certeza de que falam de nós.

— Isso me deixa feliz. Sabe de uma coisa? Sua ideia foi genial!

110

A música acabou e eles ficaram conversando no salão. Em seguida começou um samba animado e eles recomeçaram a dançar. O ritmo alegre e bem marcado e a cadência gostosa os envolveram, e eles se entregaram ao prazer da dança.

— Você dança muito bem — comentou Renata.

— Você é leve como uma pluma.

— Adoro dançar.

— Eu também.

Marcelo improvisou alguns passos e ela acompanhou. Rosto corado pelo prazer da dança, Renata esqueceu-se de tudo. Lábios entreabertos em um sorriso de prazer, olhos brilhantes, passos ágeis, não parecia nem um pouco com a moça de momentos antes.

Vendo-os dançar, os casais abriram espaço e eles continuaram. Rômulo, que se dirigira com Nora à mesa, comentou irritado:

— Veja do que me livrei. Odeio exibicionismo.

— Pois eu gostaria de estar no lugar dela.

— Esta festa está muito chata. Vamos embora?

— É cedo. Por que está tão mal-humorado? Será que ainda gosta de Renata?

— Não seja boba. Se eu gostasse, teria continuado com ela. Se não quer ir embora, vamos dar uma volta pelo jardim. Está calor aqui.

Mirtes olhava com raiva Marcelo e Renata dançando. Era ela quem queria chamar a atenção, entretanto ele é quem estava sendo admirado.

A música acabou e o casal foi muito aplaudido. Laura aproximou-se sorrindo:

— Vocês deram uma aula de dança. Pareciam profissionais. Parabéns. Renata, você me surpreendeu. Nas festas raramente dançava.

— É que… — ela hesitou. De repente lembrou que Rômulo não gostava muito de dançar e quando o fazia não a deixava à vontade. — Marcelo é bom. Sabe conduzir. Com ele fica fácil.

— Nem tanto. Já tive minhas dificuldades. Algumas garotas são pesadas e sem ritmo. Por mais que eu tente, elas não conseguem acompanhar. Com você foi divino.

— Quanto tempo ensaiaram para dançar assim? — indagou Laura.

— Nós nos conhecemos esta noite — respondeu Renata.

Émerson juntou-se a eles dizendo:

— Ver vocês dois dançando foi para mim a mais agradável surpresa.

— Estão exagerando. Estou com sede. Gostaria de tomar alguma coisa — disse Renata.

— Eu também — emendou Marcelo.

— Vamos até minha mesa — sugeriu Laura.

Émerson interveio:

— Nada disso, Laura. Estava à sua procura para dançar. Adoro esta música.

— Não precisa fazer as honras da casa, Laura — disse Renata sorrindo. — Aproveite sua festa.

Os dois se dirigiram à pista de dança. Marcelo olhou em volta e chamou um garçom que passava e apanhou dois copos de água gelada.

— Aqui está quente. Vamos nos sentar na varanda — disse ele entregando um copo a Renata. — Beba devagar, está gelada.

Ela aceitou o convite. Sentados na varanda, bebericando a água com prazer, sentindo a brisa fresca que os envolvia, Renata confidenciou:

— Foi bom ter vindo.

— Foi ótimo. E eu quase não vinha. Se tivesse ficado em casa, a esta hora estaria deprimido, entediado, revirando na cama sem conseguir dormir.

— Eu também. Hoje à tarde fechei-me no quarto e não queria ver ninguém. Mas minha mãe falou que eu estava sendo indelicada com Laura, que sempre foi muito gentil comigo. Disse-me que em sociedade não podemos demonstrar nossos sentimentos, temos de ser impecáveis, ainda que nosso coração esteja sangrando. Que os outros não têm culpa dos nossos problemas, que é falta de educação não atender a um convite tão especial como o de Laura. Falou tanto que eu, cansada de tanta conversa, sentindo-me culpada, resolvi vir. Eu sabia que ia ser difícil ver Rômulo ao lado de Nora.

— Rômulo dança bem?

— Mais ou menos. Com ele é tudo dentro das regras. Quando era adolescente, frequentou sem muito entusiasmo uma escola de dança, apenas para poder frequentar o clube. Dança certinho e não se permite nenhum improviso, como fizemos esta noite.

— Ele não sabe o que está perdendo. Eu aprendi a dançar em casa, com minha mãe, que sempre gostou de festas.

— Mirtes dança bem?

— Acompanha razoavelmente. Mas sem alma. Fica olhando para os lados observando tudo, tecendo comentários sobre as pessoas. Eu

112

gostava de dançar com ela pela proximidade, pelo prazer de tê-la em meus braços, nunca pelo prazer de dançar, como aconteceu conosco.

— Diz bem. Esta noite senti o prazer de dançar, de entrar no ritmo da música e sentir como se meu corpo tivesse asas.

Marcelo sorriu contente.

— Começamos a dançar tentando esconder nossa tristeza, mas a vida criou para nós um momento mágico, provando que há muitas formas de encontrarmos o prazer de viver.

— Este momento passou. Amanhã voltarei a me sentir só, a chorar minha desilusão.

— Estou reagindo, mas tenho tido minhas recaídas. Você pode ter as suas. Émerson me ensinou a não esperar dos outros o que eles ainda não têm para dar.

— Eu esperei muito de Rômulo. Sonhei com um amor eterno e sincero.

— Mas o sonho era só seu. Ele desejava outras coisas.

— Ele me fez muito mal.

— Engana-se. Foi você quem criou um sonho e não percebeu que era ilusão. Ele não teve o mesmo sonho. As pessoas são diferentes. Não adianta esperar que elas procedam como imaginamos.

— De fato. Rômulo é muito diferente do que eu gostaria que fosse. Apesar disso, apaixonei-me. Não dá para explicar. Eu pensei que com o tempo, com meu carinho, ele fosse mudar.

— Aí é que está seu engano. As pessoas não mudam só porque nós queremos. Mirtes também não é a mulher que eu gostaria que fosse. Mas eu sei que não adianta esperar que ela mude. Sei também que se me casasse com ela seria muito infeliz. Por isso resolvi sair fora e tentar esquecer.

— Por que nos apaixonamos pela pessoa errada?

— Difícil responder. Mirtes tem um lado egoísta, interesseiro, que me desagrada. Ela mente, engana, faz tudo para conseguir o que quer. Não confio nela nem um pouco. Mas, apesar disso, admiro sua ousadia, sua determinação em conquistar o que quer. Não dá para explicar.

— Meu caso é parecido. Rômulo valoriza as aparências, jamais fala de seus problemas íntimos, nunca perde a pose. Sua família nos últimos tempos passou por sérios problemas financeiros. Dizem que eles perderam tudo. Mas vivem do mesmo jeito, moram na mesma casa, frequentam os mesmos lugares, com a mesma classe. Sinto que tudo isso é um papel, uma representação. De certa forma ele é igual a Mirtes. Ambicioso, não aceita a pobreza. Jurava que me amava, mas meus amigos me preveniram de que ele estava interessado em meu dinheiro.

Ela fez ligeira pausa e, vendo que ele continuava ouvindo com atenção, continuou:

— Eu sabia que eles tinham razão. Ele só começou a me cortejar depois que perderam tudo. Antes nem sequer me notava. Mas eu me senti envaidecida com suas atenções. Apesar de tudo, eu admiro sua postura equilibrada, sua classe, jamais cometendo nenhum deslize. Para mim isso representava segurança. Casando-me com ele, minha vida seria sempre equilibrada, tudo daria certo. Quando ele me disse friamente que estava apaixonado por outra, foi como se o mundo desabasse.

— Se casasse com ele, sua vida seria monótona e infeliz.

— Será? Eu gosto dele.

— Eu sinto que você tem um temperamento arrebatado, forte, vibrante. Não combina nada com um homem frio, controlador.

— Foi por isso que achei que poderia dar certo. Minha mãe vive dizendo que sou desajeitada, emotiva, estouvada, sem classe.

— Sua mãe é como ele. Casando-se com ele você apenas trocaria de controlador.

— Não está sendo muito duro com eles?

— Você é exuberante. Esse é seu temperamento. Isso nunca muda.

— Sou igual a meu pai. Mamãe vive controlando-o. Ele é muito diferente quando não está ao lado dela.

— Foi a forma que ele encontrou de conviver com sua mãe. Mas isso é felicidade?

— Talvez seja por isso que ele quase não para em casa. Permanece só o necessário.

— É esse o conceito de casamento que você tem?

— Não. Eu desejo viver com alguém que me compreenda, que não viva observando meus pontos fracos.

— Alguém que a admire, respeite e valorize. Uma pessoa com quem você possa ser você mesma, do jeito que é.

— Isso não existe. O amor é uma ilusão que traz sofrimento. Nunca mais quero sentir nada por ninguém.

— Não seja radical. Tudo pode mudar.

— Diz isso para me confortar. No fundo sabe que o amor verdadeiro, como imaginamos, não existe.

114

— Talvez não como imaginamos, mas eu ainda acredito na felicidade. Émerson costuma dizer que o amor, quando verdadeiro, nunca traz sofrimento. Ao contrário, causa bem-estar e alegria.

— Você confia muito na opinião dele.

— Confio. Émerson é um sábio. Seus conceitos mudaram minha vida. Frequento o instituto.

— Laura fala nele com entusiasmo. Convidou-me para ir, mas minha mãe é católica e não permitiu.

— Mas ele não ensina religião.

— Soubemos que ele passou alguns anos em um mosteiro e voltou pregando a religião deles.

— No instituto não falamos em religião. Ele nos ensina a lidar com nossas emoções, a observar a vida e aprender a viver melhor.

— A conversa está tão boa que se esqueceram da festa!

Os dois ergueram a cabeça: Mildred e Mirtes estavam diante deles.

— É que está muito bom aqui fora — respondeu Marcelo, levantando-se.

— Renata, esta é Mirtes.

Renata apertou a mão que Mirtes lhe estendeu e retribuiu o sorriso.

— Vocês não vão dançar mais? — indagou Mirtes.

— Vamos, sim, daqui a pouco. Vocês não querem se sentar? — respondeu Marcelo.

Ele se juntou mais a Renata e passou o braço sobre os ombros dela, puxando-a mais para si para que as duas se acomodassem.

— Obrigada, mas não queremos incomodar — disse Mildred.

— Viemos tomar um pouco de ar e vamos voltar para o salão. Prometi esta dança a Marcos, que já deve estar à minha procura.

— Nesse caso, fiquem à vontade — tornou Marcelo, continuando abraçado a Renata.

Elas se foram e Renata a custo segurou o riso:

— Ela ficou furiosa.

— Quer é saber se estamos mesmo namorando.

— Por isso você me abraçou. Elas já se foram.

— Vamos ficar assim mais um pouco. Estou certo de que vão nos observar de longe.

Naquele momento Marcelo viu que Rômulo se aproximava segurando Nora pelo braço.

— Não olhe agora — disse Marcelo —, mas Rômulo está vindo. Sorria.

115

Renata sorriu procurando parecer alegre e Marcelo aproximou seus lábios do ouvido dela, sussurrando:

— Estamos indo muito bem. Hoje eles vão sentir que já os esquecemos.

Renata fechou os olhos para não os ver passar e Marcelo beijou-lhe os cabelos apertando-a um pouco mais.

Rômulo enrubesceu de raiva.

— Vamos embora. Se você quiser ficar, irei sozinho. Não tolero essa falta de classe.

— Está bem. Mas eu estranho sua atitude. Para quem diz que Renata nunca significou nada, você está muito preocupado.

— Qual nada. Estou contente por ter caído fora. Não suporto vulgaridade.

Nora não respondeu e ficou pensativa. Por que Rômulo havia se irritado tanto? Afirmava que não amava Renata. Não duvidava de sua sinceridade. O fato de a ex-namorada o haver esquecido feria tanto sua vaidade? Que Rômulo era orgulhoso de sua posição social e do nome de sua família, ela sabia. Ela também gostava de ser rica, ter classe e manter as aparências. Em sua casa ninguém se permitia alterar a voz ou perder o controle, acontecesse o que acontecesse.

Renata e aquele rapaz não estavam fazendo nada de mais. Vendo-os juntos, ela se sentiu aliviada. Estava apaixonada por Rômulo e sentia ciúme, principalmente de Renata, tão bonita e requisitada.

Ao voltar ao salão com Mildred, Mirtes comentou com inconformismo:

— Não acredito que estejam namorando.

— Por quê? Renata cansou de chorar e descobriu Marcelo. É possível que fique com ele.

Mirtes deu de ombros:

— Pois que façam bom proveito. Embora eu não creia que continuem. Marcelo ainda me ama. Esta noite mesmo estava me olhando de um jeito! Se eu estalar os dedos, ele volta. E Renata ficará chorando de novo.

— Você disse que não quer nada com ele.

— Não quero mesmo.

— Também não estou gostando desse namoro. Eu pretendia circular um pouco com ele para Émerson ficar enciumado.

— Nesse caso, tente. Ele é fácil de lidar. Acredita em tudo que você disser.

O par de Mirtes chegou e ambos saíram dançando. Durante a dança, sempre que passava pela janela envidraçada que dava para a varanda, Mirtes procurava ver se Marcelo e Renata ainda continuavam lá.

— Você tinha razão — disse Renata. — Ela está dançando, mas cada vez que passa pela janela nos observa.

— Por causa disso é melhor continuarmos abraçados.

— Os amigos de Rômulo também estão nos vigiando. Sabem como sofri com o rompimento.

— De hoje em diante pensarão diferente.

Renata suspirou triste.

— Não tenho ilusões. Esta noite vai passar e amanhã tudo voltará a ser como antes.

— Não se você decidir mudar.

— Você fala como se isso dependesse de mim.

— E depende. Talvez no começo você precise de um apoio maior. Mas a decisão é sua.

— Bem que eu gostaria de esquecer. Mas não consigo.

— Tem esperanças de que ele volte?

— Não. Seus amigos me disseram que ele está muito apaixonado por Nora.

— Nesse caso, Renata, continuar gostando dele é alimentar o sofrimento.

— Não posso mandar em meus sentimentos. Se ele voltasse para mim amanhã, eu me sentiria a mulher mais feliz do mundo.

— Ilusão. Esse moço nunca a faria feliz.

— Como pode saber?

— Tem um temperamento muito diferente do seu. Dá para notar que você é delicada, sensível, sincera. Ele é controlado, calculista. Foi você quem disse isso dele.

— Ele é assim mesmo.

— Chegará o dia em que agradecerá a Deus por ele haver saído de sua vida.

Ela meneou a cabeça pensativa. Émerson apareceu na porta da varanda e Marcelo fez-lhe sinal para que se aproximasse.

— Sente-se conosco, Émerson. Vamos conversar um pouco.

Ele se sentou e Marcelo continuou, dirigindo-se a Renata:

— Ele tem me ajudado muito. Tem sido meu professor. Com suas aulas descobri que podemos mudar nossa vida.

117

Renata sorriu:

— Que milagre é esse?

— Não é milagre — disse Émerson sorrindo. — Qualquer pessoa pode conseguir.

— Pois eu não consigo controlar meus sentimentos.

— Talvez você esteja olhando os fatos de forma equivocada.

Renata ficou silenciosa por alguns instantes, depois tornou:

— Pode ser. Minha mãe diz que eu sempre vejo tudo de maneira errada.

— Também não é assim — interveio Marcelo.

— Renata quer dizer que vê os fatos de forma diferente de sua mãe — esclareceu Émerson. — Mas isso não significa que a maneira dela seja mais correta.

— É isso que sinto. Em muitas coisas não penso igual a ela.

— Nem pode. Cada um é um. E, embora haja a influência da educação, da convivência etc., os temperamentos são diferentes.

— Gostaria que ela soubesse disso — tornou Renata.

— Ela é como é. Você é quem precisa compreender as diferenças e cuidar de sua felicidade do seu jeito.

— As coisas não são fáceis assim. A cada dia a felicidade fica mais distante.

— Talvez você esteja olhando apenas o lado ruim. Já pensou em cultivar a alegria no coração? Em olhar à sua volta e notar tudo que tem de bom em sua vida? Se fizer isso, com sinceridade, reconhecerá que há mais motivos para sorrir do que para chorar.

— Até há bem pouco tempo eu apreciava cada minuto, me empolgava com a beleza das flores, com minha juventude, com tudo que me cerca. Reconheço que sou até privilegiada. Mas, depois que perdi o amor do homem que amava, a vida perdeu o encanto. Só vejo tristeza ao meu redor. Não consigo entender. Sempre fui uma boa moça. Por que aconteceu isso comigo?

— Deus não erra. Ele está no leme de tudo. A vida faz tudo certo.

— Não creio. Ela me fez infeliz.

— Não diga isso. Você não sabe o que lhe reserva o futuro. Hoje você chora por não obter o que desejava, mas amanhã talvez agradeça. Por isso, é melhor aceitar os fatos que não pode mudar.

— Está sendo difícil.

Émerson sorriu:

— É mais fácil do que supõe. Se quiser, vá ao instituto na próxima semana e conversaremos melhor.

Laura apareceu na porta do salão e Émerson levantou-se:

— Prometi dançar esta com Laura.

Ele se afastou e Marcelo comentou:

— Você deve ir ao instituto. Émerson interessou-se pelo seu caso. Raramente convida alguém para ir lá.

— Sim, irei. Estou mesmo precisando de ajuda.

— Irei na próxima terça-feira. Se quiser, poderei levá-la.

Ela concordou e ele continuou:

— Vamos dançar? Adoro essa música.

— Vamos.

— Tenho certeza de que vai dar tudo certo. Por ora, vamos aproveitar este momento, esta festa tão bonita e esta música maravilhosa. O amanhã pertence a Deus.

Renata sorriu:

— De fato. Chega de me lamentar. Quer saber? Também adoro esta música.

Enquanto eles dançavam, Valdo conversava com os pais de Renata. Sempre atencioso, fazendo as honras da casa, notou que o casal, embora procurasse dissimular, observava a filha com interesse.

Doutor Eduardo nunca havia olhado com bons olhos o noivado de Renata com Rômulo. Só concordara por notar que Renata estava muito apaixonada. Já dona Marcelina o achava um ótimo partido.

— Há qualquer coisa nele de que não gosto — dizia Eduardo. — Não confio nesse rapaz. Não gosto das pessoas que não olham nos meus olhos quando falam.

— Bobagem. Rômulo é muito bem-visto na sociedade.

Quando houve o rompimento, Renata ficou triste, mas Eduardo sentiu-se aliviado. Diante da depressão da filha, Marcelina comentou:

— Daria tudo para que Renata não sofresse.

— Melhor sofrer agora do que ser infeliz pelo resto da vida. Isso passa. Ela é jovem e bonita. Logo aparecerá outro melhor.

— Deus queira.

Valdo sabia de tudo, mas por delicadeza não tocou no assunto. Foi Marcelina quem perguntou:

— Não conheço o moço que está dançando com Renata.

— Seu nome é Marcelo.

119

— Nunca o vi em nosso meio. É seu amigo?

— Eu o conheço há alguns anos, mas nunca tivemos ocasião de estreitar nossa amizade. Depois que Émerson voltou, tornaram-se muito amigos. Laura o aprecia muito.

— É um belo rapaz — considerou ela.

Quando Valdo os deixou, Marcelina comentou:

— Renata está melhor. Graças a Deus.

— Espero que a emenda não seja pior. Não sabemos quem esse moço é. Sua família por certo não pertence às nossas relações.

— Seja quem for, está conseguindo com Renata o que nós não conseguimos. Veja como ela está sorrindo.

— Pode estar fingindo.

— Não creio. Cheguei a pensar isso enquanto Rômulo estava circulando com a outra. Mas agora ele já partiu. Foi ótimo ter insistido para que ela viesse.

— Estou cansado, vamos embora.

— É cedo. Precisamos deixar Renata aproveitar um pouco mais. Fazia tanto tempo que ela não saía!

Valdo deixou o casal e sentou-se um pouco na varanda. Mildred e Mirtes saíram do salão para tomar um pouco de ar. Vendo-o, Mirtes fez menção de afastar-se. Não havia contado a Mildred sua tentativa fracassada de conquista no cinema.

Mildred sentou-se no banco ao lado dele, chamando-a para que a acompanhasse. Um pouco sem jeito, Mirtes sentou-se.

— Ufa! Estou cansada. Meus pés estão doendo — tornou Mildred.

— Acho que já lhe apresentei minha amiga Mirtes.

— Não, você não nos apresentou, mas nós já nos conhecemos. Como vai, Mirtes?

— Bem. A festa está muito bonita.

— Foi Laura quem organizou tudo.

— Laura? — admirou-se Mildred. — Ela nunca gostou muito de festas.

Pelos olhos de Valdo passou um brilho malicioso. Ele conhecia Mildred muito bem. Respondeu:

— As pessoas mudam.

— Nos últimos tempos, Laura mudou muito. Aconteceu alguma coisa que eu não sei?

Ele abanou a cabeça negativamente:

— Não.

120

— Ela está namorando?

— Que eu saiba, não. Por quê?

— Ela está mais alegre, mais viva, não é mais a mesma. Vivia sozinha, não se interessava em se relacionar com as pessoas. Agora vive rodeada de amigos. Talvez a volta de Émerson a tenha motivado.

Mildred sempre desconfiou de que Laura gostasse de Émerson.

Valdo tornou com naturalidade:

— Pode ser. Ela tem frequentado o instituto com assiduidade, inclusive assumiu algumas tarefas lá.

— Eu também frequento esse instituto, mas continuo a mesma. Comigo não aconteceu nada.

— As pessoas são diferentes. Para ela tem feito muito bem.

— Não o tenho visto lá. Talvez você pense como eu.

— Não sei como você pensa. Quanto a mim, tenho certeza de que se trata de um lugar muito especial. Émerson é um sábio. Tenho aprendido muito ao lado dele.

Mirtes, que ouvia em silêncio, interveio:

— Tenho vontade de conhecer esse instituto. Qualquer pessoa pode ir?

— Se quiser, pode ir comigo — tornou Mildred. — Na secretaria obterá todas as informações.

Valdo levantou-se dizendo:

— Com licença, prometi esta dança.

Depois que ele se foi, Mirtes suspirou e Mildred sorriu:

— Você não me disse que o conhecia. Pelo seu suspiro, acho que gosta dele.

— Ele é muito bonito. Uma vez me convidou para sair. Fomos ao cinema, mas depois não me procurou mais. Eu havia até me esquecido.

— Pela sua cara, Mirtes, acho que se ele quisesse você poderia se apaixonar.

— Pode ser. Mas ele não quis, e não vou perder tempo com quem não me quer.

— Faz bem. Valdo circula, sai com umas e outras, mas nunca se deixa envolver. Nunca se apaixonou, pelo que sei.

Mirtes desconversou, mas as palavras de Mildred ficaram em sua cabeça. Conquistar Valdo era, para ela, alcançar o máximo. Além de rico, ter uma posição social invejável, ele a atraía. Seria juntar o útil ao agradável.

Conversando com outras pessoas ou dançando, Mirtes furtivamente seguia Valdo com os olhos e, observando sua elegância, seu sucesso, sentia aumentar o desejo de tudo fazer para conquistá-lo.

Quando se casasse com ele, teria o mundo a seus pés. Ninguém se lembraria de sua origem humilde. Desfilaria na alta sociedade, seria admirada, sua beleza seria valorizada.

Eduardo procurou Marcelina:

— Estou cansado. Vamos embora. Desta vez, não quero esperar.

— Está bem.

Marcelina passou os olhos pelo salão. Renata e Marcelo conversavam com Laura e Émerson. Foi até eles:

— Renata, seu pai está cansado. Quer ir embora.

— É cedo, dona Marcelina. Permita-me apresentar meu amigo Marcelo.

Ela fixou os olhos nele com curiosidade. Marcelo sustentou o olhar, dizendo:

— É um prazer conhecê-la.

— Obrigada. — Voltando-se para Émerson, considerou: — A festa está muito bonita, mas precisamos ir.

Voltar para casa significava para Renata retomar sua tristeza. Por isso tornou:

— Gostaria de ficar um pouco mais. Estou me divertindo tanto!

Marcelina hesitou. De fato, Renata havia perdido aquele ar sofrido. Seu rosto estava distendido, seus olhos brilhantes.

Marcelo interveio:

— Deixe Renata ficar mais um pouco. Eu a levarei para casa.

— Não sei se devo…

— Eu e Laura os acompanharemos — tornou Émerson.

Marcelina decidiu:

— Já que fazem tanto empenho, ela pode ficar. Tem certeza de que não será muito trabalho?

— De forma alguma — protestou Marcelo.

— Será um prazer — completou Émerson.

Marcelina despediu-se e foi ter com Eduardo:

— Renata quer ficar mais um pouco, e eu concordei. Eles vão levá-la para casa.

— Não gosto de dar trabalho aos outros. Seria melhor que ela nos acompanhasse.

122

— Nada disso. Eles insistiram para que ela ficasse. Renata está se divertindo, e eu dou graças a Deus por isso. Não aguentava mais ver a tristeza dela.

Eles se foram, e Mirtes comentou com Mildred:

— Renata ficou com eles. Certamente Marcelo vai levá-la para casa.

— Garanto que a intrometida da Laura irá junto. Ela não perde nenhuma chance de ficar perto de Émerson. Essa situação está me irritando. Tenho de dar um jeito nisso.

— O que pensa fazer?

— Desde que voltou dessa malfadada viagem, Émerson esfriou comigo. Sei de alguém que pode fazer com que ele se interesse de novo por mim.

Mirtes interessou-se:

— Como assim?

— Um pai de santo. Ele é tiro e queda. Foi ele quem fez um trabalho para Julieta. Ela era apaixonada por Rui, mas ele nem ligava. Ela é muito feia, sem graça. Ele é bonito, rico, disputado pelas mulheres.

— Ela conseguiu?

— Claro. Casaram-se faz dois meses. Ele não só se apaixonou, mas também vive em volta dela, cheio de atenções. Você precisa ver.

— Puxa. O que estamos esperando?

— Ele cobra caro, mas vale a pena. Não vou esperar mais. Na semana que vem marcarei uma consulta.

— Posso ir com você?

— Bom... Poder, pode. Mas a consulta é individual.

— Não acredito muito nessas coisas. Vamos fazer o seguinte: você vai; se der certo, eu irei.

As pessoas foram se despedindo, a festa estava no fim. Émerson, Laura, Marcelo e Renata continuavam conversando.

— Já passa das quatro. Estou abusando — disse Renata. — Está na hora de ir embora.

— Vamos levá-la — disse Émerson.

— Vou com vocês — disse Laura.

Saíram e decidiram que Renata iria no carro de Marcelo enquanto Émerson iria no seu com Laura.

Mildred viu a cena e torceu as mãos de raiva.

— Eu não disse? Eles vão sozinhos no carro.

— De fato. Parece que Laura está conseguindo.

— Ela não perde por esperar. Você vai ver.

CAPÍTULO 10

Uma vez no carro, Renata tornou:

— Obrigada por esta noite. Não sei o que seria de mim se você não houvesse aparecido.

Marcelo sorriu:

— Eu estava precisando de ajuda tanto quanto você. Estou me sentindo muito bem. A festa foi maravilhosa, aproveitei cada minuto. Dancei como há anos não fazia. Estou me sentindo leve como uma pluma. Eu gostaria que esta noite nunca acabasse.

— Eu também. Por isso quis ficar mais. Tenho medo de que, voltando para casa, minha depressão reapareça.

— Não pense assim. Lembre-se dos bons momentos que vivemos esta noite, da cara de Rômulo quando nos viu abraçados, do despeito de Mirtes, que nos seguiu o tempo todo com os olhos. Nós vencemos.

Renata sorriu:

— De fato. Vencemos.

— Se fizemos isso uma vez, poderemos fazer outras tantas que forem necessárias para encontrar a felicidade.

— Você acha mesmo?

— Tenho certeza. Hoje ficou claro para mim que a cada dia que passa Mirtes vai ficando mais apagada em minha vida. Chegará o dia em que não representará mais nada.

— Gostaria de dizer o mesmo quanto a Rômulo.

— Acredite nessa possibilidade. Não se deprecie. Estou vivendo esse processo. Sei que vamos vencer.

Chegaram e saíram do carro. Émerson e Laura, que vinham logo atrás, pararam e desceram.

— Obrigada por tudo. Não sei como agradecer o que fizeram por mim. — Renata abraçou Laura e continuou: — Que Deus lhe dê toda a felicidade do mundo e muitos aniversários cheios de alegria como este.

Beijou-a carinhosamente na face. Depois Émerson abraçou-a, dizendo:

— Gostei muito de revê-la. Não se esqueça de me procurar no instituto. Penso que teremos muito assunto.

— Irei com Marcelo.

Os dois despediram-se de Marcelo e foram saindo. Marcelo segurou a mão de Renata, dizendo:

— Obrigado por ter me apoiado e ficado comigo. Você entrou em meu coração. Foi um prazer conhecê-la.

Beijou-a delicadamente na face. Renata sorriu:

— Esta noite foi mágica. Parece que a vida quis me mostrar que tudo pode melhorar. Jamais esquecerei esta festa. Também tive muito prazer em conhecê-lo.

Ela entrou em casa e ele foi para o carro. No trajeto de volta, Marcelo sentiu-se livre, forte, como nunca havia se sentido. Ele podia esquecer aquela paixão desastrada por uma mulher interesseira e egoísta. Tinha quase certeza de que naquela noite Mirtes saíra definitivamente de sua vida.

***

No carro de Émerson, Laura comentou:

— Foi a festa mais bonita de minha vida. Estou muito feliz.

— Sua vida poderá ser sempre assim.

— Gostei de ver Renata. Deu a volta por cima. Minha mãe contou que ela estava até doente por causa de Rômulo.

— Um dia ela descobrirá quanto foi bom ele a ter deixado. Esse casamento nunca daria certo. Renata tem o temperamento oposto ao dele.

— É verdade. Ela sempre foi retraída. Apesar de nossas famílias se frequentarem, nunca nos permitimos uma proximidade maior.

— Você é tão retraída quanto ela. Estou feliz por perceber que você não mais se esconde e assumiu seu real temperamento. É alegre, inteligente, brilhante e capaz.

Ela corou e respondeu:

126

— Você diz isso porque é meu amigo.

— Não, Laura. Eu digo porque é verdade. Esta noite, as pessoas circulavam ao seu redor disputando sua companhia. — Ele parou o carro, olhou nos olhos dela e concluiu: — Você é linda!

Laura baixou os olhos para que ele não visse o brilho de uma lágrima que ameaçava cair. Como ela continuou calada, ele continuou:

— Eu tinha de você uma lembrança muito distante da realidade. Depois que voltei, aos poucos fui percebendo o quanto estivera enganado. Você despertou em mim um sentimento verdadeiro e profundo.

Ela levantou os olhos dos quais lágrimas incontidas haviam rolado para suas faces. Seus lábios tremiam quando ela disse:

— Eu sempre o admirei. E a cada dia o estimo mais.

Émerson abraçou-a e seus lábios se encontraram. Laura sentia o coração descompassado e todo seu corpo estremecia sem que ela pudesse controlar. Émerson beijou-a repetidas vezes, apertando-a em seus braços.

— Há tempos venho desejando fazer isso. Eu a amo, muito.

— Eu também o amo. Sempre o amei.

Ele a beijou novamente com ardor.

— Eu pressentia, porém não tinha certeza. Nunca senti por mulher nenhuma o que estou sentindo por você. Nunca mais nos separaremos.

— Parece um sonho. Eu sentia que esta seria uma noite mágica. Não desejo que ela termine. Tenho medo de acordar e descobrir que foi apenas um sonho.

Émerson apertou-a mais de encontro ao peito, beijou-lhe levemente os cabelos e respondeu:

— É a mais absoluta verdade. Vamos nos casar e nunca mais nos separaremos. Nossa felicidade será para sempre.

Eles ficaram conversando esquecidos do resto do mundo, fazendo planos para o futuro. O dia clareou e o sol despontou com toda sua luz.

— Meu Deus! É tarde. Em casa devem estar preocupados.

— A festa acabou tarde. Seus pais devem estar dormindo. Vamos embora.

De volta à casa de Laura, desceram do carro.

— Está tudo quieto — comentou ela. — Devem estar dormindo mesmo. Venha, vamos tomar um café.

— Você está me tentando. Sabe que não sinto vontade de ir embora.

Laura abriu a porta da casa e segurou a mão dele, puxando-o para dentro.

— Venha, vamos ver o que temos para comer.

O salão continuava igual, embora os empregados já houvessem retirado a louça usada e coberto as sobras.

Os olhos de Laura brilhavam e seu rosto estava corado de prazer.

— Venha, vamos até a copa. Vou preparar um café.

— Tem certeza de que sabe fazer isso?

— Não me subestime. Tenho um curso completo de culinária que vai do trivial aos pratos mais sofisticados.

Ele a beijou levemente na face.

— Sempre fui um homem de sorte.

Enquanto ela na cozinha fazia o café, Émerson arrumou a mesa na copa, colocando várias iguarias e um dos arranjos de flores. Estavam felizes como duas crianças em férias.

Uma hora mais tarde, quando ele se despediu, Laura foi para o quarto, preparou-se para dormir, deitou-se, mas não conseguiu pegar no sono.

Na penumbra do quarto rememorou com todos os detalhes os acontecimentos daquela noite. Ela havia notado nos olhos de Émerson um carinho especial quando a fitava, um brilho que nunca havia notado antes. Mas ela temia estar se iludindo, deixando-se levar pelo desejo ardente de conquistá-lo.

Mas naquela noite, durante a festa, onde quer que estivesse, Laura sentira os olhos dele seguindo todos os seus passos. Ele dançou apenas com ela. Embora as outras o disputassem, ele sorria, conversava com elas, mas depois a procurava para dançar.

Quando ele a convidou para acompanhar Renata e Marcelo, seu coração bateu mais forte. Os dois poderiam ter ido sozinhos, mas Émerson usou esse pretexto para levá-la a um lugar discreto e se declarar. As palavras, os beijos trocados, ela se recordava dos mínimos detalhes.

Depois disso, cansada, mas feliz, adormeceu conservando o sorriso nos lábios.

***

Conforme havia combinado, na terça-feira à noite Marcelo foi buscar Renata para irem ao instituto. Convidado a entrar, foi recebido por Marcelina. Depois dos cumprimentos, ela sugeriu:

— Sente-se, por favor. Renata ainda não está pronta.

Ele agradeceu e sentou-se. Ela se acomodou no sofá ao lado.

— Você conhece Laura há muito tempo?

— Sim. Mas nos tornamos amigos no instituto de Émerson.

— Tenho ouvido falar muito nesse instituto. Émerson sempre foi diferente dos outros rapazes.

— Eu o admiro muito. Ser seu amigo é um privilégio.

— Minha filha mostrou interesse em frequentar esse lugar. Confesso que estou um pouco temerosa. Alguns conhecidos me disseram que ele prega ideias diferentes das nossas. Não sei se notou, mas Renata é uma moça retraída, inexperiente, com tendências depressivas. Temo que se deixe influenciar e fique pior.

— Não há o que temer. Os ensinamentos de Émerson fazem bem e nos ensinam a viver melhor. Depois, apesar de Renata estar um pouco fragilizada, é moça inteligente e capaz de discernir o que lhe convém — respondeu Marcelo com voz firme.

Marcelina tentou contemporizar:

— Tem razão. Émerson é um bom rapaz e teve muito boa educação. Almerinda o considera muito.

— Fique tranquila, dona Marcelina. Renata vai apenas conhecer o instituto e conversar um pouco com Émerson.

Renata apareceu na sala e Marcelo levantou-se.

— Desculpe o atraso. Podemos ir.

Despediram-se e saíram. Marcelina procurou o marido, que lia em outra sala, e comentou:

— Não estou gostando nada desta história.

Ele levantou os olhos do livro.

— Que história?

— De Renata ir com esse Marcelo ao instituto de Émerson. A filha de Adelaide está indo e mudou muito desde que começou a frequentar esse lugar.

— Mudou como?

— Antes era caseira, obedecia a tudo que os pais mandavam. Agora não aceita mais as ordens. Vive discutindo. Diz que tem o direito de escolher o que fazer de sua vida.

Os olhos de Eduardo brilharam divertidos e ele considerou:

— Adelaide é mandona mesmo. Não sei como José a tolera. Todos naquela casa só fazem o que ela quer. Quer saber? Estou do lado da menina.

Marcelina meneou a cabeça negativamente.

— Você pensou no que está dizendo? Uma menina de vinte e dois anos não sabe o que quer da vida. Os pais devem decidir.

Eduardo olhou para ela com seriedade.

— Diz isso porque você também gostaria que Renata continuasse cordata, obedecendo a tudo que você quer.

— Claro.

— Você aceitou aquele noivado com Rômulo. Eu cansei de dizer que ele não servia para Renata.

— Apesar de tudo, tenho minhas dúvidas. Afinal, ele é do nosso meio. Fino, elegante e educado. Às vezes, penso que ele poderia tornar-se um bom marido. Renata é que não conseguiu mantê-lo interessado. Também, sonsa do jeito que é...

Dessa vez foi Eduardo quem balançou a cabeça negativamente.

— Você está depreciando nossa filha. Ela é muito bonita, inteligente, tem tudo para conquistar um homem. O que eu acho é que Rômulo é falso e interesseiro. O que ele procura é um casamento vantajoso.

— Não seja maledicente. A família dele também é rica.

— Não creio. Eles moram longe. Sabemos só o que ele conta. Mas isso não interessa agora. Felizmente ele procurou outra vítima.

— Que horror, Eduardo! Não se pode mesmo falar com você.

Ela se foi e ele deu de ombros, reabriu o livro e mergulhou novamente na leitura.

***

Passava das dez da manhã na quinta-feira quando Alzira entrou no quarto e, vendo Mirtes dormindo, chamou-a:

— Mirtes, Mirtes, acorde. Levante-se. Tenho de arrumar o quarto.

A irmã se remexeu no leito e continuou dormindo.

— Vamos, acorde. Além de não ajudar em nada, ainda atrapalha. Mamãe está doente e não aguenta fazer todo o trabalho.

Mirtes irritou-se:

— Deixe-me em paz. Quero dormir.

Alzira não se deu por achada. Aproximou-se da cama, tirou as cobertas e sacudiu-a dizendo:

— Deixe de ser preguiçosa. Trate de se levantar. Há um cesto cheio de roupas para passar. Se não quer arrumar a casa, terá de passar roupas.

Alzira abriu as janelas e Mirtes irritada sentou-se na cama.

— Como você é grossa! Não respeita ninguém.

— Não gosto de gente preguiçosa.

— Quando eu for rica, irei embora, deixarei esta miséria. Vocês nunca mais me verão.

Alzira fez uma reverência, dizendo irônica:

— A princesa não precisa esperar para ir embora. A porta da rua é serventia da casa. Quanto antes, melhor.

Mirtes não respondeu. Foi ao banheiro, arrumou-se e desceu para o café. Estela preparava o almoço. Vendo-a, disse:

— O café com leite está na térmica.

— Você sabe que não gosto que misture o café com o leite.

— Não sei porquê. Você sempre mistura os dois na xícara.

— É diferente. E este pão está murcho.

— Seu pai comprou muito cedo. Saiu para procurar emprego.

Ela tomou uma xícara de café com leite, depois foi para a sala telefonar para Mildred. Precisava fazer alguma coisa. Sua vida estava cada vez pior. Não aguentava mais aquela pobreza. Com o pai desempregado, sua mãe tornara-se mais econômica, esticando o mais possível o dinheiro, com medo do que aconteceria se a poupança acabasse antes de ele conseguir um emprego. Não havia dinheiro para nada. Logo agora que ela começara a frequentar a alta sociedade e precisava vestir-se melhor.

— Alô. Como vai, Mildred?

— De mal a pior. Ainda bem que você ligou. Estou desesperada.

— Aconteceu alguma coisa?

— O pior que poderia acontecer. Émerson está namorando a sonsa da Laura.

— Não diga! Bem que desconfiei. Na festa ele só dançou com Laura. E olhava para ela de um jeito...

— É comigo que Émerson vai se casar! Esse namoro não pode continuar. Hoje mesmo vou dar um jeito nisso.

— O que vai fazer?

— Procurar a pessoa que vai me ajudar.

— Aquele pai de santo?

— Isso mesmo.

— Acha que ele é bom mesmo?

— Tenho certeza. Quer ir comigo?

Mirtes concordou logo. Mildred combinou de ir buscá-la às duas da tarde. Ela mal podia esperar. Não se importou com os comentários de Alzira, as queixas da mãe e o desânimo do pai, que voltou sem haver conseguido emprego.

Em sua fantasia, via-se casada com Valdo, desfrutando do luxo e da consideração da alta sociedade.

Quando Mildred chegou, Mirtes entrou no carro e depois dos cumprimentos perguntou:

— Você acha que vai dar certo?

— Acho que sim. Tenho de tentar. Não posso cruzar os braços vendo Laura me roubar Émerson. Eu o esperei todos estes anos na certeza de que quando voltasse nos casaríamos. Não me conformo em perdê-lo, ainda mais para Laura. Ele nunca se interessou por ela.

— Eu também gostaria de fazer uma consulta. Esse pai de santo cobra muito caro?

— Duzentos reais.

Mirtes suspirou desanimada.

— O que foi?

— É muito caro. Infelizmente não tenho esse dinheiro. Meu pai está desempregado e eu não trabalho.

— A consulta ainda é barata. Caro é o serviço que ele vai fazer. Mas estou disposta a pagar. Afinal, é para minha felicidade.

Mirtes baixou a cabeça e esforçou-se para dominar a revolta que sentia. Nem para isso ela tinha dinheiro. Mildred considerou:

— Você está interessada em alguém?

— Estou. Mas terei de esperar. No momento não disponho desse dinheiro.

— Você não me disse nada! Eu confiei em você e contei tudo. Você não confia em mim.

— Não se trata disso. Foi hoje que descobri que estou apaixonada. Por isso pensei...

— Apaixonada? Por quem?

— Por Valdo. Ele sempre me interessou. Mas, como ele não me procurou mais, fiz o possível para esquecer. Contudo, vendo-o na festa, senti que ele ainda me interessa muito. Pensei que talvez esse pai de santo pudesse me ajudar a conquistá-lo.

Mildred começou a rir.

— Até hoje ele tem sido muito arisco. Nunca se apaixonou de verdade. Eu gostaria muito que ele perdesse aquela pose e caísse a seus pés, fazendo tudo que você pedisse.

132

— Eu passei a manhã toda sonhando com isso. Seria a glória. Mas terei de esperar.

— Nada disso. Vou lhe emprestar o dinheiro que for preciso. Quando você puder, me paga.

Mirtes deu um grito de alegria, abraçando a amiga.

— Puxa, Mildred! Você é demais! Nunca esquecerei o que está fazendo por mim.

— Cuidado que estou dirigindo. Calma. Vou fazer isso não apenas para ajudar você, mas também para ver Valdo apaixonado.

O endereço ficava na periferia e foi difícil de encontrar. Finalmente chegaram. A rua não era calçada e o número era de um galpão que parecia abandonado.

— Tem certeza de que é aqui? — indagou Mirtes olhando em volta, preocupada.

— Pelo menos foi esse endereço que me deram.

— O lugar não parece habitado. Não estou gostando nada disso. É melhor irmos embora.

— Não. Vamos ver.

Decidida, Mildred apertou a campainha. Pouco depois um rapaz moreno abriu o portão. Vendo-as, disse sério:

— Entrem. Pai Tomé as espera.

As duas entraram e acompanharam o rapaz até os fundos do galpão e pararam diante de uma porta.

Mirtes estava assustada. Por ela, teria ido embora. O cheiro de incenso, fumaça e ervas a tonteava. Mildred, porém, segurou seu braço e disse com firmeza:

— Vamos.

— Queiram esperar um pouco. Vou avisar que chegaram.

Ele entrou na sala e Mirtes aproveitou para dizer baixinho:

— Vamos embora, Mildred. Este lugar é perigoso. Podem nos assaltar.

— Que nada, Mirtes. Deixe de ser medrosa. Você quis vir, agora aguente.

O rapaz abriu a porta.

— Podem entrar.

As duas obedeceram.

Na penumbra, sentado a uma mesa redonda, em um canto da sala, ele esperava. Ao lado dele, havia um altar cheio de imagens, velas e ervas.

— Quem vai consultar?

— Eu. Meu nome é Mildred.

— Sente-se. A outra deve sair.

— Ela também deseja consultar.

— Atendo uma de cada vez. O assunto é confidencial.

Mirtes sentia a cabeça atordoada, as pernas bambas. Sem dizer nada, saiu da sala e fechou a porta. Aquele ambiente a sufocava. Sentia medo, tinha vontade de sair dali. Atravessou o galpão quase correndo e procurou a porta de saída. O rapaz surgiu em sua frente dizendo:

— Não precisa sair. Pode esperar aqui.

— Obrigada, mas prefiro esperar lá fora.

Sem esperar resposta, ela abriu a porta e saiu. Uma vez na rua, respirou fundo. Sentia como se fosse desmaiar. Olhou em volta para ver se achava algum bar ou lanchonete para tomar um copo de água. Mas não havia nada além de algumas casas pobres e maltratadas.

Sua cabeça rodava e ela suava frio. Se ao menos tivesse a chave do carro, poderia sentar-se. Mas na pressa esquecera-se disso. Começou a andar de um lado para o outro inquieta.

Mildred estava demorando e ela não melhorava. A custo, Mirtes conseguiu esperar. A todo momento, imaginava que ia perder os sentidos.

Quando ela finalmente apareceu, Mirtes respirou aliviada.

— Puxa, como você demorou!

— Agora é sua vez. Pai Tomé a está esperando.

— Eu não vou. Não estou me sentindo bem.

— Você está pálida! Aconteceu alguma coisa?

— Nada. Estou me sentindo mal e quero ir embora.

— E a consulta?

— Não quero mais.

— Vai se arrepender. Ele é demais. Falou tudo sobre minha vida.

— Vamos embora antes que eu caia aqui mesmo.

Mildred abriu o carro e Mirtes sentou-se abrindo a janela e respirando fundo. Durante o trajeto de volta, Mildred começou a falar da consulta, mas Mirtes pediu:

— Por favor. Agora não. Cada vez que você fala nisso eu fico pior.

— Está bem. Pensei que você estivesse interessada em saber.

Voltaram em silêncio. Mildred deixou a amiga em casa, despediu-se e partiu. Mirtes entrou e foi à cozinha tomar um copo de água.

Sua mãe, vendo-a, perguntou admirada:

— Aconteceu alguma coisa? Você está pálida!

134

— Não aconteceu nada. Fui dar uma volta com Mildred e me senti mal. Vou me deitar.

— Vai ver você comeu alguma coisa na rua. É melhor tomar um remédio para o fígado.

— Não comi nada. Isso vai passar.

Foi para o quarto, deitou-se, mas o mal-estar não passava. De vez em quando lhe parecia estar naquele galpão escuro, e um medo incontrolável a acometia. Levantava-se e andava de um lado para outro do quarto. Quando se acalmava um pouco, deitava-se, mas de repente começava tudo de novo.

Alzira entrou no quarto dizendo:

— Mamãe está chamando para jantar.

— Não quero.

Alzira acendeu a luz e Mirtes gritou:

— Apague isso.

A outra apagou, dizendo:

— O que você tem?

— Estou me sentindo muito mal.

— Nesse caso é melhor chamar mamãe.

Estela subiu rapidamente a escada.

— Ainda não melhorou?

— Estou muito mal. Parece que vou morrer.

— Não diga bobagem, minha filha.

Acendeu a luz, olhou para ela e disse:

— Levante-se. Vamos ao pronto-socorro.

Ela se sentou na cama, mas não conseguiu se levantar.

— Estou muito tonta. Não consigo.

Estela ficou nervosa. Mirtes estava desfigurada. Queria chamar um médico, mas não tinham dinheiro. Fora difícil conseguir comida para o jantar.

Desesperada, Estela sentou-se na cama. Lágrimas rolavam pelas suas faces, e ela não sabia o que fazer.

Alzira entendeu logo que não seria possível chamar um médico.

— Mamãe, vou chamar dona Isaltina. Ela vai nos ajudar.

— Nada disso. Nós somos católicas. Ela lida com espíritos. Não vai adiantar nada.

— Mas eu vou assim mesmo. Outro dia ela curou Miguelzinho, lembra-se? Ele caiu da bicicleta e ficou desmaiado. Ela rezou e ele voltou a si. Vou até lá. Ela vai nos dizer o que fazer.

135

Alzira saiu rápida enquanto Mirtes gemia na cama e Estela deixava as lágrimas correrem livremente. Aquela situação fora a gota d'água. Desde que o marido perdera o emprego, ela dissimulava a preocupação tentando dar coragem a toda a família, mas estava cansada de lutar. O emprego de Alzira não saíra e ela ainda não conseguira outro.

Mirtes agitou-se de repente. Sentou-se na cama, dizendo nervosa para a mãe:

— Não quero que ela venha. Não deixe essa mulher entrar aqui. Se ela vier, você vai ver o que eu faço.

Estela sentiu o peito oprimido. Desceu as escadas, e o marido indagou:

— O que tem Mirtes?

— Não está se sentindo bem.

— Não deve ser nada. Ela sempre teve saúde.

— Mas está mal.

Estela foi à porta ver se conseguia impedir Alzira de buscar Isaltina. Mas elas já estavam chegando. Uma vez na sala, Isaltina perguntou:

— Onde está Mirtes?

— No quarto. Mas a senhora não precisava se incomodar.

Ela não respondeu e foi subindo as escadas. As duas a acompanharam. Antônio continuou na copa lendo o jornal. Sentia-se tão deprimido que nada o interessava.

Assim que entraram no quarto, Mirtes levantou-se e começou a andar de um lado para outro dizendo com voz um tanto rouca:

— O que você veio fazer aqui?

— Vim conversar com você — respondeu a senhora com voz calma.

— Não temos nada para conversar.

— Temos, sim. Você vai deixar Mirtes em paz. Onde já se viu ficar perturbando a moça?

— Quem a mandou me procurar? Eu estava quieto lá no meu canto, esperando uma pessoa para me servir. Quando ela entrou, eu logo vi que era ideal para mim.

— Para isso ela precisa querer ficar com você.

— Vai ter de ficar.

— Não vai, não. — Voltando-se para Alzira e Estela, que a olhavam assustadas, ela pediu: — Vamos rezar.

As duas obedeceram, enquanto Isaltina fazia o mesmo. Depois, pegou Mirtes pela mão e conduziu-a para a cama, fazendo-a sentar-se.

— Nós vamos ajudá-lo, mas você vai prometer que a deixará em paz.

136

— O que eu ganho com isso?

— Ajuda espiritual. Bem-estar.

— E se eu não quiser?

— Voltará para onde veio e continuará a sofrer como até aqui.

Depois de alguns segundos de silêncio, ela disse:

— Está bem. Eu vou.

Mirtes estremeceu e estendeu-se na cama. Estela e Alzira, assustadas, quiseram intervir, mas Isaltina fez-lhe sinal que não.

— Continuem rezando — pediu, e depois começou a passar as mãos sobre o corpo de Mirtes.

Estela e Alzira mexiam os lábios murmurando a oração, mas a atenção estava em Mirtes.

— Dona Estela, um copo de água, por favor.

— Eu vou — resolveu Alzira para poupar a mãe.

Quando Alzira voltou com a água, Mirtes estava sentada na cama olhando-as admirada. Isaltina pegou o copo deu-o a ela, dizendo com voz firme:

— Beba.

Ela segurou o copo com mãos trêmulas e bebeu a água. De vez em quando estremecia. Aos poucos a cor foi voltando a seu rosto.

— Sente-se melhor? — indagou Isaltina.

— Sim. Mas ainda estou com medo.

Estela perguntou preocupada:

— O que ela tem?

— Perturbação espiritual. — Vendo que elas não entenderam, esclareceu: — É o que o povo chama de encosto.

— Deus nos livre! Só nos faltava essa! — queixou-se Estela, nervosa.

— Calma, dona Estela. Ele já foi embora. Mirtes está bem.

Estela abraçou a filha, dizendo:

— Verdade, filha? Você está bem?

— Estou, mãe. Já passou.

— Isso nunca aconteceu em minha família. Estou assustada. E se ele voltar, que faremos?

Isaltina fitou-a séria e respondeu:

— Não creio que ele volte. Foi auxiliado por amigos espirituais. Mas é bom que saibam: o mundo onde vivem os espíritos é coexistente com o nosso. Estamos separados deles por uma cortina de energia. Em determinadas circunstâncias eles conseguem nos envolver.

137

— Como assim? — indagou Alzira com interesse.

— É preciso compreender que eles são pessoas que já viveram em nosso mundo. Depois da morte, por vários motivos, recusam-se a sair da crosta terrestre. São muito envolvidos com as coisas do mundo e desejam ficar por aqui. Muitos deles são tão apegados que sentem fome, sede, vontade de fazer sexo etc. Perambulam na atmosfera da Terra em busca de alguém que possa ceder-lhes temporariamente o corpo para que satisfaçam essas necessidades.

Estela deixou-se cair na cama assustada:

— É difícil acreditar! Como Deus permite uma coisa dessas?

— Melhor seria indagar como as pessoas atraem em sua aura esses espíritos.

Mirtes ouvia calada. Ela sabia que havia ido a um lugar em que não devia, e não desejava que a mãe soubesse disso.

— Minha filha nunca teve nada dessas coisas! — justificou Estela. — Por que aconteceu isso a ela?

— Seria melhor que ela mesma lhe dissesse. O importante agora é tomar cuidado para que não volte a acontecer.

— Não vai acontecer de novo — prometeu a jovem, assustada.

— Não sei, Mirtes — disse Isaltina. — Sua sensibilidade aflorou. Assim sendo, seria recomendável que você procurasse informar-se sobre o assunto. Em nosso centro há grupos de estudos que você poderia frequentar.

— A senhora desculpe — interveio Estela —, mas no momento não temos dinheiro para nada.

Isaltina sorriu:

— Em nosso centro o atendimento é gratuito. — Ela se calou por alguns segundos, colocou a mão sobre a testa de Estela e continuou: — A senhora também precisa de ajuda. Está no limite de suas forças. Se continuar assim, vai adoecer.

— Mas eu sou católica. Nunca fui a um centro espírita.

— Sempre haverá uma primeira vez. Aliás, há quanto tempo não vai à sua igreja? Tem tentado resolver seus problemas e os de sua família, brigando com a vida, esquecendo que toda força, toda assistência vem de Deus. Sozinhos nós não realizamos nada. Pense nisso. Amanhã à noite, às sete e meia, estarei esperando por vocês. E você, Mirtes, acompanhe sua mãe. Dê um recado à sua amiga: seria melhor que ela não voltasse mais àquele lugar. Ela está se metendo em confusão. Agora tenho de ir.

138

— Obrigada, dona Isaltina — disse Estela. — Não sei como agradecer.

— Seu marido está muito deprimido. Se ele fosse com vocês, seria bom.

— Ele não liga para religião. Acho que nunca reza.

— Está mais do que na hora de começar. Convide-o.

Depois que ela se foi, Estela foi falar com o marido, que continuava alheio a tudo, folheando o jornal na sala.

— Você viu o que aconteceu?

Ele levantou a cabeça e respondeu:

— Não. O que foi?

— Mirtes passou mal e dona Isaltina disse que era encosto.

Ele meneou a cabeça negativamente:

— E você acreditou?

— Só sei que Mirtes estava muito mal. Dona Isaltina rezou e tudo passou. Ela agora está bem.

— Que bobagem! Mirtes sempre foi preguiçosa. Finge de doente para não fazer nenhum serviço.

— Não era fingimento, eu garanto. Estava até com febre.

— Você se deixa enganar por ela com facilidade. Essa de encosto é boa. — Ele começou a rir. — O medo cura qualquer manha. Antes de fazer cena, Mirtes vai pensar duas vezes.

— Dona Isaltina recomendou irmos ao centro fazer um tratamento. Todos nós, inclusive você.

— Eu sabia que ela ia querer nos levar na conversa.

— Não seja maldoso. Dona Isaltina é boa pessoa. Todos os nossos vizinhos falam bem dela. Veio assim que Alzira chamou e não cobrou nada. Afinal não tem obrigação.

— Você tem cabeça fraca. Meia dúzia de palavras e você logo se deixa levar. Eu é que não caio nessa!

— Pois eu vou lá. Nossa vida vai de mal a pior. Você também deveria ir. Ela disse que está precisando muito.

— É muita pretensão achar que ela possa nos ajudar. Se ela tivesse esse poder, estaria rica, morando em palacete e tudo. Como você é boba. Acredita em tudo!

— Pois eu vou tentar. Não aguento mais ver você em casa lendo esse jornal, sem dinheiro nem para comer.

— Sou um profissional competente de larga experiência. Não consigo emprego por causa da idade. Neste país, depois dos quarenta e cinco anos ninguém arranja mais emprego.

Estela não respondeu. O conformismo dele irritava-a. O que fariam se alguém adoecesse? Subiu e foi ao quarto de Mirtes, onde Alzira tentava convencê-la a contar aonde havia ido naquele dia.

— Eu ouvi muito bem. O espírito disse que foi você quem o procurou. É perigoso envolver-se com essas coisas sem conhecimento.

— Chega de falar nisso. Você fala, mas não sabe nada. Não quero saber mais desse negócio de espíritos.

— Você deve ir ao centro para tratamento.

— De jeito nenhum! Nunca. Já disse que não quero saber disso.

Estela havia ouvido a discussão e interveio:

— Nós vamos, sim. Já pensou se acontecer de novo?

— Não vai mais acontecer — garantiu Mirtes.

— Pois eu vou — disse Alzira. — Apesar do susto, me senti muito bem com a reza de dona Isaltina. Parecia que eu estava flutuando.

— Irei com você — disse Estela.

Tudo quanto Isaltina dissera era verdade. Estela estava no limite de suas forças. Precisava de ajuda. Não ia perder aquela chance.

CAPÍTULO 11

Estela entrou no centro espírita com o coração batendo forte. Apesar do medo que sentia, estava disposta a permanecer lá. Segurou no braço de Alzira com força.

— Calma, mãe! Não precisa ter medo.

— Essa coisa de falar com os mortos me deixa nervosa.

— Pois eu quando entrei aqui senti uma grande alegria.

— Por quê? Não aconteceu nada.

— Não sei, mas estou me sentindo igual a quando dona Isaltina rezou lá em casa.

Uma senhora atendeu-as e Alzira explicou:

— Dona Isaltina nos pediu para vir.

Foram encaminhadas a uma sala onde havia algumas pessoas.

— Sentem-se e esperem. Logo serão chamadas pelo número.

A mulher entregou-lhes um cartão numerado e saiu.

Estela olhou com curiosidade para as pessoas que estavam à sua volta. Pareciam pessoas de bem.

Uma senhora de meia-idade que estava a seu lado sorriu e perguntou:

— É a primeira vez que vocês vêm aqui?

— É — respondeu Estela.

— Pois eu, faz mais de um ano.

— Tanto tempo assim?

— Meu caso era muito grave. Eu estava a ponto de enlouquecer. Bendita a hora que meu filho me trouxe. No começo eu não queria vir, mas ele me trazia à força. Depois fui melhorando e agora venho sozinha.

Estou muito melhor, mas ainda estou em tratamento. Nunca mais precisei ser internada. O médico já me liberou, mas eu quero continuar vindo aqui.

A porta abriu-se e uma moça chamou um número. Era o daquela senhora. Sorrindo contente, ela atendeu prontamente. A porta fechou-se novamente e Estela comentou baixinho:

— Ela não disse qual sua doença.

— Acho que sofria dos nervos.

— Ela me pareceu bem calma.

— Agora. Não a conhecemos antes.

Quando chegou a vez delas, entraram na sala. Uma moça atendeu- -as, fazendo-as sentar em frente à sua mesa.

— Meu nome é Anita. Sejam bem-vindas.

Preencheu uma ficha com nome e endereço de ambas, depois perguntou o motivo da visita.

Alzira relatou o que havia acontecido. Anita ouviu com atenção. Quando terminou, ficou alguns instantes pensativa. Depois começou a falar:

— Vocês estão atravessando um período difícil. Vão precisar de firmeza e otimismo. As queixas contribuem para piorar uma situação que está conturbada.

Estela remexeu-se na cadeira e não se conteve:

— Você diz isso porque não está em meu lugar. Como posso ser otimista se meu marido está desempregado e o dinheiro está acabando? Nem sei se amanhã teremos como comprar o que comer.

As lágrimas desciam pelo seu rosto e ela, embora tentasse, não conseguia controlar-se.

— Chorar é um direito seu. Ponha para fora toda sua angústia. De- sabafe. Você vem engolindo a raiva há anos. Sua insatisfação é antiga. O fato de seu marido estar desempregado foi a gota d'água. Você nunca se sentiu feliz.

Estela soluçava convulsivamente. Anita apanhou a caixa de lenços de papel e colocou-a à sua frente. Ela apanhou um, assoou o nariz e en- xugou os olhos, mas as lágrimas teimavam em cair.

Anita ficou em silêncio e Alzira olhava penalizada para a mãe. Aos poucos Estela foi serenando e por fim enxugou novamente os olhos. Disse, envergonhada:

— Desculpe. Não sei o que me deu. Isso nunca me aconteceu.

— Você estava precisando desabafar. Sente-se aliviada?

— Sim. Parece que saiu um peso do meu peito.

142

— Você se oprime, e isso a machuca muito.

Anita levantou-se, apanhou um copo de água e entregou a ela, que tomou alguns goles.

— Agora, vamos conversar — disse Anita com voz firme.

— Vamos. Você disse que eu nunca me senti feliz. É verdade.

— Mas você se casou por amor.

— Foi. Mas logo no começo percebi que ele não era como eu sonhava.

— Seu marido é um homem grosseiro?

Estela assustou-se:

— Não, ao contrário. É um homem educado, formado. Sempre me tratou bem.

— É mulherengo, preguiçoso, irresponsável?

— Não. Nada disso. Eu nunca soube que ele tenha me traído. Sempre foi trabalhador, até demais. Está desempregado e sofrendo muito por isso. É muito responsável, nunca deixou faltar nada para a família. Não posso dizer isso dele.

— Você tem um marido excelente.

Estela suspirou envergonhada:

— É… Acho que sim.

— Você tem duas filhas. Elas são doentes?

— Não. Sempre tiveram saúde. Mirtes tem gênio forte, mas não é ruim.

— Você tem uma bela família. Seu marido está desempregado, mas isso é uma situação temporária. Se ele é trabalhador, responsável e tem experiência profissional, por que não consegue trabalho? As empresas estão sempre necessitando de bons funcionários. O que está errado com ele?

— Ele diz que é por causa da idade. Fez cinquenta e cinco anos.

— Eu sei de pessoas mais velhas que são muito disputadas no mercado.

— Questão de sorte. Nós nunca tivemos sorte em nada. Tudo para nós é conseguido com muito esforço e sacrifício.

— Quando você acredita que progredir é questão de sorte e que ela passa longe de vocês, está se colocando na incerteza e na dificuldade. É isso que terá.

— Como pensar de outra forma? Somos pessoas honestas, de bem, não fazemos mal a ninguém. No entanto, para nós tudo dá errado, enquanto outras pessoas que não se esforçam tanto, não fizeram nada para merecer, têm tudo. Às vezes me pergunto se vale a pena trabalhar, ser honesta.

143

— Você está dizendo que Deus é injusto e irresponsável.

— Não foi isso que eu disse. Apesar de tudo, respeito a religião.

— Você diz isso, mas faz o contrário. Não crê que Deus esteja no comando e tudo quanto a vida faz é justo.

— Para dizer a verdade, não creio mesmo em justiça. Basta olhar em volta, o que vai pelo mundo, para perceber isso.

— Você olha o mundo com os olhos do materialismo. É hora de aprender a enxergar a vida com os olhos da alma. Só assim poderá perceber o que vai além das aparências, enxergar a verdade.

— Como assim? Não estou entendendo.

— Você olha em volta e, por não entender como a vida age, julga Deus injusto. Você parte do mal e quer ver o bem. Isso é impossível. É preciso partir do bem para entender as causas do mal.

Estela meneou a cabeça e respondeu:

— Não sei como fazer isso. O mal é o mal e está em todo lugar.

— Você fala como uma materialista. Não crê em Deus.

— Não! Apesar de tudo, eu creio!

— Então você pensa que Ele não é perfeito e comete muitos erros.

— Não. Eu nunca diria isso. Deus é o criador.

— Você me disse que ele é injusto, julga mal as pessoas, dá prêmio a quem age errado e ignora as pessoas de bem. Foi isso que eu entendi.

— Entendeu mal. Deus é perfeito e não erra — respondeu ela, hesitante. — Apesar de todo o sofrimento, eu nunca falaria mal de Deus.

— Quem não entende sou eu. Se ele não erra, como explicar os problemas da sociedade e das pessoas?

— Isso eu não sei. Talvez os homens sejam maus. Acho que é isso.

Anita sorriu enquanto Alzira observava atenta.

— Vou encaminhá-las para um atendimento espiritual que vai ajudar a equilibrar suas energias. Vão se sentir melhor.

Entregou a cada uma um papel com as indicações do tratamento e um outro, dizendo:

— Aqui há uma frase para vocês pensarem durante esta semana. Leiam várias vezes ao dia. Quanto mais, melhor.

Elas agradeceram e saíram. A assistente encaminhou-as para outra sala na penumbra, onde, ao som de uma música suave, elas se sentaram. Lá havia várias pessoas. Alguém pediu que fechassem os olhos e pensassem em luz azul, e todos obedeceram. Sentiram alguns arrepios.

144

Estela bocejou várias vezes, abriu os olhos e viu que uma moça à sua frente estendia as mãos sobre sua testa.

Quando saíram da sala, Estela sentiu-se bem. Comentou baixinho com a filha:

— Não pensei que fosse assim. Você está bem?

— Muito. Senti um calor no peito e uma brisa muito leve à minha volta.

Uma vez na rua, as duas leram a frase que Anita lhes dera:

"Deus não erra. Se um fato me parece errado, é porque não estou conseguindo ver a verdade. Peço a Ele que abra meu entendimento."

— Não sabia que você era tão descrente, mãe.

— Não sou descrente. Rezei muito e nunca consegui o que pedi. Cansei.

— Quem tem fé não cansa.

— Você é muito jovem, não sabe nada da vida.

— Mas também sinto que a queixa não ajuda em nada.

— Vamos ver se Mirtes melhora.

— Se ela não for ao centro, não vai melhorar. Dona Isaltina disse que ela precisa estudar mediunidade.

— Ela disse, mas ainda não sei se é verdade.

— Claro que é. Se não fosse, Mirtes não teria melhorado quando ela rezou.

Estela calou-se. Sabia que era verdade. Pensou no marido. Apesar de tudo, ele era um homem bom. Lembrou-se dos tempos de namoro, de como eram apaixonados um pelo outro. Isso foi no começo. Depois eles foram mudando e agora pareciam dois estranhos dentro de casa. Ele, calado; ela, resmungando.

Chegaram em casa e ele continuava na sala lendo. Vendo-as entrar, levantou os olhos como que perguntando alguma coisa. Esperou que falassem. Estela não disse nada. Ele não quis ir, que ficasse com a curiosidade.

— Vou fazer um chá, você quer?

— Quero.

Alzira foi para o banho e Estela para a cozinha colocar a chaleira no fogo. Estava pegando as xícaras quando Antônio entrou.

— Você parece bem-disposta.

— De fato. Estou mais calma. Vou fazer um chá de erva-doce com cravo, como nos velhos tempos.

— Pena que não temos aquele bolo de milho que você fazia.

— Era muito bom. Lembra? Você comia metade ainda quente.

Ele suspirou triste.

145

— A que ponto chegamos. Não temos dinheiro nem para um bolo de milho.

Estela colocou água nas xícaras, aproximou-se dele e abraçou-o dizendo:

— Logo teremos isso e muito mais.

Enquanto ele a olhava admirado, olhos brilhando emocionados, ela continuou:

— Estive pensando. Não podemos desanimar. Essa situação é passageira. Você é um homem honesto, trabalhador, bom profissional. Logo vai aparecer alguém que saiba valorizar suas qualidades.

Antônio abraçou-a e em seus olhos havia o brilho de uma lágrima:

— Não tenho sido um bom marido para você. Gostaria de dar-lhe mais conforto.

— Não diga isso. Você é o melhor marido do mundo. Trabalhador, sincero e responsável. Temos duas filhas lindas e cheias de saúde. Não temos do que reclamar. Vamos agradecer a Deus nossa felicidade. Amanhã será outro dia.

Ele pousou os lábios na testa dela com carinho.

— Você é uma grande mulher. De fato, sou um homem feliz.

— Não vamos nos queixar mais. Deus vai nos ajudar, eu sinto isso.

Os dois tomaram o chá conversando sobre os primeiros tempos de casamento. Depois, abraçados, foram para o quarto. A situação ainda estava difícil, mas aquela foi para eles uma noite de paz.

No quarto das meninas, Alzira entrou, acendeu a luz do abajur e Mirtes reclamou:

— Apague isso! Você me acordou.

Alzira não apagou e respondeu:

— Você devia ter ido ao centro conosco. Foi muito bom!

— Eu? Para mim bastou uma vez. Nunca mais quero ouvir falar em espíritos.

— Pois eu e mamãe gostamos muito. Nós nos sentimos muito bem! Deu uma calma, um bem-estar como havia muito eu não sentia. Mamãe voltou com uma cara… Parece outra pessoa.

— Vocês são mesmo crédulas! Tudo impressiona. Eu não sou boba. Desses lugares quero distância. Veja se não fala mais no assunto. Só de ouvir você, fiquei toda arrepiada. Cruz-credo! Apague essa luz que eu quero dormir.

— Vou pegar a camisola e apagar.

Mirtes cobriu a cabeça resmungando. Pouco depois, Alzira deitou-se, apagou a luz e preparou-se para dormir. Acomodou-se pensando na sensação leve e de bem-estar que sentira na hora do passe, e logo adormeceu.

Sonhou que estava caminhando em um lugar sombrio, cheio de neblina, segurando uma lanterna para iluminar o caminho. Apesar da energia pesada do local, Alzira sentia-se muito bem, calma, lúcida e segura, sabendo muito bem o que fazer.

Caminhava a seu lado uma mulher jovem carregando uma bolsa grande cheia de pacotes.

— Tem certeza de que é por aqui? — indagou a mulher.

— Devemos estar perto. Sinto que estamos chegando — respondeu Alzira.

Caminharam mais um pouco e chegaram a uma pequena clareira onde um vulto de mulher chorava compungidamente.

— Estou cansada! Não aguento mais tanta dor. Estou arrependida de tudo que fiz. Quero me aproximar da luz, seguir o caminho do bem.

Alzira parou diante dela e logo uma luz tênue a circundou. A mulher chorosa tapou o rosto com ambas as mãos, dizendo triste:

— Quem é você? Por acaso veio responder às minhas preces? Por favor! Não olhe para mim. Estou horrível. Sinto vergonha.

— Estou vendo sua alma e noto que está sendo sincera.

— Tenha piedade! Ajude-me! Sinto fome, sede, angústia, dor. Não sei há quanto tempo estou aqui neste buraco me escondendo das sombras escuras que querem me agredir.

— Sua prece foi ouvida. Viemos buscá-la.

A um gesto de Alzira, aproximaram-se alguns homens carregando uma maca que colocaram ao lado da mulher. Alzira estendeu a mão, dizendo:

— Venha. Vamos levá-la a um local de tratamento. Logo estará melhor.

Com esforço, a mulher levantou-se e, amparada por Alzira, deitou-se na maca. Foi então que ela viu seu rosto. Estava desfigurado, traços acentuados pela idade avançada, mas não havia dúvida: era Mirtes.

Assustada, Alzira deu um grito e acordou. O sonho foi tão real que ela ainda sentia o contato da mão da mulher. Aquilo só podia ter sido um pesadelo.

Levantou-se, foi à cozinha e tomou um copo de água. Todos dormiam, a casa estava silenciosa. Voltou para o quarto e deitou-se novamente. Mas a lembrança do sonho não a deixava. Imaginava que sua preocupação com a indiferença de Mirtes a impressionara e por isso tivera aquele pesadelo. Mas reconhecia que se sentira muito bem, sua mente parecia ter ficado clara, as ideias lúcidas. Não recordava ter se sentido tão segura de si e tão equilibrada antes. Aquilo não poderia ser um pesadelo. Quem eram aquelas pessoas que estavam a seu lado obedecendo a suas ordens?

Tentando encontrar respostas a suas indagações, Alzira só conseguiu adormecer quando o dia já estava clareando.

Uma hora depois, Mirtes levantou-se, mais cedo do que o habitual. Sentiu o cheiro do café e teve fome. Na véspera não havia jantado. Foi à cozinha e encontrou os pais sentados tomando a primeira refeição. Vendo-a, Estela apanhou uma xícara e colocou-a na mesa, dizendo:

— Sente-se, filha.

Depois foi ao fogão e apanhou a leiteira, colocando leite na xícara de Mirtes. A filha serviu-se de café, adoçando-o enquanto Estela voltava a sentar-se. Mirtes apanhou um pãozinho, passou margarina e começou a comer lembrando-se do desjejum que vira na casa de Mildred. Estava cansada daquela vida de pobre. Um dia ainda teria tudo do bom e do melhor. Ela nem notou que os pais estavam tomando café preto e que haviam guardado o leite para ela e a irmã.

Antônio levantou-se e Estela acompanhou-o. De onde estava, Mirtes podia ver o *hall* de entrada e saída da casa.

Depois de vestir o paletó, Antônio foi até a porta com Estela. Ela lhe disse alguma coisa. Ele sorriu e beijou-a com carinho na face.

Mirtes franziu a testa. Eles não haviam discutido, e ele até a beijara. O que estava acontecendo?

Antônio saiu e Estela voltou à cozinha. Mirtes indagou:

— Papai arranjou emprego?

— Ainda não.

— Pensei que sim. Vocês estavam amáveis, houve até beijinho.

— Seu pai está se esforçando e precisa ser incentivado pela família. Há quanto tempo não conversa com ele?

— Eu? Ele anda mal-humorado desde que ficou desempregado.

— Seria muito bom que você o tratasse com mais atenção.

— Ih! Já vi que hoje você está a fim de implicar comigo. Acho que vou sair.

— Já que acordou cedo, o que é raro, poderia aproveitar o tempo e ir procurar um emprego.

— Eu sabia que ia sobrar para mim. Não vou me sujeitar a um empreguinho qualquer, trabalhar muito e receber quase nada no fim do mês. Eu quero muito mais.

— Para conseguir um bom emprego é preciso estudar, esforçar-se.

— Para o que eu quero não preciso de nada disso. Pode crer, mãe, vou arranjar um emprego definitivo, para toda a vida. Não vou trabalhar e ainda terei tudo do bom e do melhor.

— Isso não existe.

— Existe, sim. Logo você verá que eu consegui. Por isso, não se preocupe comigo. Sei o que fazer de minha vida. Não quero ser igual a você, depender de salário, ficar velha e feia, contando os tostões, sem nunca ter nada meu.

— Você está falando em arranjar marido rico. É bom esquecer. Homem rico procura moça do seu nível. Desse jeito, você vai acabar mesmo é sozinha.

— Credo, mãe! Vire essa boca para lá! Pensando assim, você só podia mesmo se casar com um homem como papai.

Estela fitou-a desafiadora:

— O que é que tem seu pai? É um marido excelente, e nós nos casamos por amor.

— Pode parecer bom para você, mas é pobre. Não serviria para mim.

— Cuidado com o que diz, que Deus castiga e faz você se apaixonar por um homem bem pobre.

— Isso nunca vai acontecer. Tenho a cabeça no lugar.

Ela saiu da cozinha enquanto Estela abanava a cabeça negativamente. Mirtes foi para o quarto para se arrumar. Queria ir à casa de Mildred.

Alzira estava limpando o cômodo. Havia posto os travesseiros na janela para tomarem sol, tirado as roupas de cama e colocado a banqueta da penteadeira emborcada na cama.

— Não podia esperar eu sair para fazer essa bagunça no quarto? — reclamou Mirtes.

Alzira olhou séria para ela. Havia colocado um lenço na cabeça por causa da poeira. Pensava em sair à tarde e não queria lavar novamente os cabelos.

— É dia da faxina. Você podia pelo menos arrumar sua cama.

Mirtes nem respondeu. Apanhou suas coisas e foi aprontar-se no banheiro. Vestiu-se e não gostou da roupa. Foi remexer o guarda-roupas, mas não encontrou nada do seu gosto. Tinha alguma peça para sair à

149

noite, mas para o dia, não. Mildred acordava elegante. Ela não podia ir à sua casa como uma mendiga. Tinha uma saia de boa qualidade. Se ao menos pudesse comprar uma blusa bonita... Seu dinheiro mal dava para pagar o ônibus. Remexeu o armário de Alzira, mas não encontrou nada que a agradasse.

Desconsolada, sentou-se na cama. Alzira, que estava limpando os vidros da janela, perguntou:

— O que foi? Desistiu de sair?

— Desgraça de vida. Preciso cuidar de meu futuro e não tenho uma roupa decente. Não posso apresentar-me com estes trapos.

— Não exagere. Você tem muito mais roupa na moda do que eu. Vai procurar emprego?

— Vou. Preciso comprar uma blusa. Você tem dinheiro para me emprestar?

— Não.

— Você tinha algumas economias.

— Dei para mamãe.

— Vida miserável. Não dá mais para aguentar viver deste jeito.

— Você vai mesmo procurar emprego?

— Vou. Por quê?

— Nesse caso posso emprestar a blusa nova que dona Olívia me deu de presente de aniversário. Eu ainda nem usei.

— Como você não me mostrou?

— Porque você pega sem pedir e se gosta não devolve mais.

Alzira foi ao armário e apanhou uma caixa que estava escondida atrás de algumas roupas. Abriu-a e entregou a blusa à irmã.

— Empresto só hoje.

Tratava-se de uma blusa de seda azul-clara. Era simples, mas de boa qualidade, corte elegante. Não era bem o que Mirtes gostaria de usar, mas naquele momento era o que tinha.

Vestiu-se e, sem responder às recomendações de Alzira nem às perguntas da mãe, telefonou para Mildred. Sabia que não era de bom tom aparecer sem avisar, principalmente de manhã.

Passava das onze quando chegou à casa da amiga. Foi conduzida a seu quarto. Mildred ainda estava na cama, recostada nos travesseiros tendo à sua frente uma bandeja com um lauto desjejum.

Mirtes lembrou-se do café da manhã em sua casa. A diferença deixou-a novamente irritada. Depois dos cumprimentos, Mildred ofereceu:

150

— Você quer comer alguma coisa?

— Não, obrigada. Já tomei café.

— Pelo menos uma fatia de bolo. Está uma delícia.

— Está bem. Aceito. Acordei muito cedo. Tomei café às sete.

— Da manhã? Que horror! Por quê?

— Ontem passei o dia na cama. Hoje não tinha sono.

— Não posso entender por que passou tão mal.

— Foi aquele lugar. Nunca mais ponho os pés lá.

— Bobagem. Não foi isso, não. Eu não senti nada. Aliás, estou muito bem e confiante nos resultados.

Mirtes contou-lhe o que havia acontecido, inclusive o recado de dona Isaltina.

— Não sabia que você era tão impressionável! Desse jeito não vai conseguir o que quer. Precisa criar coragem e ir lá. Sua consulta está paga.

— Ele não lhe devolveu o dinheiro?

— Não. Disse que você voltaria. Está esperando.

— Vai esperar sentado. Farei qualquer coisa para ter o que quero, menos mexer com espíritos. Isso pode acabar mal.

— Você está exagerando. Quero ver sua cara quando eu estiver casando com Émerson e você continuar sem ninguém.

— Você parece ter tanta certeza...

— Tenho. Ele ainda vai ser meu! Só que Valdo não será seu!

Mirtes ficou pensativa. Admirava a coragem de Mildred, mas não se sentia com forças de voltar àquele lugar.

— Pois eu vou conseguir sem precisar dele. Tenho meus próprios métodos.

— Duvido. Usei tudo que sabia com Émerson e não consegui.

Mirtes sentia-se angustiada, deprimida. Baixou a cabeça para ocultar as lágrimas que estavam prestes a cair. Mildred notou e perguntou:

— O que foi? Você parece preocupada.

— Estou muito triste. Quero me mostrar confiante, mas não consigo.

Lágrimas rolaram pelo seu rosto e ela não conseguiu contê-las. Mildred deu-lhe um lenço, esperou que ela serenasse e depois disse:

— O que está acontecendo?

— Estou cansada. Nada que eu quero dá certo.

— Você sempre me pareceu tão confiante, tão alegre...

— Eu sou assim, mas é que estou passando por uma situação muito difícil. É muito triste ser pobre. Meu pai perdeu tudo, não encontra emprego, estamos passando momentos penosos. Minha única opção é arranjar um marido rico. Mas para isso preciso investir em mim, frequentar lugares de luxo, vestir-me bem, cuidar da aparência. Como fazer isso sem dinheiro?

Mildred olhou para ela e não se comoveu. Era provável que Mirtes desejasse pedir-lhe dinheiro. Começou a achar que se precipitara pagando-lhe a consulta com pai Tomé.

Sorriu maliciosa e respondeu:

— Mirtes, você é muito bonita. Chama a atenção dos homens por onde passa.

— Eu sei. Mas não é fácil encontrar alguém que queira casar-se.

— Eu sei de meia dúzia de milionários que estariam a seus pés e que lhe dariam tudo se você fosse gentil.

— Como assim?

— Não tem nenhum motivo para queixar-se da vida. Poderia ter tudo, basta querer. Depois, os fins justificam os meios.

— Não estou entendendo. Explique melhor.

— Conheço alguns homens de meia-idade que gastam fortunas com quem lhes der um pouco de ilusão. Estão cansados da rotina com a família e adoram alguém jovem, cheia de vida, como você.

Mirtes entendeu e seu rosto cobriu-se de rubor.

— Eu não saberia fazer isso.

— Então, conforme-se em ser pobre pelo resto da vida.

— Eu quero ter família, ser admirada em sociedade.

— Conseguirá tudo isso, se agir com discrição. Encontros secretos com pessoas importantes. Eu garanto que eles têm muito a perder e terão mais interesse do que você em manter segredo.

— Não sei...

— É a única maneira que tem de subir na vida. Depois, não estará prejudicando ninguém, só usando o que é seu. Pense nisso. Sou sua amiga. Desejo que você progrida. Eu mesma posso indicar-lhe alguns prováveis candidatos. Tenho certeza de que não se arrependerá.

— Vou pensar.

— Se eu estivesse em sua situação, não hesitaria. Nunca me conformaria em viver na pobreza.

No fim da tarde, sentada no ônibus de volta para casa, Mirtes analisava os conselhos que Mildred lhe dera. Talvez aquele fosse o caminho mais curto para alcançar seus objetivos. Quando pensava nisso, sentia um aperto no peito e pensava em desistir da ideia. Depois, lembrava-se dos problemas em sua casa, da blusa emprestada, da falta de dinheiro, do rosto sofrido do pai, da mãe, até da irmã com lenço amarrado na cabeça limpando a casa.

Perdida em seus pensamentos íntimos, quase passou do ponto para descer. Quando chegou em casa, já estava escurecendo. Ao entrar, ouviu ruídos na cozinha. Com certeza sua mãe fazia milagres para preparar o jantar.

Olhou em volta. A casa em penumbra pareceu-lhe feia e sem graça. Os móveis velhos, o tapete puído do *hall* a fizeram, por comparação, lembrar-se da casa de Mildred. Era lá que ela queria morar. Irritada, subiu para o quarto, fechou a porta e atirou-se na cama soluçando. Revoltada, não conseguia conter o pranto, e pensava: "Por que alguns têm tudo e outros nada? O que Mildred tem melhor do que eu? Por que há tantas injustiças no mundo?"

Cerrando os punhos, considerou que Mildred tinha razão. Ela não tinha capital para se vestir e frequentar lugares de luxo. Para conseguir o que pretendia, só poderia contar consigo mesma. A vida era um jogo de interesses no qual vence o mais forte. Ela tinha de ser forte. Não podia ter escrúpulos com uma sociedade que rejeita os fracos. Não importava qual o caminho, o importante era conseguir.

Depois, vivendo no luxo, aparentando ser rica, seria aceita sem reservas, ainda mais convivendo com Mildred.

No dia seguinte começaria a traçar novos planos para sua vida.

CAPÍTULO 12

Émerson acordou sobressaltado. Havia tido um pesadelo. Sentou-se na cama tentando acalmar-se, depois foi até a janela. Abriu-a e respirou a brisa fresca da manhã.

O dia estava clareando e ele contemplou os primeiros raios de sol prenunciando um dia claro e sem nuvens.

Sentia a cabeça pesada, uma dorzinha desagradável na fronte e o estômago enjoado. Passou a mão pela testa várias vezes tentando afastar a energia pesada que o atordoava.

— Preciso descobrir de onde vêm essas energias pesadas.

Lembrou-se do sonho e sentiu um arrepio nas costas. Estava bem quando adormeceu. Logo depois se viu em um lugar luxuoso, mas decorado com cores berrantes que lhe provocaram sensação desagradável. Quis sair de lá, mas ouviu uma música envolvente, sensual, e apareceu uma mulher muito bonita, que sorriu para ele e começou a dançar à sua volta fazendo arabescos com as mãos, passando-as em volta dele.

Émerson sentiu-se excitado e desejou aquela mulher. Quanto mais ela dançava à sua volta, mais ele se sentia atraído. Ela encostou o corpo no dele, provocando-o. Ele estava fascinado. Ela aproximou os lábios carnudos para beijá-lo, então ele abriu os olhos e viu o rosto dela se transformar em uma horrível carantonha, cujos dentes lembravam os de um vampiro. Imediatamente ele a empurrou e acordou suando frio, sentindo ainda as emoções daquele encontro.

Foi à sala onde costumava meditar, acendeu um incenso, sentou-se no chão, como de costume, e iniciou a meditação.

Estava difícil concentrar-se. Seus pensamentos estavam tumultuados, ele respirava fundo, fazia relaxamento, mas não conseguia a habitual harmonia. O rosto bonito da mulher se oferecendo aparecia e ele se sentia inquieto, precisando fazer grande esforço para mandá-la embora.

Gastou mais de duas horas naquele esforço até que conseguiu harmonizar-se. Então evocou seu mestre espiritual. Precisava de orientação. Sabia que havia alguém querendo dominá-lo, para vampirizá-lo. Firmou o pensamento e perguntou:

— Quem?

Imediatamente o rosto de Mildred apareceu à sua frente. Atrás dela um homem cujos olhos magnéticos o impressionaram.

No mesmo instante, mentalizou Mildred como se ela estivesse na sua frente e disse-lhe com voz firme:

— Você não vai conseguir me dominar. O que é seu volta para você. Comigo só fica o que é meu. Sou livre e tomo posse do meu espaço.

Sentiu-se aliviado. Elevou seu pensamento e viu-se fora do corpo. À sua frente estava seu mestre espiritual. Curvou-se à moda oriental e pediu-lhe a bênção.

Foi esse espírito que o protegeu quando de sua iniciação e peregrinação pela Índia. Magro, moreno, peito nu, alvo turbante na cabeça, ele ergueu a mão sobre a cabeça de Émerson por alguns instantes. Depois o levantou e abraçou.

Émerson sentiu-se aliviado olhando seus olhos brilhantes e vivos.

— Mestre, sinto que há alguém querendo me envolver. Havia muito que não experimentava energias tão desagradáveis. Tenho me esforçado para manter-me limpo de pensamentos e atitudes, tenho procurado viver no bem maior. Pensei que nunca mais seria afetado por essas energias.

— Agora você sabe que, apesar de seu progresso, o mundo continua sendo muito perigoso. A Terra ainda abriga espíritos muito primitivos e suas energias pesadas circulam na sua atmosfera. Enquanto estiver encarnado, estará sujeito a esses ataques. Você vive no bem e irradia pensamentos elevados, por isso foi bem preparado para o trabalho que deseja realizar. Distribuir o bem requer equilíbrio e harmonia. Cada um só pode dar o que tem. Essa é uma encarnação que lhe está sendo muito proveitosa.

— Mas eu senti que há pessoas querendo me controlar para coisas que não quero fazer. O que aconteceu não foi só por causa das energias negativas das pessoas. Havia uma intenção de domínio.

— É verdade.

— Mestre, eu vi quem está querendo me envolver.

— Eu sei. Mas tenho certeza de que saberá como lidar com ela.

— Sinto-me confortado com sua presença. Sou feliz por ter sua amizade.

Ele o fitou com tal doçura que Émerson não conteve as lágrimas. Voltou emocionado para o corpo, deixando que as lágrimas lhe lavassem o rosto. Estava novamente bem.

Momentos antes, Mildred dormia e sonhava que estava nos braços de Émerson. Ele a abraçava e ela podia ver o desejo em seus olhos. A sensação era tão real que ela sentia enorme prazer no corpo. Aproximou seus lábios dos dele querendo entregar-se às sensações, mas naquele momento ele a empurrou atirando-a longe.

Atordoada, ela o ouviu dizer:

— Você não vai conseguir me dominar. O que é seu volta para você. Comigo só fica o que é meu. Sou livre e tomo posse do meu espaço.

Ela sentiu uma desagradável sensação e acordou assustada. Olhou em volta tentando localizar-se. Respirou aliviada e pensou: "Foi um pesadelo!".

Entretanto a sensação desagradável continuava. Sentia-se inquieta, angustiada. Levantou-se, foi à copa e tomou um copo de água.

As cenas do sonho não lhe saíam do pensamento.

"A culpa é de Mildred. Disse tantas besteiras que acabei sonhando. Não sei por que a levei comigo. Acho que a amizade dela está me atrapalhando. Afinal, não preciso dela para nada. Ela, sim, aproximou-se de mim para introduzir-se em nossa roda. Soube que a família dela estava indo a um centro espírita. Talvez isso esteja atrapalhando o trabalho de pai Tomé." — pensou Mirtes, decidida a resolver aquele assunto.

No dia seguinte iria falar com ele. Afinal dera-lhe bom dinheiro havia mais de duas semanas e, até agora, nada.

O dia já havia amanhecido, mas ela se deitou novamente para tentar dormir. Odiava levantar-se cedo. Contudo, não conseguiu mais pegar no sono. Ficou se remexendo na cama e, irritada, acabou se levantando.

***

Mirtes passara a semana toda pensando no que Mildred lhe dissera e havia resolvido seguir seus conselhos. Logo depois do almoço telefonou para a amiga.

— Ela saiu — informou a empregada.

— Sabe a que horas volta?

— Ela não disse.

— Diga a ela que Mirtes ligou. Peça-lhe para me ligar quando chegar.

A criada desligou e Mildred, que estava a seu lado, comentou:

— Quando ela ligar, diga sempre que não estou.

Arrumou-se e saiu rumo à casa de pai Tomé.

Uma vez lá, diante dele, Mildred disse:

— Vim para dizer-lhe que precisa fazer alguma coisa mais forte. Até agora nada mudou. Émerson continua aquele namoro idiota com Laura e nem olha para mim. Estou começando a pensar que você não tem tanto poder quanto me disseram.

Ele a olhou firme nos olhos, dizendo:

— As coisas não são como você pensa. Se quer vencer, precisa ter paciência. Comecei o trabalho. Ele não vai resistir. Você vai dominá-lo completamente.

Mildred contou-lhe o sonho que tivera e ele meneou a cabeça, dizendo:

— Ele reagiu. Soube livrar-se. Você não me contou que ele entendia de magia. Nesse caso, vou ter de fazer algo mais forte.

— Se ele entende de magia, eu não sei. Mas ele tem mania de meditação e gosta de ensinar as pessoas.

— Isso vai custar mais caro. Vou ter de sacrificar animais e comprar muito material, sem falar das pessoas que vou ter de contratar para irem à mata comigo.

— Quanto mais?

— Dez mil reais, para começar.

— Isso é demais! Está exagerando.

— Ao contrário: isso é só para começar. Vou ter de trabalhar muito.

— Tem certeza de que vai dar certo?

Ele sorriu com superioridade:

— Claro que vai! Você está lidando com quem sabe das coisas.

— Nesse caso, pode fazer.

— Pagamento adiantado.

— Amanhã mesmo trago o cheque.

— Cheque não. Prefiro dinheiro.

— Está bem.

— Arrume uma peça de roupa dele, vai facilitar.

Mildred saiu de lá satisfeita. Dessa vez não podia falhar. Pensou num jeito de conseguir a roupa. Aquela noite mesmo iria ao instituto a pretexto

158

de inscrever-se em algum curso. Émerson morava lá. Ela tinha certeza de conseguir o que precisava.

Mirtes desligou o telefone irritada. Onde Mildred teria ido? Por que não a convidara para ir junto?

Alzira havia terminado de arrumar a casa. Estava tomando banho e cantando. Mirtes fechou a porta do quarto com raiva. Como sua irmã podia cantar, ser alegre, quando tudo em casa estava ruim?

Estendeu-se na cama, desanimada. Estava sem dinheiro, sem namorado, e a melhor amiga estava se distanciando.

Alzira entrou cantarolando, cabeça enrolada na toalha. Mirtes virou-se para o lado e fingiu que estava dormindo. Alzira vestiu-se e ligou o secador de cabelos. Mirtes sentou-se na cama nervosa.

— Desligue essa porcaria! Não vê que estou dormindo? Você não tem respeito por ninguém!

Alzira deu de ombros e respondeu:

— Pare com isso. Você não estava dormindo. Fica estirada nessa cama sem fazer nada em pleno dia, enquanto todos estão trabalhando.

— Isso não é da sua conta. Um dia ainda vou embora e vocês nunca mais vão me ver.

Alzira terminou de secar os cabelos, arrumou-se e sentou-se na cama ao lado da dela, dizendo calma:

— Mirtes, não quero brigar com você. Sinto que está deprimida por causa de nossa situação. Vou inscrever-me em uma agência de empregos. Você poderia ir comigo. Se nós duas estivéssemos trabalhando, tudo aqui seria mais fácil. Depois, o trabalho faz bem. Eu não gosto de ficar sem nada para fazer.

— Pois eu não nasci para ser escrava dos outros. Sei cuidar de mim. Ainda vou ter muito dinheiro, você vai ver. Quer dizer que na empresa de Marcelo você não conseguiu nada? Eu sabia! Você não tem nível para trabalhar lá!

— Você se engana. Fui muito bem recebida naquele lugar. Fiz teste, passei, ficaram de me chamar na primeira vaga. Só que está demorando muito. Vou tentar outro lugar e pegar o que sair primeiro.

— Você não vai conseguir nada.

Alzira meneou a cabeça e saiu. A agência ficava no centro da cidade. Ela tomou um ônibus, desceu na praça da Sé e foi andando até a rua Barão de Itapetininga.

159

Apesar dos problemas financeiros da família, Alzira sentia-se particularmente alegre naquela tarde. Fez a entrevista na agência. Havia trabalhado desde os catorze anos em uma fábrica de aparelhos elétricos, onde fizera de tudo e acabara no escritório. Foi seu primeiro e único emprego. Trabalhou lá durante seis anos. Infelizmente a fábrica faliu. Fazia um ano que ela estava desempregada.

— Aceito qualquer tipo de trabalho — disse ela à entrevistadora. — Estou precisando muito trabalhar. Tenho bastante vontade de aprender.

— Espere um pouco. Acho que tenho alguma coisa que pode lhe interessar.

Ela se levantou e voltou com uma ficha nas mãos.

— Você trabalhou durante seis anos em uma empresa de aparelhos elétricos. A Mercury está precisando de moças. Acho que você poderá experimentar. Vou preparar a documentação para que se apresente lá.

— Posso ir hoje mesmo.

A entrevistadora olhou o relógio e considerou:

— Não sei se vai dar tempo. São quase quatro horas. O expediente vai até as seis. Não fica muito perto...

— Sei onde é. Se eu sair daqui dentro de meia hora, chegarei lá a tempo.

Foi com o coração batendo forte que Alzira entrou na fábrica, entregou a carta de apresentação da agência e ficou na portaria aguardando. Um funcionário do Recursos Humanos procurou-a dizendo:

— Sinto muito, mas acabamos de contratar a última pessoa.

Notando a decepção dela, continuou:

— Nosso quadro na fábrica está completo. A única vaga que temos é no escritório.

— Eu posso trabalhar no escritório.

— Tem experiência?

— Tenho. No meu emprego, comecei na fábrica, mas nos últimos meses trabalhei no escritório.

— Sabe datilografia?

— Sei.

— Nesse caso, vamos entrar para conversar.

Alzira acompanhou-o, coração batendo forte. O escritório era bem arrumado e o ambiente agradável. O funcionário conduziu-a a uma pequena sala, deu-lhe uma folha de papel escrito e disse:

— Vamos fazer um teste. Sente-se e copie esse texto.

Alzira estava nervosa. Apanhou o papel e sentou-se em frente à máquina. Precisava ficar calma. Lembrou-se de pedir ajuda espiritual. Imaginou que estava na sala do centro, onde se sentia tão bem.

Começou a fazer o teste. Rapidamente e sem erros, copiou o texto, depois o funcionário pediu-lhe para redigir uma carta, o que ela fez muito bem. Quando terminou, ele a levou para outra sala, designou uma cadeira em frente à mesa e sentou-se. Alzira esperou.

— Meu nome é Antunes. Você foi bem no teste. Preciso de seus dados.

Ela forneceu as informações.

— Você foi aprovada para a vaga. Vamos contratá-la. Volte amanhã para as formalidades.

Alzira sorriu feliz. O salário era modesto, mas, nas circunstâncias em que sua família estava, pareceu-lhe muito satisfatório.

Voltou para casa contente, ansiosa para dar a notícia à mãe. Encontrou-a na cozinha lavando louça.

— Mãe, consegui emprego!

Estela fechou a torneira da pia e exclamou contente:

— Finalmente, uma boa notícia! Eu sabia que as coisas iam começar a melhorar! Onde?

— No escritório da Mercury.

— Puxa! Uma empresa grande!

Estela quis saber todos os detalhes, e Alzira contou de bom grado. Mirtes, que aparecera na porta da cozinha, ouviu a narrativa e comentou:

— Essas empresas são exploradoras. Eu que não me sujeitaria a trabalhar o dia inteiro para ganhar tão pouco.

— Pois eu acho que está muito bom — disse Estela fuzilando-a com os olhos. — Se você também ganhasse o mesmo que ela vai ganhar, nós teríamos pelo menos o que comer enquanto seu pai não volta a trabalhar.

Mirtes levantou a cabeça com altivez e respondeu:

— Vocês ainda vão me ver com muito dinheiro.

— Como? Pretende assaltar um banco? — ironizou Alzira rindo.

— Com essas ideias você vai se dar mal — tornou Estela. — Você diz isso, mas não faz nada para conseguir o que deseja. Não quer estudar, trabalhar, se preparar. Assim não conseguirá nem sobreviver.

— Sei o que estou fazendo. Podem caçoar à vontade. Um dia ainda vão me dar razão. Você vai ser empregadinha de escritório na fábrica de Valdo. Eu talvez seja dona daquilo tudo!

— Ele foi ao cinema com você uma vez e nunca mais a procurou — rebateu Alzira. — Para conseguir isso, é preciso que ele queira se casar com você.

— Não adianta falar com vocês — disse Mirtes irritada saindo da cozinha.

Estela suspirou triste:

— Essas ideias de Mirtes me preocupam.

— Ela pensa que conseguirá um casamento vantajoso.

— Está iludida. Moço rico casa com moça de sociedade, educada. Ela é bonita, está recusando os pretendentes por serem pobres. Receio que acabe sozinha e sem ninguém.

— Ou faça um casamento sem amor, o que para mim é ainda pior.

Mirtes foi para o quarto telefonar para Mildred. Não a encontrou e sentou-se na cama pensativa. Mildred andava se afastando. Isso não podia acontecer. Tinha de dar um jeito. Sua amizade era preciosa.

Ocorreu-lhe que talvez tivesse feito mal de ter falado sobre sua situação financeira. Além de não ajudá-la em nada, isso pode ter feito com que Mildred a menosprezasse. Foi depois de haver se queixado dos problemas da família que ela se afastou.

Resolveu reagir. Abriu o armário e procurou sua melhor roupa. Vestiu-se, maquiou-se, olhou-se no espelho e sorriu satisfeita. Vendo-a, ninguém imaginaria que fosse tão pobre. Apanhou a bolsa e saiu.

Estava sem dinheiro. Lembrou-se dos duzentos reais que Mildred pagara a pai Tomé pela sua consulta. Se tivesse coragem, iria pedir de volta. Afinal, a consulta não se realizara. Mas lembrou-se do mal-estar que passara e desistiu. Olhou o relógio: eram sete horas.

Entrou no bar da esquina e pediu para telefonar. Marcelo atendeu surpreendido. Depois dos cumprimentos, Mirtes tornou com voz triste:

— Marcelo, desculpe incomodá-lo, mas estou desesperada. Não tenho a quem recorrer. Você sempre foi meu amigo. Reconheço que não tenho sido boa com você, mas sei que vai me perdoar.

— Não tenho nada a perdoar, Mirtes. O que está havendo?

— Preciso de ajuda. Mas não vou falar por telefone. Estou em um bar. Posso passar em sua casa agora? Quero conversar com você.

— Claro. Estarei esperando.

— Chegarei em dez minutos. Fique na porta.

Marcelo desligou o telefone, intrigado. Mirtes parecia aflita. Deveria acreditar? Estaria preparando alguma?

Estava esperando quando ela chegou. Depois dos cumprimentos, Mirtes pediu:

— Vamos a um lugar sossegado, para conversar.

— Vou tirar o carro para darmos uma volta.

Ela esperou que ele manobrasse e sentou-se a seu lado.

— Vamos procurar um lugar calmo.

Ele deu algumas voltas e por fim parou em uma rua arborizada e tranquila.

— Então, Mirtes, o que está acontecendo?

Ela começou a soluçar, o que o surpreendeu. Nunca a vira chorar. Deu-lhe um lenço e esperou que ela se acalmasse.

— Estou desesperada. Meu pai continua desempregado, o dinheiro acabou… Não temos nem o que comer!

— Sinto muito.

— Meu pai sai cedinho, anda o dia inteiro e nada.

— Ele tem capacidade e é um homem de bem.

— Mas você sabe como é: a idade. As empresas não aceitam. Eu e Alzira temos procurado emprego, mas está difícil. Ela vai amanhã na Mercury ver se arranja alguma coisa. Já trabalhou, tem alguma experiência, mas eu me sinto inútil. Nunca trabalhei, e por isso ninguém quer me dar emprego.

— De fato, Mirtes, hoje em dia para conseguir emprego é preciso ter experiência. Mas vocês não podem se desesperar. Vou ver o que posso fazer. Se souber de alguma vaga, eu aviso.

Ela baixou os olhos para que ele não visse o brilho de raiva e ajuntou com voz chorosa:

— Obrigada. Eu sabia que podia contar com sua ajuda. Mas o que faremos enquanto estivermos desempregados? Minha mãe não aguenta mais, falou até em suicídio.

— Olhe, Mirtes, não se atormente. Vou arranjar-lhe algum dinheiro.

Ela cobriu o rosto com as mãos, dizendo:

— Que vergonha, meu Deus! A que ponto chegamos!

— Não é vergonha nenhuma. Será um empréstimo. Você paga quando puder, está bem?

Ela o abraçou beijando-lhe a face:

— Obrigada. Pagarei assim que estiver trabalhando. Eu sabia que você iria me ajudar.

163

— Vamos até minha casa pegar o dinheiro.

— Não quero ir, tenho vergonha.

— Você fica no carro.

Eles foram e Mirtes sorriu satisfeita. Pouco depois, ele voltou e entregou-lhe um envelope, dizendo:

— Aqui está. Tem quinhentos reais. É tudo que posso dispor no momento.

— Obrigada, Marcelo. Você é mesmo meu amigo. Não sei como agradecer.

— Não precisa. Quer que a leve para casa?

Ele a deixou na porta e partiu, prometendo ajudá-los a encontrar emprego. Assim que o carro desapareceu na curva da rua, Mirtes caminhou depressa e tomou um táxi. Lembrou-se de que era quarta-feira, dia de corridas no jóquei-clube. Mildred prometera levá-la. Ela não queria esperar e pediu ao motorista que a levasse até lá.

Durante o trajeto, retocou a maquiagem e sorriu satisfeita. Mildred tinha razão. Ela não precisaria esperar, poderia conseguir o dinheiro que quisesse.

Entrou fingindo estar muito à vontade. Notou que alguns homens voltavam-se quando passava e sorriu confiante. Lá era o lugar onde os milionários iam deixar seu dinheiro.

Sentou-se olhando para os lugares reservados aos associados, como se estivesse esperando alguém. Sentia-se bem no meio das pessoas elegantes que circulavam à sua volta. Aquele era o lugar em que ela queria estar.

Seus olhos brilhavam cheios de entusiasmo, o que a tornava mais bonita. Começou o primeiro páreo e ela acompanhou maravilhada. A noite estava linda e o ambiente requintado, muito agradável.

Um homem moreno e muito elegante sentou-se a seu lado, olhando-a com admiração. Mirtes fingiu que não notou. Pouco depois, ele disse:

— É a primeira vez que a vejo por aqui. Onde você se escondia?

— Desculpe, mas não falo com estranhos.

— Eu me apresento. Meu nome é Humberto de Morais.

— Prazer. Meu nome é Mirtes da Silva Santos.

— O prazer é todo meu! Não vi seus acompanhantes.

— Ainda não chegaram. Combinamos de nos encontrar aqui. Eles são sócios do clube.

— Talvez eu os conheça. Como se chamam?

Ela deu o nome de Mildred e ele considerou:

164

— O cavalo que chegou em segundo lugar no grande prêmio era deles. Por sinal um belo animal.

Mirtes sorriu satisfeita. Ele aparentava mais de cinquenta anos, e era distinto e agradável.

Continuaram conversando e Mirtes de vez em quando olhava à sua volta, como se estivesse procurando alguém, e voltava a se sentar. A certa altura comentou:

— Penso que meus amigos não virão. Deve ter acontecido alguma coisa. Acho que vou embora.

— Por favor, não faça isso. Vamos nos sentar nas poltronas dos sócios. Poderá esperar seus amigos lá. É mais confortável.

Ela hesitou um pouco, depois sorriu e respondeu:

— Está bem, eu vou. Mas confesso que estou constrangida. Eles não podiam ter feito isso comigo.

— De fato, é deselegante deixar uma dama esperando, principalmente se estiver sozinha.

Eles mudaram de lugar e Mirtes comentou:

— Ainda bem que encontrei uma pessoa educada como o senhor. Confesso que é a primeira vez que venho aqui e jamais teria vindo sozinha se soubesse como é.

— Não se preocupe. Também estou só, podemos fazer companhia um ao outro.

Mirtes sorriu. Humberto estava fascinado e disposto a não a perder de vista. Apostou em todos os páreos, explicando como funcionavam as apostas e dando algumas pules a ela para concorrer.

Mirtes adorou. Nunca havia se divertido tanto. Ganhou em um dos páreos e ficou radiante. Aquilo, sim, era vida.

Quando terminaram as corridas, Humberto convidou:

— Estou com fome. Quer jantar comigo?

Ela hesitou:

— Não sei se devo... Afinal nos conhecemos hoje. Não sei nada sobre você.

— Vamos jantar e eu lhe contarei tudo a meu respeito.

Ela aceitou e ele a levou a um restaurante de um hotel de luxo. O ambiente sofisticado, a música ao vivo e a beleza do lugar encantaram Mirtes.

Fizeram o pedido, depois ele perguntou:

— Você gosta de dançar?

— Adoro.

— Confesso que não sou um bom dançarino, mas se quiser arriscar...

O conjunto tocava um *blues*, e uma cantora de voz agradável enriquecia a música. Mirtes deixou-se conduzir por ele com prazer.

Humberto não era jovem como ela, mas, além de ser elegante, dançava bem. Vinha dele um delicado perfume masculino que a agradou.

O jantar foi servido, e Mirtes lembrou:

— Você ficou de me falar de sua vida.

— Não há muito o que dizer. Sou um empresário. Estava me sentindo muito só esta noite. Aí você apareceu e tudo se transformou.

— Eu também me sentia só.

— Uma moça como você deve ter muitos admiradores.

Mirtes assumiu um ar triste:

— Os moços de hoje são fúteis. Não encontrei ainda o homem de minha vida.

— Deve ser muito exigente.

— Quero apenas alguém que me ame e eu possa corresponder. Ainda acredito no amor.

Humberto segurou a mão dela e respondeu:

— Eu também. É o amor que impulsiona o mundo. Sou um homem desiludido, Mirtes. Tenho sido muito infeliz no amor.

— Não posso acreditar. Um empresário elegante, fino e agradável como você...

— Dediquei-me muito ao trabalho. Mas acabei descobrindo que dinheiro não traz felicidade. Agora estou em busca do amor.

Mirtes olhou-o nos olhos e suspirou. Ele apertou delicadamente a mão dela que detinha entre as suas e continuou:

— Você está me fazendo acreditar que nem tudo está perdido para mim. Que um dia ainda encontrarei alguém que me ame e com quem eu possa ser feliz.

Passava das duas da manhã quando eles saíram do restaurante. Entraram no carro de luxo e ele disse:

— Onde você mora? Vou levá-la em casa.

Ela hesitou e respondeu séria:

— Até agora você falou de sua vida, e eu não disse nada da minha. Acho que terei de dizer-lhe a verdade.

Ele, que havia dado partida no carro, desligou a chave e olhou para Mirtes.

— Você ficou séria de repente. O que tem para me dizer?

— Você me parece um homem sincero, não posso ocultar-lhe nada.

— O que há? Fale. Você é casada?

— Não. Você vai me levar em casa. Não sou uma moça rica. Minha família é pobre, meu pai está desempregado. Eu odeio esta vida de pobre. Meus amigos são ricos, frequento lugares de luxo, mas na verdade não tenho nada.

— O que mais tem para me dizer?

— Nada. Esta é a história da minha vida. Nesta noite você me fez muito feliz.

— Nesse caso posso esperar que você goste um pouco de mim.

Mirtes olhou-o com ternura e não respondeu. Ele a abraçou e beijou-a nos lábios. Ela correspondeu e ele a beijou várias vezes, e cada beijo mostrava-se mais ardente.

A certa altura ela o afastou, dizendo:

— Pare, por favor. Não estou acostumada com essa emoção.

— Você me atrai muito. Vamos para um lugar onde possamos ficar sozinhos e à vontade.

— Não. Não posso fazer isso. É contra meus princípios. Por favor, leve-me para casa.

A custo Humberto concordou. Uma vez na porta da casa dela, ele disse:

— Quero vê-la de novo. Quero seu telefone.

— Não temos telefone em casa — mentiu ela. Não queria que ele ligasse para lá.

— Fique com meu cartão. Vou esperar com impaciência. Ligue-me amanhã.

Ela concordou. Trocaram alguns beijos e ela a custo desprendeu-se dos braços dele. Entrou em casa procurando não fazer ruído. Sentia-se feliz.

Ao contrário do que imaginara, não fora difícil trocar beijos com Humberto. Era um homem fino e gentil. Sentira prazer em estar a seu lado.

Deitou-se fazendo planos para o futuro. Seu sonho se tornaria realidade. Naquela noite dera um passo à frente para tornar-se muito rica.

CAPÍTULO 13

Alzira segurou o envelope com satisfação. Acabava de receber seu primeiro salário. Sentia-se feliz em poder contribuir no pagamento das despesas da casa.

Seu pai continuava desempregado, mas havia conseguido prestar serviços extras a algumas pequenas empresas, ganhando algum dinheiro. Assim, as coisas começavam a melhorar e sua mãe não se preocupava tanto.

Só Mirtes não tinha jeito. Levava vida ociosa, saindo muito, passando os fins de semana fora de casa. Ela dizia que estava com Mildred, viajando ou hospedando-se em sua casa. Mas Alzira desconfiava que era mentira. Ela nunca mais as vira juntas, e, depois, Mirtes comprava muita roupa, perfumes, adereços, sempre dizendo que eram presentes da amiga.

Alzira fingia que acreditava para não preocupar mais os pais, que se incomodavam muito com a vida que Mirtes levava. Sabia que não adiantava nada aconselhá-la, e muitas vezes, colocava o nome dela no livro de orações do centro espírita, pedindo a Deus por ela.

Saiu pensativa de sua sala na Mercury. Caminhava pelo corredor, cabeça baixa imersa em seus pensamentos, quando esbarrou com uma pessoa que vinha em sentido contrário. O envelope com dinheiro do salário foi atirado longe, e ela ia cair no chão quando um braço forte a segurou.

— Meu Deus, o dinheiro!

— Calma. Ele não vai fugir.

Então ela viu que esbarrara em Valdo, o dono da empresa. Empalideceu e disse trêmula:

— Desculpe. Foi sem querer.

— Não fique assim. Não foi nada. Venha, sente-se aqui.

Fê-la entrar em uma sala e sentar-se. Ela tremia, sem saber o que dizer. Conseguiu balbuciar:

— Meu dinheiro!

Ele havia apanhado um copo de água e deu-o a ela dizendo:

— Beba.

Ela obedeceu e logo um rapaz entrou, entregando a Valdo o envelope dela e dizendo:

— Alzira deixou cair isto.

Valdo entregou o envelope a ela, que o apanhou com rapidez. Ele não conteve o sorriso e comentou:

— Pelo jeito, esse envelope deve ser muito importante para você!

— É meu primeiro salário aqui. Desculpe o transtorno. Foi minha culpa. Eu estava distraída. Preciso voltar ao trabalho.

— Espere um pouco. Você está pálida. Aceita um café?

Alzira aceitou, e suas mãos tremiam ao segurar a xícara.

— Você está muito nervosa. Vamos conversar um pouco. Acho que conheço você.

— Faz um mês que estou trabalhando neste escritório.

— Não, não é daqui que a conheço. Você não tem uma irmã chamada Mirtes?

— Tenho.

— Já as vi juntas. Sabia que a conhecia. Em que seção está trabalhando?

— Sou datilógrafa.

Valdo estava intrigado. Pela atitude de Alzira, dava para perceber que aquele dinheiro era importante para ela. Sinal de que estava precisando muito. Nesse caso, como Mirtes conseguia frequentar lugares da moda, vestindo-se tão bem? Afinal, ela não trabalhava.

Procurou saber:

— Você poderia ter se machucado, mas só se preocupou com o dinheiro. Posso saber o que vai fazer com ele?

— Dar à minha mãe. Meu pai é contador e trabalhou muitos anos em uma empresa, mas foi despedido por causa da idade. Tem cinquenta e cinco anos. Está desempregado há mais de um ano. Nossas reservas acabaram. Este dinheiro vai nos ajudar muito.

— Seu pai deve ter boa experiência profissional.

170

— Tem. Ficou meio revoltado, porque, depois de ter trabalhado tantos anos com dedicação, foi despedido por ser considerado velho. Agora ninguém lhe dá uma oportunidade. Tem prestado alguns serviços a pequenas empresas, mas ganha muito pouco.

— Ele procura emprego só como contador?

— A princípio sim, mas agora está disposto a aceitar qualquer coisa, desde que saiba fazer e que o permita sustentar a família.

— Sente-se mais calma?

Alzira levantou-se.

— Sim. Desculpe meu nervosismo. Esbarrei logo no dono da empresa. Tive medo de que me despedisse.

— Não era para tanto. Mas daqui para a frente é melhor olhar por onde anda para que não lhe aconteça coisa pior.

Depois que ela saiu, ele pensou: "Duas irmãs... Como podiam ser tão diferentes?".

Chamou o chefe do escritório e perguntou:

— Essa moça, Alzira, é boa funcionária?

— Estou muito satisfeito com ela. Não falta, não chega atrasada, não fica pelos cantos conversando, está sempre procurando o que fazer. Acho que foi ótima contratação. Está em experiência, mas, se continuar assim, vamos efetivá-la.

Valdo perguntou o salário dela e o endereço de sua casa. Ele valorizava uma boa equipe de trabalho. Pensava que só assim conseguiria fazer a empresa crescer e tornar-se qualificada. Esse pensamento sempre dera certo.

Na semana seguinte, Valdo mandou chamar Alzira em sua sala. Ela atendeu prontamente.

— Como vai, Alzira?

— Muito bem, obrigada.

— Mandei chamá-la porque gostaria que me desse algumas informações sobre seu pai. Ele já arrumou emprego?

Alzira corou de prazer. Estaria Valdo pensando em empregá-lo? Apressou-se em responder:

— Ainda não. O que deseja saber?

— O nome da empresa em que ele trabalhou e por quanto tempo ele ficou lá.

Alzira esclareceu e ele continuou:

171

— Estive pensando em oferecer a ele uma vaga na área de contabilidade. Não como contador, porque já temos um. Acha que ele aceitaria?

— Seria maravilhoso! Claro que aceitaria.

— Então, peça-lhe para vir falar comigo amanhã, às dez.

Alzira não se conteve e exclamou:

— O senhor é maravilhoso! Nunca me esquecerei do que está fazendo!

— Não estou prometendo nada. Vamos apenas conversar. Se combinarmos, ele poderá trabalhar aqui.

— Desculpe meu entusiasmo. Compreendo. É que pensei na alegria dele em encontrar trabalho. Logo em uma empresa como esta!

— Então está combinado. Amanhã eu o espero às dez.

Quando ela se foi, Valdo sorriu contente. O rosto daquela moça era um livro aberto. Dava para ler seus pensamentos. Era difícil encontrar alguém tão transparente. E como ficava bonita quando ruborizava!

De repente, ele se sentiu de bem com a vida. Era muito gostoso poder dar a um homem a oportunidade de trabalhar para sustentar sua família.

Naquela tarde, Estela, sentada na cozinha, servia um lanche ao marido. Enquanto colocava o café na xícara, dizia convicta:

— Você não pode desanimar. No centro, ontem, dona Isaltina me chamou e disse que logo você ia ter uma boa oportunidade.

— Você é muito crédula. Depois de tantas tentativas, não creio em mais nada.

— Pois eu creio. Depois que fui ao centro nossa vida começou a melhorar. Alzira está trabalhando, gosta do emprego. E você logo vai encontrar trabalho. Quer saber? Sua descrença está atrapalhando. Por que não vai comigo ao centro?

— Você insiste nisso, não é? Pois bem, vamos combinar: se o emprego sair logo, como você diz, eu prometo que vou lá.

Estela sorriu contente:

— Você está prometendo! Eu vou cobrar.

— Pode cobrar.

Uma hora depois, Alzira chegou apressada. Estava contente. O pai lia o jornal na sala e ela foi logo dizendo:

— Pai! Tenho uma boa notícia para o senhor! Acho que seu emprego pode sair.

O jornal caiu das mãos dele. Estela, que ouvira da cozinha, apareceu na sala. Os dois ouviram emocionados Alzira contar a conversa que tivera com Valdo e finalizar:

172

— Bom, pai, o emprego vai depender da conversa de vocês. Mas o senhor Valdo parece muito interessado em contratá-lo. Eu disse que você aceitaria qualquer serviço.

— E aceito mesmo. Eu quero trabalhar.

— Sabe de uma coisa? Você disse que, se o emprego saísse, iria comigo ao centro. Mas eu acho que deveríamos ir esta noite mesmo para pedir ajuda.

— Está bem. Eu irei com vocês.

As duas se abraçaram contentes. Era lá, naquela simples casa de orações, que elas se sentiam bem e que havia muito queriam que Antônio usufruísse daquele bem-estar.

Na hora certa, os três estavam na sala de espera. Isaltina viu-os e foi cumprimentá-los. Depois de abraçá-los, disse:

— Estou muito feliz em vê-lo aqui, senhor Antônio. Não precisa fazer uma consulta. Vou dar-lhe o papel para frequentar.

Minutos depois, quando Antônio entrou na sala em penumbra e sentou-se na cadeira que lhe indicaram, ele se sentiu emocionado. As lágrimas ameaçavam cair e ele olhou em volta envergonhado, tentando contê-las. Sentia-se cansado, amargurado, impotente. As lágrimas desceram pelo seu rosto e ele pensou que a penumbra era providencial, assim ninguém o veria chorando.

Pareceu-lhe ouvir as palavras do pai:

— Homem que é homem não chora! Engula o choro!

Mesmo assim, não conseguiu parar de chorar. A música suave, as pessoas silenciosas lembravam que ele fora lá para rezar. Havia quanto tempo não fazia uma oração?

Tentou recordar-se das que sua mãe lhe ensinara na infância, mas não conseguiu coordenar os pensamentos. Murmurou algumas palavras pedindo ajuda, dizendo que sempre fora honesto, bom profissional e muito trabalhador.

Saíram da sala e Estela esclareceu:

— Agora vamos ao salão. Vai começar a palestra.

O pequeno salão estava lotado, mas os três ainda arranjaram lugar mais atrás. Isaltina apanhou o microfone, postou-se na frente de todos e começou a falar.

O tema era a valorização do bem. Comentou que a maioria das pessoas tem o hábito de comentar o que está ruim para elas, em ressaltar o errado, sem perceber as coisas boas que já possuem. Esse hábito negativo lhes atrai o mal.

Depois de falar por quinze minutos, ela encerrou com a frase:

— Quem valoriza a falta só consegue obter falta. Para você melhorar sua vida é imprescindível valorizar todo bem que você já possui. Assim, a vida vai mandar-lhe mais. É assim que tudo funciona. Pensem nisso.

Antônio sentia-se comovido. Achava que Isaltina havia falado exclusivamente para ele. Nos últimos tempos ele só se lamentava e se preocupava com o que não tinha.

Sentiu que, apesar do que estava lhe acontecendo, ele era um homem feliz. Tinha uma esposa companheira e dedicada, que não media esforços para levantar seu ânimo. Duas filhas lindas e saudáveis, uma casa para morar.

Ele possuía mais do que muita gente. O emprego era uma circunstância momentânea que de uma hora para outra poderia ser solucionada. Mais importantes para ele eram o amor e o respeito da família.

Pensando assim, sentiu-se bem, como havia muito não sentia. Quando saíram do centro, Estela perguntou:

— Então, Antônio, como se sente?

— Bem. Dona Isaltina estava falando para mim. Tudo quanto ela disse estava acontecendo comigo. Sabe de uma coisa? Estou pensando...

— O quê?

— Está certo que preciso do emprego, mas eu sei que a qualquer hora ele vai sair. O importante é ter vocês ao meu lado, me apoiando. Sem vocês eu não saberia fazer mais nada. O melhor emprego do mundo seria inútil.

As duas abraçaram Antônio emocionadas. Era a primeira vez que ele confessava o quanto gostava da família. Com carinho, Alzira disse:

— Pai, estou contente por você se sentir melhor. Tenho certeza de que logo tudo vai dar certo.

— De fato, minha filha. Eu também acho.

Na manhã seguinte, Antônio estava na fábrica na hora marcada. Foi imediatamente conduzido ao escritório, e Valdo atendeu-o pessoalmente. Ele queria conhecer melhor o pai de Alzira para avaliar se valia a pena colocá-lo na empresa. Seria muito desagradável se, uma vez contratado, ele não viesse a corresponder às expectativas. Valdo gostava de dar oportunidade a quem tivesse boa vontade, porque sabia quanto era importante uma boa parceria com seus funcionários. Pagava bem, mas exigia comprometimento e responsabilidade.

174

Depois dos cumprimentos, Valdo designou a cadeira em frente à sua mesa e pediu:

— Sente-se, por favor. Vamos conversar.

Antônio obedeceu. Valdo continuou:

— Alzira me disse que o senhor é contador e possui bastante experiência.

Antônio colocou um envelope sobre a mesa e respondeu:

— É verdade. Trouxe meu currículo para o senhor verificar.

— Depois verei isso. Fale-me a respeito da empresa onde o senhor trabalhou.

Antônio começou a descrever suas atividades no emprego em que permaneceu durante tantos anos. Apesar da tristeza de ter sido despedido por causa da idade, depois de tantos anos de dedicação, não disse uma palavra de queixa. Ao contrário, disse que gostou de trabalhar lá porque era uma firma idônea, pagava em dia seus funcionários e tratava-o bem.

Valdo fitou-o sério e comentou:

— Alzira me disse que o senhor foi despedido por causa da idade. Certamente eles contrataram um contador mais jovem por um salário menor.

— De fato, meus antigos colegas informaram que isso aconteceu mesmo. Mas, apesar disso, reconheço que foi lá que aprendi muito. O senhor sabe: mesmo com diploma, nossa experiência só vem com o tempo. Eles me contrataram quando eu ainda estava estudando, deram-me um cargo de confiança quando me formei e não tinha nenhuma experiência.

— Há quanto tempo está desempregado?

— Para mais de um ano. Infelizmente, muitas empresas pensam que depois dos cinquenta as pessoas não têm condições de trabalhar. Mas eu ainda sinto que estou muito capaz. Eles estão enganados.

Valdo gostou do que ouviu. Sabia que Antônio estava passando dificuldades, mas mesmo assim teve a dignidade de não culpar os antigos patrões. Era um homem de bons sentimentos.

— Eu penso o contrário. O que importa para mim é o conhecimento, a postura profissional e a boa vontade. A idade é só uma circunstância. Meu pai é mais velho do que o senhor e ainda trabalha e dirige nossa empresa. Tenho aprendido muito com ele.

Antônio, que entrara lá acanhado, endireitou-se na cadeira. Ele possuía as qualidades citadas. Valdo continuou:

— Conforme disse à sua filha, não temos uma vaga de contador. Mas posso oferecer-lhe um trabalho nessa área.

175

— Ficaria muito honrado em vir trabalhar aqui. Estou disposto a aceitar qualquer trabalho. Sendo na área da contabilidade, poderei prestar melhores serviços.

Valdo conversou sobre o salário e, uma vez combinado, chamou o encarregado e pediu-lhe que cuidasse de tudo.

Antônio estava radiante. Finalmente conseguira trabalho. O salário oferecido era metade do que recebia no antigo emprego, mas ele achou que estava ótimo. Daria muito bem para manter a família, como sempre fizera.

Chegou em casa alegre. Estela esperava-o com impaciência. Assim que entrou, ele foi logo dizendo:

— Estou empregado! Consegui!

— Venha, vamos à cozinha. Vou fazer um café e você vai me contar tudo.

Enquanto a água esquentava, os dois sentaram-se e ele disse com entusiasmo:

— Imagine: quem me entrevistou foi o filho do dono da empresa. Um moço fino, educado, que me recebeu muito bem. Você sabe que ele nem olhou meu currículo? Disse que valorizava mais as qualidades, a boa vontade. Acho que encontrei a empresa certa. Reparei que todos pareciam trabalhar com alegria. Um ambiente bom.

— Você vai trabalhar no quê?

— Eles já têm contador, mas vou trabalhar na contabilidade. Terei de passar por um período de experiência, mas eu sei que eles vão gostar de meu trabalho. Estou disposto a me esforçar como nunca.

— Eu sei que você é capaz.

— Bem, o salário é menor do que o anterior. É natural, já que não é o mesmo cargo. Mas vai dar muito bem para pagar as despesas. Assim, o dinheiro de Alzira pode ficar para ela. Não vai precisar dar nada em casa.

— Uma moça gosta de se arrumar. Ela vai ficar contente. Mas, antes disso, vamos pagar todas as nossas dívidas. O crédito é muito importante.

— Está bem.

***

No dia seguinte, no horário de almoço, Alzira bateu na porta da sala de Valdo.

— Entre.

— Com licença, doutor. Vim agradecer a ajuda que o senhor nos deu. Meu pai está feliz. Pode ter certeza de que ele vai se esforçar ao máximo para retribuir. O senhor não vai se arrepender.

— Seu pai é um homem inteligente. Espero que se dê bem aqui.

— Tenho certeza! Ainda mais com um patrão como o senhor.

Ele sorriu e ela corou notando que seu tom fora entusiasmado demais. Tentou consertar:

— É que o senhor atendeu meu pai pessoalmente. Ele saiu daqui valorizado. Fazia muito tempo ele não se sentia assim. Minha mãe mandou agradecer. Deus o abençoe.

Ela deu meia-volta e saiu quase correndo. Ele meneou a cabeça sorrindo e pensou: "Que menina agradável. Seu rosto parece mesmo um livro aberto. Que diferença da irmã!".

Ainda na noite anterior ele vira Mirtes em companhia de um homem mais velho, jantando em um restaurante de luxo. Estava claro que ela havia encontrado um jeito de arranjar dinheiro. Não trabalhava. De onde tiraria o luxo que ostentava? Certamente a família não sabia de nada. Antônio parecera-lhe um homem correto. Que subterfúgios ela usava para enganá-los?

***

Dois dias depois, Estela fez o almoço e adiantou o jantar. Nem Alzira nem Antônio almoçariam em casa. Ele havia começado a trabalhar e a empresa tinha restaurante próprio. Isso era bom, porque assim o dinheiro que Alzira ganhara lhes daria tempo de esperar até que Antônio recebesse o primeiro salário.

O relógio deu meio-dia e Estela subiu ao quarto de Mirtes, que ainda dormia. Abriu as janelas e chamou:

— Acorde, Mirtes. Levante-se.

Ela se revirou na cama resmungando:

— Deixe-me dormir.

— Não. Você está levando uma vida muito ruim. Está trocando o dia pela noite. Isso não está certo. Trate de se levantar. O almoço está pronto. Você toma um banho, almoça e vai procurar um emprego. Não pode continuar levando essa vida sem responsabilidade.

Mirtes sentou-se na cama irritada.

— Já disse que sei cuidar de mim. Não vou me sujeitar a um emprego como o de Alzira, ganhar essa ninharia que não dá para nada e ficar escrava o dia inteiro, fechada dentro de um lugar horroroso, com várias pessoas para mandar em mim.

— Que ideia, Mirtes! Um emprego traz dignidade.

— Só se for para gente incapaz, como Alzira.

— Sua irmã é muito considerada no emprego. Arranjou trabalho para seu pai. Ele começou hoje. Foi o próprio filho do dono da empresa que o contratou.

Mirtes acordou de vez. Abriu os olhos e perguntou:

— Ouvi bem? Papai foi trabalhar na empresa de Valdo?

— Foi. Alzira conversou com ele, contou que seu pai estava desempregado e ele o chamou para uma entrevista e o empregou.

— Fique sabendo que ele não fez isso por causa de Alzira. Ele está interessado em mim. É amigo de Mildred, frequenta a casa dela. Vocês não acreditam em mim, mas eu ainda vou me casar com ele e ser dona daquela empresa.

Estela emudeceu de surpresa. Mirtes continuou:

— Por isso não vou me sujeitar a um empreguinho pobre, como papai e Alzira.

— Você está enchendo sua cabeça de ilusões. Faço votos de que não venha a arrepender-se dessa atitude.

— Agora vou tomar um banho, me arrumar e sair. Preciso ver Mildred e contar a novidade. Ela vai gostar de saber. Torce por mim.

***

No final da tarde, enquanto Antônio lia o jornal na sala, Alzira ajudava a mãe na cozinha. Estela, lembrando-se da conversa com Mirtes, aproveitou para perguntar:

— É verdade que o doutor Valdo está interessado em Mirtes?

Alzira olhou admirada para a mãe:

— Ela disse isso?

— Disse que seu pai conseguiu o emprego por causa dela. Que o doutor Valdo frequenta a casa de Mildred e está gostando dela.

— Bem, pelo que sei, há muito tempo ela foi ao cinema com Valdo. Mas depois disso ele nunca mais a procurou. Tanto que ela havia desprezado Marcelo e acabou correndo atrás dele de novo. O doutor Valdo ofereceu o emprego porque eu pedi.

Alzira subiu para o quarto logo depois do jantar. Sentou-se na cama pensativa e triste. De fato, Valdo lhe perguntara se ela era irmã de Mirtes. Teria sido por isso que fora tão gentil com ela e com o pai? Estaria mesmo interessado em sua irmã?

Mirtes era bonita, elegante, todos os homens olhavam em sua direção quando ela passava, enquanto ela, Alzira, não se achava atraente. Devia logo ter percebido que a gentileza dele tinha motivo.

Quanto mais pensava nisso, mais acreditava na possibilidade de Valdo realmente estar gostando de Mirtes. Esse pensamento a irritava.

A atitude dele não tinha sido de bondade, mas de puro interesse. Nesse caso, a opinião que havia formado dele era errada. Valdo era igual aos outros, sempre pensando em uma conquista fácil.

Esse pensamento causava-lhe tristeza. Ele era tão bonito! Era uma pena que fosse tão leviano a ponto de valer-se de sua situação de moço rico e dono de uma empresa para conquistar o amor de uma mulher.

Dali para a frente, evitaria contato com ele. Não queria servir de trampolim para Mirtes.

***

Mirtes saiu de casa disposta a conversar com Mildred. Nos últimos tempos, ela andava arredia e não a convidava mais para sair. Encontravam-se ao acaso, mas, como Mirtes sempre estava acompanhada, apenas se cumprimentavam.

Sabia que era dia de Mildred ir ao cabeleireiro e foi até lá a pretexto de fazer manicure. O salão estava lotado e ela gostou, porque assim poderia esperar a amiga chegar.

Apanhou uma revista e fingiu estar lendo. Viu quando ela entrou. Sabia que ela marcava hora e não ia demorar-se na espera. Por isso, levantou-se e foi ter com ela.

— Mildred, que coincidência! Como vai?

— Bem, e você?

— Eu estou ótima. Tenho de ir a um jantar esta noite e vim fazer as unhas. Puxa, estava com saudade de você. Minha vida tem estado tão ocupada que não tenho tido tempo para ligar.

Mildred lançou sobre ela um olhar perscrutador e notou logo que ela estava bem vestida, aparência cuidada. Teria aceitado seu conselho?

— Eu também tenho estado ocupada. Mas você me parece muito bem!

Uma funcionária aproximou-se sorrindo e disse:

— Houve uma doença na família e Carlos está um pouco atrasado. Pede desculpas, mas vai apressar-se e atendê-la em seguida. Quer um café, uma água, um refrigerante?

— Não, obrigada. Eu espero, desde que não seja muito.

Mirtes sorriu contente. Ambas sentaram-se para esperar.

— Ainda bem que encontrei você, Mirtes, assim o tempo passará depressa. Não gosto de esperar.

— Desejo contar-lhe as novidades.

— Estou curiosa. Noto seu progresso. Parece que melhorou de vida. Seu pai arranjou emprego?

— Sim. Tanto meu pai quanto Alzira estão trabalhando. Sabe onde? Na Mercury.

— Na empresa de Valdo?

— Sim. Isso é muito bom. Acho que finalmente ele mostrou interesse por mim. Empregou meu pai, mesmo com a idade que ele tem. Você sabe, nenhuma empresa o queria. Claro que devem ter razão. Mas Valdo fez isso por mim, para me agradar.

Mildred fitou-a admirada. Seria verdade? Sugeriu:

— Nesse caso, você precisa procurá-lo para agradecer.

— Pensei nisso. Foi bom vê-la. Talvez você possa ajudar-me a encontrá-lo. Não posso procurá-lo na empresa. Meu pai saberia, seria um desastre.

— Pensarei sobre isso. Mas conte-me: eu a vi jantando na semana passada com o doutor Humberto.

— Você o conhece?

— Ele é dono de um cavalo que corre no jóquei. Está sempre lá.

— De fato. Nós nos conhecemos no jóquei. Ele está apaixonado por mim. Faz tudo para me agradar.

— Eu disse que daria certo. Ele é viúvo e muito rico. Você poderá vir a casar-se com ele.

— Isso não. Ele é muito agradável, fino, educado, mas eu não pretendo passar minha vida toda ao lado dele.

— Não seria ruim. Você sempre disse que só se casaria com um homem rico. Acho que encontrou o que procurava. Casando-se, você terá segurança e tudo que desejar. Isso não a impedirá de ter suas aventuras amorosas.

— Talvez. Humberto é cordato e fácil de manejar.

— Só há um problema. — Mildred baixou a voz e aproximou-se mais da amiga: — Ele tem um caso com uma espanhola ciumenta que é o diabo. Ela faria tudo para impedi-lo de se casar novamente. Certa vez ele andou saindo com uma artista famosa que vive no Rio de Janeiro. Ia lá todos os fins de semana. Até na imprensa saiu que eles iam se casar. Mas deu em nada. Ele acabou com tudo. Depois fiquei sabendo que foi a espanhola que deu fim ao romance.

— O que será que ela fez?

— Isso eu não sei. Mas de repente ele acabou o namoro, e passava todas as noites no apartamento que montou para ela. Desde então, que eu saiba, nunca mais teve um relacionamento firme.

— Você acha que ele ainda sai com ela?

— Tenho certeza. Por isso, se decidir se casar com ele, precisa tomar cuidado. Eu acho que ela foi em algum lugar, fez alguma coisa para ele desistir da artista e voltar a ficar com ela.

— Você acha que isso funciona? Para você está dando certo?

— Ainda não. Mas Pai Tomé garante que vai conseguir.

— Eu tenho visto Émerson com Laura nos jornais e revistas. Continuam noivos.

— Por enquanto. Émerson conhece muitas coisas sobre esses trabalhos. Por isso fica mais difícil. Entretanto, Pai Tomé garantiu que vou conseguir.

— Espero que essa espanhola não faça nada contra mim. Tenho medo dessas coisas. Não quero lidar com nada disso.

Mildred sorriu com ar de superioridade.

— Que bobagem! Eu fiz e estou muito bem. Não me aconteceu nada. Nem vai acontecer.

— Mesmo assim, eu não quero.

— Se ela fizer alguma coisa contra você, vai precisar se defender.

— Nesse caso, arranjo outro namorado. Para mim tanto faz que seja Humberto ou outro, contanto que possa me dar o que eu quero.

— Isso mesmo. Estou avisando para tomar cuidado. Mulher ciumenta é o diabo.

As duas riram e continuaram conversando. Apesar de haverem se distanciado durante algum tempo, possuíam muitos pontos em comum.

CAPÍTULO 14

Marcelo chegou em casa cansado, disposto a tomar um banho, comer e descansar.

Depois do jantar, os pais foram para a sala assistir à televisão, mas ele preferiu ir para o quarto. Apanhou um livro, estendeu-se na cama e começou a ler.

O telefone tocou. Era Renata. Pelo tom de sua voz, Marcelo notou que ela estava chorando.

— Marcelo, quero conversar com você. Por favor, venha até minha casa.

— Você está chorando! Aconteceu alguma coisa?

— Venha, por favor.

— Está bem. Dentro em pouco estarei aí. Fique calma.

Vestiu-se rapidamente e desceu. Iolanda, vendo-o passar, estranhou:

— Você não disse que estava cansado e que não ia sair? Aconteceu alguma coisa?

— Nada, mãe. Vou, mas volto logo.

Ele se foi e a mãe comentou com o marido:

— Essas meninas vivem atrás dele. Elas ligam e ele vai.

— Isso é normal na idade dele. Não sei por que você se está se incomodando.

Ela se calou e acomodou-se no sofá. O marido sempre defendia o filho. Estava habituada.

Quando Marcelo chegou à casa de Renata, ela o esperava no portão. Ele desceu do carro e depois dos cumprimentos perguntou:

— Você quer dar uma volta? Assim poderemos conversar melhor.

Ela aceitou. Entrou no carro e ele deu partida. Andaram alguns quarteirões, até pararem em uma rua tranquila.

Renata estava pálida, as mãos trêmulas.

— Então, Renata, o que houve?

Ela suspirou, ficou calada por alguns instantes, depois decidiu:

— Tive uma recaída.

— Como assim? Você estava tão bem!

— Estava. Mas hoje descobri que não mudei nada. Sinto-me tão fraca, sem dignidade... Um lixo!

— Fale como aconteceu.

— Bom... Ontem a noite fiquei sabendo por minha prima que Rômulo e Nora haviam brigado e terminado o noivado. Fiquei alegre e muito descontrolada. Uma louca esperança brotou em mim e tive vontade de vê-lo. Então, hoje fui ao clube. De fato, pouco depois que cheguei, ele apareceu sozinho. Eu estava com minha prima em uma mesa tomando guaraná. Fingi que não o vi. Rute estava de frente para Rômulo e disse que ele estava vindo em direção à nossa mesa. Quando ele chegou, senti as pernas bambas. Ele nos cumprimentou e disse: "Posso me sentar com vocês?" Você pode imaginar como me senti. Achei que ele estava diferente dos últimos tempos. Havia perdido aquele olhar esnobe que me irritava tanto. A banda estava tocando uma música, e ele convidou Rute para dançar. Os dois foram para a pista e eu fiquei ali, torcendo para ele dançar comigo. A música acabou, eles voltaram e sentaram-se novamente. Eu estava certa de que ele iria me chamar para dançar. Imaginei que dançara com Rute apenas para não mostrar logo seu interesse em reatar comigo. Foi quando Nora entrou no salão ao lado de um rapaz alto, elegante, bonito, que eu nunca tinha visto. Notei que Rômulo empalideceu, pensei que fosse desmaiar. Levantou-se e foi ter com eles. Ele começou a brigar com Nora, falando alto, coisa que eu nunca vi. Logo ele, sempre tão controlado! O rapaz que estava com ela se colocou entre eles e então aconteceu uma briga. Os dois trocaram socos, e algumas pessoas logo foram apartá-los. Nora deu meia-volta e saiu sozinha. Rômulo foi atrás dela. Fiquei arrasada. Foi a primeira vez que o vi perder o controle. Rute notou meu abatimento e tentou convencer-me de que precisava esquecer aquele amor etc., ou seja, tudo aquilo que eu sempre disse a mim mesma. Ficamos lá algum tempo, até eu me acalmar. Quando saímos, foi pior. Vimos os dois no jardim trocando beijos apaixonados. Nem nos viram passar. Não sei como

184

cheguei em casa. Eu realmente não tenho vergonha na cara. Depois de tudo que ele me fez... Se ele me tivesse feito um menor gesto de carinho, eu o teria perdoado e aceitado de volta e ainda me daria por feliz. Por que não posso aceitar que ele ama outra mulher?

As lágrimas desciam pelo seu rosto, e Marcelo, sem saber o que dizer, abraçou-a, fazendo-a descansar a cabeça em seu peito.

— Chore, Renata. Deixe sair a mágoa que a está atormentando.

Quando ela parou de soluçar, Marcelo segurou a mão dela e levou-a aos lábios dizendo:

— Sei como está se sentindo. Eu já passei por isso várias vezes. Mas hoje posso dizer que estou curado. Creia: essa paixão que parece não ter fim, esse sentimento que nos rebaixa e nos faz sofrer o tempo todo, um dia acaba. Pode ter certeza. Sabe por quê? Porque isso não é amor. Pode dar o nome que quiser, menos amor. Um dia, quando menos esperar, saberá que ele desapareceu. Então, essa pessoa que lhe parecia algo inatingível estará reduzida ao lugar-comum, notará nela defeitos corriqueiros, não significará mais nada.

— Ah! Se eu pudesse acreditar nisso!

— Aconteceu comigo, acontecerá com você. É fatal. Não se culpe pela recaída. Também é natural. A paixão é um estado de exaltação provocado pelas atitudes que observamos naquela pessoa que reprimimos em nós e gostaríamos de expressar.

— Não é possível que seja apenas isso.

— Mas é. Notei, por exemplo, que você gostaria de ser controlada, certinha, nunca perder a calma, como ele faz. O ciúme o descontrolou e você se chocou ao perceber que ele é uma pessoa comum.

— É. De fato ele parecia outra pessoa.

— A vida colocou você lá para que, observando aquela cena, compreendesse que ele é uma pessoa que reprime seus sentimentos. Uma vez provocado, é tão descontrolado quanto qualquer outro.

— Comigo ele nunca fez uma cena daquelas. Reconheço que nunca me amou. Deve estar muito apaixonado por ela.

— É difícil saber. O ciúme não é manifestação de amor. Nesses casos, o orgulho ferido fala mais alto. Rômulo, por sua postura, demonstra ser muito vaidoso. Ser preterido, para ele, foi insuportável.

— Você está certo.

— Você é uma pessoa dócil, amorosa, sincera, espontânea ao expressar seus sentimentos. Não faz joguinhos tão comuns a certas mulheres para provocar um interesse maior. Já Nora é diferente. Esperta, agressiva, dissimulada, calculista, nunca revela seus verdadeiros sentimentos.

Renata olhou-o admirada.

— É verdade. Como é que sem conviver com eles sabe tanto a respeito de suas personalidades?

— Tenho aprendido muito com Émerson. Comecei a frequentar seus cursos só para conseguir vencer meus pontos fracos. Estava destruído emocionalmente por causa de Mirtes. Com o tempo, observando o comportamento das pessoas, fui aprendendo a analisá-las com mais clareza. No trato com os outros, ficamos apenas no que parece, e isso favorece à ilusão. E toda ilusão atrai a desilusão.

— É o que está acontecendo comigo. Eu imaginava Rômulo muito diferente do que ele se revelou.

— Contudo, ele sempre foi o mesmo. Você é que criou um modelo do homem ideal e projetou-o sobre ele, sem pensar que ele poderia ser muito diferente.

— Do jeito que você fala, a culpa é toda minha.

— Não se trata de culpa, mas de ingenuidade, da educação errada que recebemos. A mulher é educada para ser sustentada pelo homem. Esse estado de dependência a torna depressiva, porque não foi com essa finalidade que seu espírito foi criado.

— A situação da mulher tem melhorado muito nos últimos tempos. Apesar disso, continuamos nos iludindo.

— Com o passar dos anos vai melhorar muito mais. Criada na dependência, a mulher julga-se fraca, submete-se a situações desagradáveis, com medo de ficar só. Tenho observado que muitas mulheres que têm se mostrado corajosas, fortes, firmes em muitas circunstâncias, ao unir-se a um homem tornam-se indecisas, ansiosas, incapazes de tomar uma decisão.

— De fato. Minha mãe foi uma delas. Pelo que me contam as tias, ela era decidida, líder no colégio. Hoje é uma mulher pacata, não consegue decidir nada sozinha. Tudo pergunta a meu pai ou a mim, nunca sabe se faz isto ou aquilo. É difícil crer que ela tenha sido como me disseram.

— Claro que, sendo educada por uma mãe assim, você aprendeu que para ser feliz precisa ter um marido autoritário que decida tudo. Pensou ter encontrado essas qualidades em Rômulo. Por isso suportou esse namoro desagradável tanto tempo e sofre porque o perdeu. Você não chora porque ele a deixou, mas porque não realizou seu sonho.

— Custa-me crer no que me diz, mas não posso negar que em alguns pontos tenha razão.

— Pense nisso, Renata. Tenho certeza de que encontrará outros pontos verdadeiros no que eu disse.

— Acho que vou frequentar os cursos do instituto com mais interesse e assiduidade. Até então eu não estava muito motivada, mas depois de hoje sinto que preciso cuidar mais de mim.

— Sábia decisão. Olhar para dentro de você, conhecer-se melhor vai ajudá-la a vencer essa etapa com rapidez. Estou com sede, vamos a uma lanchonete tomar alguma coisa?

— Eu gostaria, mas devo estar horrível.

— Está mais linda do que nunca — brincou ele, rindo.

Ele acendeu a lâmpada interna do carro. Ela abriu a bolsa, tirou o espelho, retocou a maquiagem e perguntou:

— Acha que dá para disfarçar?

— Você está tão bem! Eu acho que essa crise já acabou. Vamos embora.

***

Naquela mesma hora, Mirtes estava no carro de Humberto conversando. As palavras de Mildred deixaram-na intrigada. A ideia de casar-se com ele não era de todo ruim, uma vez que ele era fácil de ser manejado.

Afinal, reconhecia que na vida era difícil ter tudo. Amor e dinheiro nem sempre andam juntos. Não passara por sua cabeça que ele estivesse tendo um caso com outra. Humberto estava sempre disponível, levava-a a lugares públicos. Era ela quem fazia tudo para não ser vista ao lado dele.

— Você disse que tinha um assunto urgente para falar comigo, Mirtes. Do que se trata?

— Meu pai. Alguém nos viu juntos e comentou com ele, tecendo comentários desagradáveis a nosso respeito. Claro que eu neguei. Mas ele ficou muito zangado. Disse que era para eu acabar com esses encontros, que eu estava falada, que um homem rico e mais velho não podia ter boas intenções comigo. Sem falar de minha mãe, que chorava como se tivesse acontecido uma desgraça.

Humberto abraçou-a dizendo:

— Não fique assim. Você sabe que isso não é verdade. Eu gosto muito de você. Fazia muito tempo que eu não sentia tanta atração por uma mulher. Você me devolveu a alegria de viver. Desde que enviuvei, só

187

tive problemas, meus dois filhos não correspondem ao que eu planejara. A seu lado esqueço tudo isso, sinto-me muito feliz.

— Eu também gosto muito de você. Em casa não me compreendem. Eles me criticam, porque gosto de frequentar lugares da moda. Sou jovem, cheia de vida. Recuso-me a viver como eles.

Humberto acariciou os cabelos dela com carinho:

— Você está certa, meu bem. A mocidade passa depressa. É preciso aproveitar, viver com conforto, com prazer.

— Você me entende! Eu não suportaria ter de deixá-lo.

— Você não vai fazer isso!

— Meu pai disse que se eu continuar com você vai expulsar-me de casa.

— Que horror! Isso não se usa mais!

— Meus pais são antiquados. Sou moça de família, pobre, mas honrada. Aliás, meu pai vive dizendo que a honra é tudo que nós temos.

— Se ele fizer isso, eu a protegerei. Eu a levarei para um apartamento e poderemos ficar juntos o tempo todo.

Mirtes começou a chorar. Ele beijou-lhe os cabelos com carinho.

— Não chore, meu bem. Eu já disse que cuidarei de você.

— Não posso fazer isso, desonrar minha família dessa forma. Por esse motivo, penso que vim para nos despedirmos. Este é nosso último encontro.

Ele a apertou de encontro ao peito, beijando seus lábios com paixão.

— Não posso aceitar isso. Você é minha. Não a deixarei.

— Eu também não quero deixá-lo, mas não tenho outro jeito.

— Vamos para meu apartamento, lá conversaremos melhor.

Mirtes procurou encobrir a satisfação. Era isso mesmo que ela queria. Pretendia usar toda a sua sedução para forçá-lo ao casamento. A tal espanhola precisava ser derrotada.

Uma vez no apartamento, Mirtes fingia tristeza e Humberto procurava agradá-la. Mostrou-se apaixonada como ele nunca vira, embriagando-o de prazer. Ele ficou fascinado.

Ela queria ir embora e ele pedia-lhe que ficasse. Por fim, ele acabou levando-a para casa.

Ao despedirem-se, ela disse:

— Lembrarei para sempre esta noite maravilhosa. Espero que nunca me esqueça.

— Você fala como se estivesse se despedindo.

188

— E estou. Apesar de tudo, amo minha família. Não posso dar este desgosto a meu pai. Não vou tornar a vê-lo, Humberto.

Antes que ele reagisse, Mirtes apanhou a chave e entrou em casa. Estava contente. Se tudo saísse como previra, chegaria ao casamento.

O primeiro impulso de Humberto foi tocar a campainha, mas conteve-se. Era madrugada. Não podia fazer aquilo e complicar ainda mais a situação.

Voltou para o carro e foi embora. Entrou em casa nervoso, irritado. Passou pelo quarto dos filhos e constatou que, como sempre, não haviam chegado. Um estava com vinte e oito anos; o outro, com trinta. Gostaria que eles se casassem, formassem família. Mas eles iam de aventura em aventura e nem pensavam nisso.

Foi para o quarto. Estendido na cama, Humberto pensava em Mirtes. Os momentos vividos naquela noite faziam-no estremecer de prazer. Como seria bom poder esquecer todos os problemas e viver com ela!

Estava cansado de Mercedes. O ciúme dela sufocava-o. Depois, estava sempre mal-humorada, reclamava de tudo. Queria que ele chegasse ao casamento, mas isso não estava em suas cogitações.

Nunca lhe prometera nada. Dava-lhe uma vida muito confortável, satisfazia-lhe alguns caprichos. Ela vivia rodeada de belas roupas, de joias que ele lhe dava nas datas importantes. O apartamento estava em nome dela. Mas ela desejava muito mais. Considerava-se uma segunda esposa e sonhava viver na mansão da família, ocupando o lugar da falecida.

Ele não a apresentava aos amigos nem a levava aos lugares que frequentava. Às vezes, viajavam, mas quando estavam em São Paulo nunca saíam juntos. Nos últimos tempos ele havia espaçado as visitas. Isso a deixava furiosa, inconformada.

Humberto remexeu-se na cama inquieto. Precisava dar um jeito em Mercedes. Depois de seu relacionamento com Mirtes, não suportava mais estar com ela. Para ver-se livre dela, teria de lhe oferecer alguma coisa valiosa.

Já com Mirtes ele sentia prazer de estar diante dos amigos. Ela era retraída, mas ele notava o ar de admiração dos outros quando passava com ela. Sentia-se valorizado. Ela pensava em deixá-lo. Não podia permitir isso. Compreendia o problema que Mirtes estava enfrentando com a família. Era moça direita. Apesar de ser pobre, frequentava a casa de gente importante.

De repente, ele sentou-se na cama. Mirtes era moça para casamento. Eles poderiam se casar e ficar juntos para sempre. Não queria morar com os filhos. Compraria uma bela casa só para os dois, e viveriam felizes.

Humberto postou-se diante do espelho e considerou: "Apesar dos meus cinquenta e cinco anos, estou bem conservado. Além do mais, estou cansado desta vida de solidão".

Para ele, Mercedes nunca preencheu o vazio que ficou com a viuvez. Já Mirtes era diferente. Era jovem, divertida, alegre, não cobrava nada. Seria a companheira ideal. Se a pedisse em casamento, ela aceitaria? Falaria com ela no dia seguinte.

Preparou-se para dormir. Deitou-se, porém o sono não vinha. Ora ficava imaginando como seria sua vida com Mirtes, o que fariam, onde e como viveriam; ora pensava em como se livrar de Mercedes, o que não seria nada fácil. Uma coisa era certa: não poderia começar uma vida nova ao lado da esposa mantendo aquele relacionamento.

Na tarde seguinte, telefonou para Mirtes dizendo que precisava vê-la à noite. Ela recusou o convite, mas ele insistiu dizendo que havia encontrado a solução para eles.

Mirtes ficou radiante. Finalmente iria conseguir o que queria. Preparou-se cuidadosamente e saiu dizendo à mãe que Mildred a convidara para um aniversário.

Foi com tristeza que Estela a viu sair. Ela era muito diferente de Alzira. Não parava em casa, e ninguém sabia por onde andava. Antônio muitas vezes observara isso e conversava com ela, que sempre tinha uma desculpa pronta.

Uma vez no carro com Humberto, Mirtes ouviu-o dizer ansioso:

— Preciso ter uma conversa muito séria com você. Vamos ao meu apartamento, onde poderemos conversar à vontade.

Mirtes concordou. Era lá que haviam estado na noite anterior. Sentaram-se lado a lado no sofá e ele começou:

— Esta noite não pude dormir pensando no que você me disse.

— Eu também não dormi nada — mentiu ela.

— Eu a trouxe aqui porque o assunto é importante. Toda a nossa vida depende do que combinarmos agora.

— Você me assusta!

— Responda com sinceridade, você me ama mesmo? Não está se iludindo porque posso lhe dar tudo que deseja?

Mirtes olhou-o nos olhos e respondeu:

— Você acha que, se eu não o amasse, estaria saindo com você, contrariando minha família?

Ele a abraçou emocionado.

— Eu também a amo. Você entrou em meu pensamento e não consigo sequer pensar na possibilidade de perdê-la. Sou muito mais velho do que você, tenho idade para ser seu pai. Mas aceitaria se casar comigo?

— Casar?! Você está me pedindo em casamento?

— Estou, Mirtes. Desde ontem que não penso em outra coisa. Você quer?

— Quero.

Ele a beijou nos lábios com paixão. Depois disse sério:

— Antes preciso fazer uma confissão. Espero que compreenda.

— Fale.

— Eu amava muito minha esposa. Quando ela morreu, fiquei perdido. Ela deixou um vazio que nunca mais consegui preencher. A solidão me atormentava. Então conheci uma mulher com a qual tenho me relacionado. Sabe como é, um homem não vive só.

Mirtes retirou a mão que ele segurava, dizendo:

— Então existe outra!

— Não existe ninguém. Ela tem me ajudado a suportar meu vazio. Ontem tive certeza de que você conseguiu fazer-me esquecer meu amor da juventude. Quero ficar com você.

— Eu o amo e jamais concordarei em dividir seu amor com outra.

— Isso nunca acontecerá. Estou sendo sincero. Não precisava contar-lhe nada. Mas prometo que amanhã mesmo vou procurar essa mulher e acabar nosso relacionamento definitivamente. Aliás, desde que conheci você não tenho ido vê-la.

— Ela vai aceitar?

— Nunca lhe prometi nada. Dei-lhe um apartamento, joias, carro. Pretendo dar-lhe uma boa importância para que possa viver com conforto pelo resto da vida.

— Só nos casaremos quando esse caso estiver resolvido.

— Claro. Gostaria de formalizar o pedido com seu pai. Assim poderemos preparar tudo para o casamento.

— E seus filhos, vão concordar?

— Terão de aceitar. Pretendo comprar uma bela casa só para nós dois. Eles continuarão morando na mansão da família. Não quero levá-la

191

para morar naquela casa que guarda tantas lembranças de minha primeira esposa. Desejo fazer tudo para que sejamos muito felizes.

— Tenho certeza de que seremos.

— Amanhã mesmo falarei com seu pai e marcaremos a data. Casaremos o mais breve possível.

Mirtes hesitou e baixou a cabeça pensativa.

— O que foi? Está arrependida?

— Não. Casar com você é meu maior sonho. Mas acontece que... Você sabe... Somos pobres... Um casamento traz despesas.

— Não se preocupe com isso. Tudo correrá por minha conta. Se você quiser, seu pai não precisará mais trabalhar.

— Nada disso. Ele nunca aceitaria. Como eu disse, é um homem de honra.

— Fale com ele. Avise-o que amanhã à noite irei fazer o pedido.

— Amanhã não. Dê-me um pouco mais de tempo.

— Depois de amanhã, então.

— Está bem, depois de amanhã.

Ele a abraçou com paixão, beijando-a muitas vezes, depois a levou para o quarto. Humberto sentia-se o mais feliz dos homens.

Mirtes voltou para casa radiante. Finalmente conseguira o que desejava. Deixaria aquela vida de miséria e seria feliz.

Antegozava o prazer de contar à família. O que Mildred diria? Ela insinuara que só se prostituindo conseguiria ter dinheiro. Pois com o casamento estava provando que não só era capaz de tornar-se rica como de frequentar a melhor sociedade e ser respeitada. Era tudo que queria.

No dia seguinte, acordou na hora do almoço e foi à cozinha. Vendo-a, Estela considerou:

— Não vai tomar café agora. Já vou servir o almoço.

— O pai só voltará no fim da tarde, não é?

— É. Por quê?

— Preciso falar com ele. Assunto sério.

Estela parou de colocar a comida na mesa e olhou-a desconfiada.

— Se você estiver com algum problema, fale comigo. Não quero que perturbe seu pai.

— Não vou perturbar ninguém. Tenho ótimas notícias. Vou me casar!

Estela quase deixou cair o prato que segurava.

— Casar?! Como? Com quem?

— Vocês não o conhecem. É um homem fino, rico e muito respeitado.

Estela deixou-se cair em uma cadeira.

— Explique melhor essa história...

— Bem, o nome dele é Humberto. Nós nos conhecemos no jóquei-clube. Ele tem um cavalo de corrida. A família dele é muito respeitada em sociedade. Mildred o conhece bem.

— Mirtes, tenho certeza de que não ama esse moço, que vai casar-se por interesse. Não faça isso, minha filha.

Mirtes sorriu e comentou:

— Eu sabia que ia dizer isso! Não diria que Humberto é o amor da minha vida. Aliás, não acredito nessa história de amor. Humberto é um homem fino, de classe, educado e me ama muito. Não sabe o que fazer para me agradar. Eu o aprecio e sinto-me feliz ao lado dele. Estou decidida a casar com ele. Ninguém me fará mudar de ideia.

Estela suspirou resignada.

— Está certo. Nesse caso, desejo que seja feliz. Ele sabe da nossa situação financeira?

— Claro. Queria até que papai largasse o emprego, e ele sustentaria toda a família. Mas eu recusei. Sei que papai não aceitaria.

— Claro que não. Nem lhe fale uma coisa dessas.

— Humberto virá aqui amanhã à noite para pedir minha mão e marcar a data. Vamos nos casar o mais breve possível. Ele vai pagar todas as despesas. Papai não precisa preocupar-se com nada.

— Ele não vai gostar. Vai querer que você espere até que ele possa fazer a parte que cabe ao pai da noiva.

— Teríamos de aguardar muito tempo. Humberto não quer esperar. Está muito apaixonado.

No fim da tarde, quando Antônio e Alzira chegaram do trabalho, Mirtes não estava. Havia ido à casa de Mildred contar a novidade. Estela colocou-os a par do assunto, e Antônio não se conteve:

— Desde quando ela namora esse moço? Por que nunca nos disse nada?

— Não sei. Ela veio com essa novidade na hora do almoço. Estava alegre. Disse que ele é muito rico e respeitado, que ela vai frequentar a alta sociedade.

— Isso é tudo que Mirtes sempre desejou. Espero que ela seja feliz — disse Alzira.

— Ela saía e nunca dizia aonde ia. Vai ver que já estava namorando. Eu deveria tê-la apertado para contar o que estava fazendo.

193

— Pelo jeito, nada de mau — considerou Estela. — Eles vão se casar.

— Ainda bem. O futuro de Mirtes sempre me preocupou. Amanhã vamos conhecer nosso futuro genro.

— Conhecer e aprovar. Esse pedido vai ser formal, porque ela está decidida a casar-se com ele com ou sem nossa aprovação. Disse que o namorado está muito apaixonado e quer se casar o mais rápido possível.

— Esta história não está me cheirando bem...

— Qual nada, pai! Ela vai casar-se, ter dinheiro, como sempre quis.

— É, tem razão. Minha responsabilidade vai até o casamento.

— E casamento, meu velho, é como loteria: ninguém sabe o que vai dar. Agora vocês dois vão se lavar, que vou servir o jantar.

Eles riram e pouco depois se sentaram à mesa para comer. Mas o assunto, como não podia deixar de ser, foi o casamento de Mirtes.

CAPÍTULO 15

Humberto entrou no apartamento de Mercedes e encontrou-a na sala folheando uma revista. Vendo-o, ela se levantou dizendo:

— Até que enfim lembrou-se de que estou viva!

— Como vai, Mercedes?

— Como uma mulher solitária. Por que não me avisou que viria? Não providenciei nada para jantar.

— Não quero jantar. Vim aqui para conversar.

Ela o olhou desconfiada.

— Conversar?

— Sim. Sente-se.

Ele a puxou para sentar-se a seu lado no sofá e continuou:

— Gostaria que soubesse quanto tenho apreciado sua dedicação nestes anos em que me tem feito companhia. Você me ajudou a vencer os anos mais difíceis de minha vida e a superar a ausência de Emília. Sou muito grato por isso.

— Grato? Pensei que me amasse como eu o amo!

— Eu gosto muito de você. Aprecio suas qualidades, sua honestidade e seu desprendimento. Você tem sido uma boa companheira.

— Aonde deseja chegar? Por que está me dizendo tudo isso?

— Sempre fui muito sincero com você. Nunca lhe prometi nada, mas, apesar disso, você sabe que eu nunca a deixaria em uma situação difícil.

Mercedes empalideceu, seu rosto crispou-se dolorosamente.

— O que está acontecendo? Fale logo.

— Daqui para a frente, desejo que sejamos apenas bons amigos. Nosso relacionamento amoroso acabou.

Ela cobriu o rosto com as mãos e rompeu em soluços:

— Você quer dizer que não me ama mais? Vai ver que se apaixonou por outra. Bem que desconfiei. Ultimamente você esfriou comigo, não tem me procurado. Sabe há quanto tempo não fazemos amor?

— Por isso mesmo estou aqui. Não sinto mais vontade de fazer amor com você. Mas quero manter nossa amizade.

Ela soluçou por algum tempo. Quando se acalmou, ele a abraçou dizendo:

— Você é uma mulher bonita, cheia de qualidades. Vou dar-lhe uma quantia para que nada lhe falte pelo resto da vida.

— O que vou fazer sem seu amor? Todos estes anos tenho vivido para você. Diga-me: quem é a outra?

— Não se trata disso. Acontece que não desejo enganá-la. O que sinto por você transformou-se apenas em uma boa amizade. Não quero que se iluda pensando em um futuro a meu lado que nunca virá. Você, como eu disse, é uma mulher bonita, moça, e pode encontrar alguém que a ame como merece. Eu não sou esse alguém.

Mercedes tentou dissimular o desespero. Sabia que Humberto detestava cenas. Era preciso acalmar-se, estudar a situação, depois decidir o que fazer.

Respirou fundo e olhou-o nos olhos, dizendo triste:

— Pensei que fosse para toda a vida. Mas, se você quer assim, tenho de aceitar. Espero que me dê um tempo para me acostumar com a ideia.

— Você não entendeu. A partir de hoje, não precisa esperar-me mais. Amanhã mesmo colocarei em sua conta dinheiro suficiente para que continue mantendo o mesmo padrão de vida a que está acostumada. Não quero que nada lhe falte.

— Quer dizer que é definitivo?

— É. Tomei essa decisão depois de pensar muito, analisar meus sentimentos, e sei que desta vez acabou.

Mercedes abraçou-o e aproximou seu rosto do dele tentando beijá-lo. Humberto afastou-a delicadamente e ela reclamou:

— Vai acabar assim, sem um beijo de despedida?

— Vai. Não quero que você alimente nenhuma ilusão a nosso respeito.

Ela se recostou no sofá e fechou os olhos, tentando controlar a raiva.

— Seria interessante você fazer uma viagem, Mercedes. Há muitas excursões interessantes e divertidas. Como uma viagem de navio, por exemplo, onde todos os dias há uma festa.

Ela olhou-o tentando engolir a revolta. Controlando o tom de voz, respondeu:

196

— É. Talvez faça isso. Talvez apareça alguém, um novo amor. Não custa tentar.

Ele sorriu satisfeito. Ela parecia estar aceitando a situação com facilidade. Tirou o molho de chaves do bolso e colocou-o sobre a mesinha.

— Já? Isso quer dizer que não pretende nem voltar aqui. Pensei que viesse outro dia para arrumar suas coisas.

— Não se preocupe com isso. São apenas algumas peças de roupas e alguns objetos de uso pessoal. Se não quiser ficar com eles, dê para alguém que precise.

— Há alguns objetos de arte que você comprou em leilões.

— Tudo que há aqui é seu. Não quero nada. Só desejo que seja muito feliz.

Mercedes contraiu o rosto. Sentiu que as lágrimas estavam para cair. Tentou controlar-se, mas ainda assim elas desceram pelo seu rosto.

Ele a abraçou com carinho.

— Você vai me esquecer, Mercedes. Quando tudo passar, refletirá e verá que foi melhor assim. Em um relacionamento, o amor precisa ser recíproco. Do contrário, não vale a pena e causa sofrimento. Agora, preciso ir. Adeus, cuide-se, seja muito feliz. Se precisar de alguma coisa, telefone. Sabe que pode contar comigo.

Beijou-a levemente na face e saiu. Mercedes deixou-se cair no sofá em crise. Bem que desconfiara. Por que não pusera um detetive atrás dele? Ela não era um objeto que depois de usado é jogado fora. Humberto detestava ficar só; com certeza, havia arranjado outra.

Levantou-se e começou a andar de um lado para outro na sala. Tanta ingratidão era demais! Se ele pensou que ia livrar-se dela com facilidade, estava muito enganado.

Mas, antes de tudo, precisava acalmar-se, dar um tempo para aclarar as ideias. Nervosa como estava, não conseguiria raciocinar com clareza. Lembrou-se da ocasião em que ele pretendia casar-se com outra. Ela conseguira reverter a situação. Agora precisava fazer o mesmo. Mas, para obter sucesso, teria de se informar bem.

Decidiu tomar um banho de imersão para relaxar e pensar melhor no assunto.

***

Humberto deixou o apartamento aliviado. Ainda bem que Mercedes não fizera nenhuma cena e parecera aceitar a separação. Pensou em

Mirtes, e seu coração bateu mais forte. Estava apaixonado. Com ela, sim, seria uma união para toda a vida.

Ele havia cumprido todas as suas obrigações familiares. Fora bom marido. Na viuvez, cuidara dos filhos com dedicação. Sua vida fora sempre voltada à felicidade dos outros. Trabalho e família. Estava na hora de cuidar de si.

Mirtes era jovem e cheia de vida. Notou como seus olhos brilhavam quando estavam em lugares requintados. Ele também gostava disso e podia proporcionar-lhe tudo que desejasse.

Depois do casamento, trabalharia menos e se dedicaria ao lazer. Queria que Mirtes se sentisse feliz.

Na noite seguinte, conforme havia combinado, tocou a campainha da casa de Mirtes. Durante o dia havia mandado flores para a noiva e também para a futura sogra.

Mirtes abriu a porta e conduziu-o à sala onde a família reunida esperava. Depois das apresentações, enquanto Estela e as filhas deixaram a sala a pretexto de fazer um café, Humberto fez o pedido. Falou de sua viuvez, de sua situação financeira e do amor que sentia por Mirtes. E ficou esperando a resposta.

Antônio observava-o pensativo. Mirtes não lhe dissera que o noivo tinha idade para ser pai dela. Contudo, pareceu-lhe pessoa de bem. Falava de forma respeitosa, expressava-se bem. Via-se que era um homem experiente e sociável.

— Seu pedido surpreendeu-me. Acha que se conhecem o suficiente para chegar ao casamento?

— Sim. Eu e Mirtes conversamos muito sobre o assunto. Eu precisava ter certeza de que ela gosta de mim o suficiente para viver a meu lado pelo resto da vida. Senti que ela me quer bem. Farei tudo para torná-la feliz.

— Nesse caso, tenho prazer de aceitar seu pedido. Seja bem-vindo à nossa família.

O pai chamou a esposa e as filhas e anunciou o noivado. Depois dos abraços, Humberto colocou o anel de brilhantes no dedo da noiva. Estela foi à cozinha e trouxe uma bandeja com champanhe. Mirtes havia comprado tudo e fazia questão daquele brinde. Exibia orgulhosamente o caro anel, cujo brilho a fascinava. Estava feliz, realizada. Dali para a frente sua vida seria maravilhosa! Finalmente teria tudo o que sempre sonhara.

Depois do brinde, a pedido de Humberto, marcaram a data do matrimônio para dali a dois meses. Ele queria menos tempo, mas Mirtes disse que havia muitos preparativos. Ela desejava uma festa maravilhosa.

Embora ele preferisse algo mais discreto, concordou. Era a primeira vez que Mirtes se casava, e ela deveria ter tudo a que tinha direito.

Ela o acompanhou até o carro, onde combinaram algumas providências que tomariam no dia seguinte para começar os preparativos.

Quando ela entrou novamente em casa, o pai chamou-a para uma conversa. Sentaram-se no sofá enquanto Alzira e Estela discretamente foram para a cozinha.

— Há quanto tempo vocês se conhecem?

— Há alguns meses, papai.

— Casamento é coisa séria. Não acha que deveriam esperar mais algum tempo para se conhecerem melhor?

— Não. Humberto é um homem de bem, respeitado na alta sociedade. Você precisa ver! Quando entramos em algum lugar, todos se apressam em cumprimentá-lo. Frequenta os melhores lugares, e todos fazem tudo para agradá-lo.

— Deu para perceber que é um homem de bem. Mas tem a minha idade, poderia ser seu pai.

— O que tem isso? Ele me ama muito e seremos felizes.

— Mas e você? Gosta dele? Não estará seduzida pela posição social que ele ocupa?

— Eu gosto dele. Depois, eu sempre disse que só me casaria com um homem rico.

— Precisa considerar que ao passo que você é jovem e está na plenitude de seus sonhos e desejos, ele, ao contrário, já teve família, tem filhos adultos e talvez prefira levar uma vida mais pacata. Conheço você e sua disposição para festas e divertimentos. Acha que ele aguentará?

Mirtes riu bem-humorada. Era com isso que ela contava depois do casamento para poder divertir-se longe da presença dele.

— Os tempos mudaram, pai. Humberto é um homem moderno. Frequenta festas, diverte-se, tem muitos amigos. É bom que ele tenha filhos, assim não irá me incomodar querendo que eu os tenha. Não tenho vocação para cuidar de crianças. Seremos muito felizes, você vai ver.

— Faço votos de que isso aconteça.

Mais tarde, a sós com Estela no quarto, Antônio confidenciou:

— Ela está mesmo determinada. Lamento que não deseje ter filhos. Eu gostaria muito de ter netos.

— Eu também. Mas talvez ela tenha razão quanto a isso. Mirtes nunca teve paciência com crianças.

— É uma pena. Apesar de Humberto me parecer uma boa pessoa, esse casamento não é o que eu gostaria para ela.

— Mas é o que ela escolheu. Só nos resta aceitar e desejar que sejam felizes.

Uma vez no quarto, enquanto Alzira ia e vinha preparando-se para dormir, Mirtes deitou-se na cama ainda vestida e a cada pouco estendia a mão direita contemplando o anel embevecida.

Alzira deitou-se e pediu:

— Apague a luz, Mirtes. Amanhã preciso acordar cedo para trabalhar.

— Pois eu posso dormir até a hora que quiser. Se bem que amanhã vou sair com Humberto para ver uma mansão que ele quer comprar para nós. Terei de escolher tudo. Ele só vai fazer o que eu quiser.

— Espero que saiba o que está fazendo.

— Eu não disse que conseguiria? Você que é boba, sujeitando-se a um empreguinho pobre e sem futuro.

— Eu nunca me sujeitaria a um casamento por interesse.

— Diz isso porque está com inveja de mim.

— Apague essa luz. Vamos dormir.

Mirtes levantou-se, olhou em volta e disse contente:

— Dentro de dois meses estarei livre desta pobreza. Você ficará sozinha neste quarto. Faça bom proveito.

Rindo, ela apagou a luz e foi banhar-se no banheiro. Quando voltou, Alzira já estava dormindo. Deitou-se, mas o sono não veio logo. Não se cansava de pensar no que iria fazer com tanto dinheiro, que coisas compraria, como seria sua vida dali para a frente.

A partir daquele dia Mirtes se viu envolvida em um turbilhão de atividades. Humberto comprou uma mansão, e, enquanto ele se empenhava com o decorador para terminar de mobiliá-la dentro do prazo, Mirtes comprava um belíssimo enxoval.

Mildred, que nos últimos tempos afastara-se dela, tornou-se sua amiga íntima. Mirtes pedira-lhe que a ajudasse a organizar tudo. Queria que Humberto se orgulhasse dela. Não lhe bastava ser respeitada; queria ser admirada, ter classe, ser citada pelas revistas de moda como uma mulher elegante. Mildred tinha berço e traquejo social. Conhecia todo mundo.

***

No dia seguinte ao anúncio do noivado, Humberto reunira os dois filhos e comunicara-lhes seu iminente casamento. A notícia caiu sobre eles como uma bomba. O alívio que sentiram quando souberam que não era com Mercedes desapareceu ao saber que seria com uma jovem de vinte e cinco anos.

Mas Humberto não lhes deu chance de opinar. Relatou como um fato consumado, ao que o mais velho, Renato, considerou:

— Espero que tenha o bom senso de casar-se com separação de bens.

Os olhos de Humberto mostravam um brilho indefinível quando disse:

— Não se preocupem. Vocês não serão prejudicados. Depois de casado, irei embora com minha esposa. Vocês continuarão nesta casa. No sábado, ela virá jantar aqui para conhecê-los. Saibam que estou me casando por amor. Quero que a tratem com respeito e atenção. Até agora tenho me dedicado à família e aos negócios. Chegou a hora de pensar em mim. Desejo ser feliz os anos que me restam.

— Nem precisa dizer isso. Somos pessoas bem-educadas — respondeu Mauro.

— Você tem todo o direito de fazer de sua vida o que quiser. Só espero que tenha escolhido a pessoa certa — disse Renato.

— Escolhi, sim. É uma mulher linda, cheia de vida, alegre, bem-humorada. Sei que me fará muito feliz.

— Se ela for tudo isso mesmo, então terá nosso respeito. Mas, se não for…

Humberto olhou-o sério:

— Não vou admitir que vocês se metam em nossa vida. Por isso quero morar sozinho com ela.

***

Um mês depois, Marcelo passou na casa de Renata para buscá-la. Haviam combinado irem juntos a um novo curso no instituto. Assim que entrou no carro, ela o olhou séria e hesitou. Ele notou e perguntou:

— O que foi? Aconteceu alguma coisa?

— Tenho uma notícia de Mirtes, mas não sei como você vai receber.

— Sobre o namoro dela com o doutor Humberto de Morais? Já os vi juntos algumas vezes e não senti nada.

— É que eles vão se casar no mês que vem. Recebemos o convite hoje.

Marcelo estremeceu e Renata continuou:

— Eu sabia que você não ia gostar.

— Você está enganada. Eu me surpreendi porque não esperava que chegassem ao casamento.

— Vai ser uma grande festa.

— Do jeito que ela queria.

— Não está triste?

— Não. De certa forma sinto-me aliviado. Com esse casamento, ela tira um peso do meu coração.

— Por quê?

— Quando namorávamos, eu não consegui controlar-me e fizemos amor. Como fui o primeiro, senti-me culpado, cheguei a pedi-la em casamento. Mas ela recusou dizendo que só se casaria com um homem rico que pudesse dar-lhe joias e luxo. Ela é ambiciosa. Vendo-a com o doutor Humberto, temia que se tornasse sua amante e descambasse. Mas ela soube agir e levou-o ao casamento. Fico contente. Tirou-me um grande peso.

— Se é assim, a notícia foi boa.

— Ótima. Mas o doutor Humberto me parece ser uma boa pessoa. Ele não merecia isso.

Renata sorriu contente. Ao receber o convite de casamento, havia sentido o peito apertado. Não desejava que Marcelo sofresse. Ele dizia ter esquecido Mirtes, mas seria verdade? Não estaria se iludindo para não sofrer?

— O que foi, Renata? Você ficou pensativa...

— Você recebeu bem a notícia. Não sei se eu encararia dessa forma o convite de casamento de Rômulo.

— O quê? Você ainda pensa nele? Precisamos dar um jeito nisso. Tenho notado que tem estado mais alegre, caprichado na maquiagem, comprado roupas novas. Está cada dia mais bonita, cheia de vida. São sintomas de cura da paixão.

— Estou me sentindo muito melhor. Chego a esquecer que ele existe. Mas tenho medo da recaída.

— Ainda não esqueceu o que aconteceu no clube. Mas saiba que aquele acontecimento foi o começo da cura.

— Pode ser.

Chegaram ao instituto meia hora antes de começar a aula. Estavam no saguão conversando com Émerson e Laura quando Mildred se aproximou com um sorriso:

— Que bom vê-los! Foi ótimo encontrá-lo, Émerson. Quero justificar minhas faltas no curso.

— Pensei que tivesse desistido. Não veio nas três últimas aulas.

— Não desisti, não. É que tenho andado muito ocupada com os preparativos do casamento de Mirtes. Sabem como é: ela se tornou muito minha amiga. Vai casar-se com o doutor Humberto de Morais. Vocês já devem ter recebido os convites.

— Eu já recebi — disse Laura.

Mildred deu uma olhada intencional para Marcelo e continuou:

— Ela me pediu que a ajudasse com os preparativos do enxoval e da festa. Vocês não ignoram que a família dela não é do nosso meio e o doutor Humberto é um homem muito importante.

— Mirtes escolheu a pessoa certa para ajudá-la nos preparativos — considerou Laura sorrindo. — Ninguém conhece os costumes sociais como você. Tenho certeza de que será uma festa linda!

— Espero que compareçam! — disse ela satisfeita.

— Iremos com certeza — disse Émerson.

Mildred olhou para Marcelo e perguntou:

— E você, irá?

— Por enquanto não recebi nenhum convite.

Renata segurou o braço de Marcelo e disse com carinho:

— Nossa família foi convidada, você irá comigo. Só irei se você for.

Marcelo abraçou-a e beijou-a levemente no rosto.

— Estar com você é tudo que quero.

Mildred mordeu os lábios e tentou esconder a irritação.

— Mirtes fez questão de convidar você. Se ainda não recebeu o convite, deve estar para chegar. Vocês foram muito próximos. Ela preza muito sua amizade.

— Quanto ao curso — interrompeu Émerson —, talvez seja melhor você não continuá-lo. Já perdeu três aulas e estará ocupada até o casamento. Se desejar mesmo fazê-lo, posso transferi-la, sem nenhuma despesa, para outro que começará dentro de um mês.

— Eu gostaria de continuar neste.

— Eu prefiro que não. Você seria prejudicada. Essas aulas são essenciais para acompanhar as que faltam. Por isso, vou riscar seu nome da lista e posteriormente lhe direi a data do próximo.

— Mas hoje eu tenho tempo e vou ficar.

— Não será aconselhável.

— Está me mandando embora?

— Não. Estou lhe dizendo que você não terá elementos para acompanhar nossa exposição porque perdeu exercícios e considerações muito importantes para o aproveitamento da matéria. Por isso, é melhor ir embora e reiniciar o curso quando dispuser de tempo para não faltar.

Émerson falou sério e em um tom firme. Mildred, apesar de irritada, resolveu acatar. Afinal, ela estaria mesmo muito ocupada até o casamento. Ela fora lá apenas para dar a notícia a Marcelo e ver como ele reagiria.

— Está bem — respondeu. — Farei como diz.

Ela circulou mais um pouco, cumprimentou algumas pessoas e depois foi embora. Émerson respirou aliviado. Nos últimos tempos a presença de Mildred o incomodava.

Avesso a pensamentos negativos, ele procurara reagir tentando vê-la com bons olhos, mas quando ela se aproximava ele chegava a sentir aversão.

— Vou entrar, Laura. Quero me preparar para a aula.

Ele foi para a sala e Marcelo considerou:

— Gostei de como você reagiu à atitude de Mildred.

— Nem podia ser diferente. Saltava aos olhos que ela queria falar do casamento e ver como você reagia.

— É bem próprio dela — considerou Laura sorrindo. — Vocês continuaram com aquela brincadeira de fingir um namoro ou estão namorando mesmo?

— Está vendo, Marcelo? Você representou tão bem que até Laura acreditou.

— Eu não precisei representar, gosto mesmo de você.

Ao que Renata respondeu:

— Você é meu melhor amigo!

Laura afastou-se para cumprimentar uma amiga, e Marcelo olhou para Renata com seriedade.

— Eu a admiro. Sua sensibilidade e delicadeza de sentimentos me emocionam. Nunca encontrei ninguém como você.

Havia tanta sinceridade no tom de sua voz que Renata se emocionou:

— Eu também nunca encontrei um homem sensível e carinhoso como você.

A campainha soou avisando que a aula ia começar, e eles foram para o salão.

Sentaram-se lado a lado, e, embora prestando atenção às palavras de Émerson, ambos sentiam que havia uma cumplicidade agradável entre eles. Sentiam grande prazer de estarem juntos.

Mildred deixou o instituto irritada. Marcelo continuava namorando Renata, o que contrariava seus planos de conquistá-lo para provocar ciúme em Émerson.

Irritava-a também notar o carinho que havia entre Émerson e Laura. O noivado continuava. Tinha pagado o serviço de Pai Tomé havia muito tempo e nada de resultado.

Precisava procurá-lo. Se ele não conseguisse o que lhe prometera, iria pagar caro: ela o denunciaria à polícia. Ele não podia enganá-la daquele jeito e ficar impune.

Claro que não apareceria diretamente. Faria uma denúncia anônima. Mas, com as informações que daria, estava certa de que ele seria punido.

Esperaria até depois do casamento de Mirtes, que, sem a ajuda dele e sem nenhuma despesa, havia conseguido o que tanto queria.

A alegria de Mirtes impressionava-a. Em seus olhos havia um brilho de felicidade que a tornava mais bela. Humberto estava mais apaixonado a cada dia. Gastava sem reservas, atendendo a todos os caprichos da noiva, que escolhia tudo do melhor.

Os pais de Mirtes, vendo-a tão feliz, sentiram-se aliviados. Antônio não queria, mas Estela o convenceu a aceitar que Mirtes comprasse roupas para que todos da família comparecessem ao casamento devidamente vestidos.

Mirtes fez questão de que a mãe e a irmã no dia do casamento fossem atendidas no mesmo salão de beleza em que ela iria. Queria que toda a sua família aparecesse elegante.

No jantar a que Mirtes fora na casa de Humberto, notou a surpresa dos filhos dele ao conhecerem-na. Olharam-na com altivez, como se dissessem que sabiam que ela estava se casando por interesse.

Sentiu que os dois rapazes não viam com bons olhos o casamento do pai, muito menos com uma jovem pobre. Receou que eles tentassem causar empecilhos. Por isso, apesar de contrariada com a atitude formal e educada porém antagônica deles, adotou uma postura delicada, atenciosa e reservada.

Após o jantar, quando a levou para casa, Humberto tentou justificar a postura dos filhos.

— Espero que não leve a sério a atitude deles.

— Tive a impressão de que eles não desejam que você se case de novo.

— É verdade. Eles eram bem agarrados à mãe. Mudaram muito depois que ela morreu. Às vezes, penso que eles teriam preferido que fosse eu que morresse. Não me perdoam porque ela se foi e eu fiquei.

— Não diga isso. Eles estavam preocupados com sua felicidade. Afinal não me conhecem. Mas tenho certeza de que me aceitarão com o tempo. Farei tudo para que sejamos uma família feliz.

Humberto beijou a mão dela com carinho.

— Não sei o que seria de mim sem você. Não vejo a hora de tê-la para sempre a meu lado.

— Eu também não vejo a hora de tê-lo comigo. Vou fazer você muito feliz.

Mais tarde, sozinha em casa, Mirtes pensava que precisava tomar cuidado até o casamento. Sentia que os dois rapazes eram espertos. O mais velho, principalmente, pareceu-lhe muito observador. Precisava mostrar-se ardente, ingênua e confiante. Era esse o tipo de mulher que encantava Humberto.

Agora que experimentava o luxo e as facilidades que o dinheiro proporciona, estava disposta a tudo para levar seu plano adiante. Era preciso apenas um pouco mais de paciência. Faltavam só três semanas para o casamento.

A maravilhosa casa que haviam comprado estava sendo decorada. A lua de mel seria na Europa, onde permaneceriam durante um mês, tempo suficiente para que a casa estivesse pronta quando voltassem.

O telefone tocou, interrompendo seus devaneios. Era Mildred.

— Aonde você foi esta noite, que não apareceu? — indagou Mirtes.

— Fui ao instituto. Eu queria dar a notícia de seu casamento a Marcelo.

— É? E o que foi que ele disse?

— Bem, ele estava com Renata. Você sabia que eles continuam namorando?

— Isso não me importa em nada. Se um dia eu quiser que ele volte para mim, é só estalar os dedos.

— Eu não teria tanta certeza, minha querida. Ele nem ligou quando mencionei seu casamento.

— Pois eu tenho certeza que sim. Mas agora não posso pensar em nada. Tenho de ter cuidado. Os filhos de Humberto podem dar problemas.

— Qual nada! Humberto está louco por você. Mas fiquei irritada com Émerson. Ele continua com Laura.

— Bem que eu disse que aquele pai de santo não era de nada.

— Ele garantiu, e vou dar mais um tempo a ele. Se não der certo, ele vai se arrepender de ter me enganado.

— O que vai fazer?

— Na hora você verá. Mas amanhã precisamos sair antes do meio-dia. Temos muitas coisas para ver.

— Está bem. Passarei em sua casa.

Depois de desligar, Mirtes acomodou-se para dormir. Estava cansada porém contente. Finalmente as coisas estavam dando certo em sua vida.

CAPÍTULO 16

Mercedes atirou a revista no sofá com raiva. Então era isso! Humberto ia casar-se novamente. Há quanto tempo a estaria traindo?

Nervosa, apanhou a revista outra vez e olhou a foto na qual Humberto aparecia ao lado de uma jovem linda e muito bem vestida. Na legenda, a notícia do futuro casamento, da recepção e da viagem que fariam à Europa em lua de mel.

— Esse casamento não pode se consumar! Não vou permitir. Eles me pagam!

Sentiu a cabeça tonta e sentou-se no sofá. Precisava fazer alguma coisa, agir rápido, mas o quê? Faltavam quinze dias para o casamento. Era um tempo curto.

Da outra vez ela pedira ajuda a um pai de santo. O trabalho foi caro, mas valeu a pena. Um mês depois Humberto rompeu o noivado porque surpreendera a noiva com outro. Ele nunca soube que o outro era um ator de teatro contratado para conquistar a noiva e em seguida deixá-la.

Humberto voltou para os braços de Mercedes mais apaixonado do que antes.

Embora tenha usado o ator, Mercedes acreditava que o trabalho do pai de santo não só contribuíra para que a noiva se apaixonasse pelo amante, mas também fizera Humberto sentir-se atraído por ela como nos primeiros tempos.

Dias atrás, assim que Humberto decidiu abandoná-la, Mercedes foi novamente procurar Pai Joaquim e pedir-lhe ajuda.

Ele lhe dissera que Humberto rompera com ela porque estava noivo de outra, que só ia se casar com ele por interesse.

— Faça com que ele perceba isso e acabe com esse noivado.

Joaquim pensou um pouco e respondeu:

— Está difícil. Ele está muito apaixonado. Não vê nada. Só pensa em casar e ficar ao lado dela para sempre.

Mercedes sentiu sua raiva aumentar.

— Faça alguma coisa! Afinal, você é ou não um pai de santo?

— Eu sou, mas nem tudo dá para fazer. Em todo caso, vou tentar. Mas preciso de tempo.

Vendo a notícia na revista, Mercedes pensou em voltar a procurar Pai Joaquim, mas desistiu. Além de não saber se daria certo, ia demorar muito para surtir efeito. Ela precisava de alguma coisa mais forte, talvez um detetive profissional. Porém não conhecia nenhum e não queria arriscar-se perguntando aos conhecidos.

Decidiu comprar o jornal e procurar na seção de anúncios. Certa vez havia lido alguns classificados. Imediatamente saiu e comprou o jornal. Voltou para casa e iniciou a pesquisa. Encontrou três que ofereciam informações sigilosas, principalmente no campo afetivo. Satisfeita, ligou marcando uma hora. Queria ser atendida imediatamente, mas só conseguiu para a tarde seguinte.

Marcou com os três em diferentes horários. Queria escolher o melhor.

Os dois primeiros prontificaram-se a ajudá-la levantando informações sobre o casal, seguindo seus passos. Mas, quando ela disse que queria que eles fizessem alguma coisa para impedir o casamento, ambos se recusaram, alegando que não faziam esse tipo de trabalho.

Mercedes procurou o terceiro e disse logo:

— Vim procurá-lo porque preciso de seus serviços. Estou sendo traída pelo meu companheiro de tantos anos, que me deixou para casar-se com uma moça que tem idade para ser filha dele. Preciso de alguém que me ajude a impedir esse casamento.

— Nesse caso veio ao lugar certo! Tenho muita experiência nisso e tenho certeza de que a madame vai ficar satisfeita.

Mercedes sorriu e sentou-se. Contou-lhe tudo e finalizou:

— Temos pouco tempo. O casamento é em menos de duas semanas. O que você sugere?

— A madame sabe que um trabalho desses não é barato. Não trabalho sozinho. Tenho dois auxiliares.

208

— Estou disposta a pagar.

Combinaram um valor preliminar, porque ele alegava que precisava tomar conhecimento do caso mais de perto. Só depois de conhecer os hábitos do casal e os horários é que poderia sugerir as providências.

— Mas isso vai demorar. Não há tempo.

— Madame, para um trabalho bem feito e sigiloso, temos de ter as preliminares. Não se preocupe com o tempo.

— Mas não quero que se casem.

— Não se preocupe. Faremos tudo a seu tempo. Fique tranquila.

Mercedes deu as informações que ele lhe pediu e saiu de lá satisfeita. O detetive Sobral parecera-lhe muito eficiente. Agora, era esperar para ver o que ele faria.

Uma vez em casa, olhando o retrato de Humberto sobre a mesinha, disse convicta:

— Você quer se livrar de mim, mas não vai ser fácil como pensa. Desta vez vai me pagar caro.

Uma semana depois, Mercedes foi procurada em sua casa pelo detetive Sobral.

— Até que enfim você apareceu! — reclamou ela. — Cansei de ligar para seu escritório e nada, ninguém atendia. Cheguei a pensar que tinha sumido.

— A madame pensou mal. Sou um profissional honesto. Estive todos estes dias trabalhando para a senhora.

— E então?

— Bem, eu e meus assistentes ficamos de campana todo este tempo, dois com ele e um com ela. Eis o relatório de todos os passos que eles deram. A senhora pode ler.

Mercedes pegou as folhas de papel, passou os olhos e sentiu sua raiva aumentar:

— Não me interessa saber aonde foram nem o que fizeram, se passaram a noite juntos ou não. O que quero é saber o que vai fazer para impedir esse casamento.

— Bem, pensamos em armar uma cilada para a noiva. Na hora do casamento, aparecer na igreja um rapaz com um filho pequeno e dizer que foi um caso dela.

— Isso não vai pegar. Toda a família dela vai estar lá, e sabem que é mentira.

— Bem, podemos então sequestrar a noiva. Levá-la para bem longe.

209

— Isso é loucura. Humberto porá toda a polícia atrás de vocês e vamos todos parar na cadeia. Depois, ele ficará com ela do mesmo jeito.

Sobral coçou o queixo e tornou:

— Do jeito que ele está enrabichado com essa moça, só vai se separar se alguém der cabo dela.

Mercedes estremeceu. Pensou um pouco e respondeu:

— Não seria má ideia. Assim, ele nunca mais poderia voltar para ela.

— Mas nós não fazemos esse tipo de trabalho. Somos registrados e a polícia está sempre de olho no que fazemos. Mas eu sei de alguém que poderia fazer isso...

— É? Quem?

— Um conhecido meu. Ele mora no Mato Grosso. Vem, faz o trabalho e volta. Nunca ninguém conseguiu pegá-lo. Mas é caro.

— Dinheiro não importa. Eu pago. Mas é preciso que seja seguro. Não posso me envolver.

— Dinho é muito bom. A madame vai ficar satisfeita. Mas eu preciso de tempo. Onde ele mora não há telefone. Vou ter de viajar até lá.

— Mas o casamento é na semana que vem.

— Que diferença faz? Não vai dar tempo antes, mas ele faz depois.

— Eles vão viajar para a Europa em lua de mel e ficar lá um mês.

— Ótimo, assim Dinho terá tempo de planejar bem, conhecer o lugar e fazer tudo. O que a madame quer é tirar essa moça do caminho. Isso ele faz, eu garanto.

— Então está bem. Vamos ver quanto dinheiro precisa para ir até lá. Quero também saber quanto ele vai cobrar.

— Assim que eu conversar com ele, ligo para cá. Pode ficar sossegada que tudo sairá como deseja.

Depois que ele se foi, Mercedes sentou-se pensativa. Não estaria indo longe demais? Queria Humberto de volta, mas não havia pensado em chegar ao crime. Sentiu medo. Passou a mão pela testa e pensou: "Talvez fosse melhor ligar para o detetive e voltar atrás".

Mas ela não viu que uma sombra escura se aproximou dela, dizendo ao seu ouvido:

— Eles não pensaram em você quando a traíram. Eles estão felizes, enquanto você está sozinha, desprezada, jogada fora como um objeto que não serve mais.

Uma onda de rancor a acometeu:

— Eles não pensaram em mim, em meu sofrimento. Eu, que sempre fui sincera e o amei muito... Agora, que se cansou, me joga fora como se eu fosse um lixo. Não. Ele precisa sofrer a dor que estou sofrendo, perder o amor dela assim como perdi o meu. Aconteça o que acontecer, não vou voltar atrás. Eles vão pagar!

Sentia o peito oprimido, uma sensação desagradável. Concluiu que estava sofrendo e a culpa era só de Humberto.

***

No dia marcado, o casamento se realizou com toda a pompa que Mirtes havia planejado. A igreja estava cheia de pessoas da alta sociedade paulistana. Ela, lindíssima em seu vestido de seda pura; o noivo, elegante e carinhoso.

Depois realizou-se uma maravilhosa recepção na mansão de família de Humberto, no salão de festas luxuosamente decorado, tendo ao fundo os músicos que durante o jantar tocaram música suave.

Tudo estava muito bonito: a iluminação agradável, as flores, as mesas ao redor deixando no centro espaço para dançar.

Na mesa principal, os noivos sentaram-se ao centro; a família da noiva ficou ao lado do noivo, e os filhos dele ao lado da noiva. Mirtes olhava ao redor satisfeita. Tudo estava sendo maravilhoso.

Marcelo havia recebido convite e compareceu com a família de Renata, sentando-se com eles. O baile começou animado e Marcelo convidou Renata para dançar.

Volteando pelo salão, ela perguntou:

— E então, como se sente?

Ele riu satisfeito.

— Muito bem com você em meus braços.

— Não brinque, Marcelo, estou falando sério. Estamos sós e você não precisa fingir.

— Não estou fingindo. É verdade. O casamento de Mirtes não me incomodou nem um pouco. Continuo me sentindo aliviado por não ter de me preocupar mais com ela. E você? Como se sentiu encontrando Rômulo com Nora?

— A princípio constrangida. Depois passou. Acho que finalmente estou sarando.

— Claro que está. Vai chegar a hora que você vai questionar se um dia realmente o amou.

— Talvez.

Ele a enlaçou mais forte e entregaram-se ao prazer da dança com entusiasmo.

Antônio e Estela, sentados ao lado do noivo, sentiam-se pouco à vontade. Embora Humberto os tratasse com elegância e atenção, eles estavam constrangidos. Aquele não era o meio que estavam habituados a frequentar.

— Assim que terminar este jantar, vamos embora — disse Antônio baixinho a Estela.

— Precisamos ter paciência. Não fica bem sairmos logo. Teremos de ficar pelo menos enquanto os noivos estiverem aqui.

— Não conhecemos ninguém. Não estou à vontade.

— Eu também não. Mas precisamos esperar.

Alzira, sentada ao lado dos pais, olhava tudo admirada. Mirtes finalmente conseguira o que desejava. Apesar de apreciar a beleza do ambiente e a elegância das pessoas, não sentia inveja da irmã.

Ao contrário dos pais, sentia-se à vontade em seu vestido azul-noite, cujo corte elegante realçava seu corpo bem-feito. Estava portando belas joias — que Mirtes fizera questão de ressaltar que as estava apenas emprestando — e tinha consciência de que a maquiagem havia realçado a beleza de seus olhos amendoados e escuros.

Havia notado que por onde passava os rapazes voltavam-se para vê-la. Alzira sentia-se viva e seus olhos brilhavam de prazer.

A orquestra começou a tocar uma canção americana em voga.

— Vamos dançar?

Ela levantou os olhos e deu com Valdo, muito elegante, à sua frente.

— Vamos — respondeu ela, recuperando-se da surpresa.

Foram para o meio do salão. Depois de alguns instantes, ele considerou:

— Você dança muito bem. É leve como uma pluma.

— Faz tempo que não danço. Mas confesso que adoro dançar. Você também dança gostoso.

Ele riu bem-humorado:

— Como é isso de dançar gostoso?

— Fácil, agradável, prazeroso.

— Você está sendo uma surpresa muito agradável.

— Por quê?

— Nessas festas de casamento há toda uma espécie de cerimonial obrigatório, cansativo, difícil de aguentar.

— Veio dançar comigo para cumprir o cerimonial?

— Nada disso. Geralmente eu escapo. Com você estou dançando por prazer. Desde que a vi na igreja, desejei conversar com você. Preciso saber umas coisas.

Alzira estremeceu. Muitas vezes, depois que Mirtes marcou casamento, ela havia se perguntado como Valdo estaria se sentindo, caso estivesse interessado nela. Se a chamou à dança para falar de Mirtes, ela o deixaria sozinho no meio do salão.

Franziu o cenho e tornou:

— Se quer saber de Mirtes, pergunte a ela. Eu não tenho nada a dizer.

— Espere aí. Não estou entendendo… Você ficou zangada, e eu ainda não disse nada…

— É que não gosto quando os rapazes vêm falar comigo para especular sobre a vida de Mirtes.

— Mas não é sobre Mirtes que eu quero falar.

Alzira enrubesceu e perdeu o jeito.

— Desculpe. Eu pensei… Acho que não devia ter dito nada.

Ele a puxou mais para perto, dizendo-lhe ao ouvido:

— Você fica linda quando fica ruborizada.

Alzira respirou fundo, tentando controlar a emoção. Mirtes sempre dizia que Valdo era um conquistador contumaz. Não podia iludir-se com suas palavras. Depois de alguns instantes, ela perguntou:

— Sobre o que você quer falar?

— Vamos dar uma volta no jardim para conversar.

Valdo segurou a mão dela e conduziu-a para fora. Andaram um pouco por entre os canteiros e sentaram-se em um banco.

— Agora você vai me dizer por que tem me evitado.

— Eu?

— Você mudou comigo. Quando nos conhecemos era espontânea, transparente, natural. Depois passou a me evitar. Quando eu passo, finge que não me vê. Nunca mais me procurou nem sorriu para mim.

— É engano seu. Continuo a mesma.

— Não minta. Deve ter acontecido alguma coisa que a fez mudar. O que foi?

Ela pensou um pouco, depois decidiu:

— Preciso perguntar uma coisa.

213

— Fale.

— Você deu emprego a meu pai e a mim a pedido de Mirtes?

— Não. Eu gostei de você e a empreguei porque senti que estava com vontade de trabalhar. Com seu pai foi a mesma coisa. Não costumo empregar pessoas porque os outros me pedem. Há de convir que não posso gerenciar uma empresa tornando-a cabide de empregos dos amigos. Depois, nunca fui amigo de sua irmã. Nós nos conhecemos, temos nos visto porque ela é amiga de Mildred e frequenta os mesmos lugares que eu. É só.

— Eu não devia ter acreditado nela!

O rosto de Valdo estava sério quando disse:

— Sou muito exigente com o padrão de funcionários de nossa empresa. Depois, não iludo ninguém. Se eu achasse que vocês não tinham capacidade, teria sido sincero e os aconselharia a procurar outra coisa.

— Essa ideia me atormentou muito. Fiquei pensando que estava lá de favor. Não é um pensamento agradável.

— E por causa disso me ignorou. Agora vou me vingar de você.

— Vai me despedir?

— Não. Vou dançar a noite inteira com você. Não permitirei que dance com mais ninguém. Esse será seu castigo.

— Você tem o dom de me fazer ruborizar. Odeio quando isso acontece, mas não posso evitar — respondeu ela colocando ambas as mãos no rosto.

Ele segurou os pulsos dela e num ímpeto beijou-a nos lábios. O coração de Alzira disparou. Sentiu que ele a abraçava e a beijava longamente outra vez.

— Estava com vontade de fazer isso desde que a vi na igreja — disse ele.

— Não devia ter feito isso.

— Eu senti que você também gostou.

— Sim, gostei. Mas isso não me faz esquecer a distância que nos separa.

— Pois eu não vejo assim e quero que esqueça esse preconceito. Você me atrai, desperta em mim um sentimento novo, que eu nunca havia sentido antes.

Alzira sentiu um brando calor envolver seu corpo. Era provável que ele estivesse mentindo, que dissesse aquilo a todas as mulheres, mas era tão prazeroso ouvi-lo, estar ali com ele trocando beijos, que ela resolveu entregar-se ao prazer daquele momento. No dia seguinte pensaria no assunto, mas aquela noite era mágica, tudo convidava ao amor e à alegria de viver. Ela queria aproveitar.

Deixou-se ficar ali, aninhada nos braços dele, saboreando aquele instante de felicidade.

Em outro ponto do salão, Mirtes estava exultante. Humberto sorria vendo sua felicidade e atendia a todos os seus caprichos. Dançaram bastante. Ela havia bebido um pouco e sentiu calor.

— Vamos dar uma volta lá fora. Estou com calor.

— Está corada mesmo. Vamos tomar ar.

Os dois saíram andando pelos amplos jardins que rodeavam a mansão.

— Vamos nos sentar aqui, descansar um pouco. Está tão agradável! — pediu Humberto.

Sentaram-se e ele a abraçou contente olhando o céu estrelado.

— Amanhã estaremos em Paris. Quero mostrar-lhe todos os encantos da cidade-luz. Nossa vida será sempre assim, cheia de beleza e alegria.

— Você tem sido muito bom comigo. Estou me sentindo como uma rainha.

— Você é minha rainha.

Conversaram durante alguns minutos, depois Mirtes levantou-se:

— Vamos voltar ao salão. Não quero perder nada desta festa maravilhosa.

— Vamos. Precisamos continuar agradecendo à presença dos convidados.

De braço dado, foram dando a volta pelo jardim rumo ao salão. Foi então que Mirtes viu Alzira nos braços de Valdo. Seu rosto endureceu, ela estremeceu de raiva.

Valdo era seu sonho de amor, era o homem que ela queria que estivesse com ela ali, no lugar de Humberto. Como a insignificante Alzira o tinha nos braços?

— O que foi? Você mudou de repente. Aconteceu alguma coisa?

— Minha irmã. Está ali abraçada com Valdo. — Notando a estranheza dele, tentou dissimular a raiva: — É que ele é um conquistador. Namora todas e não valoriza nenhuma. Minha irmã me preocupa, é inexperiente, ingênua. Temo que se iluda.

— Você fala como uma irmã mais velha. Mas Alzira pareceu-me uma moça bastante sensata e equilibrada. Depois, Valdo pode ser namorador, mas é um excelente rapaz, um empresário de nome. Não vejo motivo para sua preocupação.

Mirtes sorriu, tentando controlar o que sentia.

— Tem razão. Não há nenhum motivo para preocupar-me. Vamos voltar à festa, dançar e aproveitar tudo a que temos direito.

Humberto sorriu contente:

— Isso mesmo. Quero ver você sempre sorrindo, feliz como agora.

Alzira viu quando Mirtes passou de braço com o marido e tentou afastar-se de Valdo. Ele a puxou novamente para perto dizendo:

— Não fuja de mim. Faz parte de seu castigo ficar em meus braços.

— É que Mirtes passou por aqui e não gostou. Conheço seu olhar.

— Você tem medo dela?

— Não. Mas sei que não gostou. Pode ir contar a meu pai.

— E o que tem isso?

— Ele não vai gostar. Você é o dono da empresa onde trabalhamos. Vai dizer que não posso misturar as coisas, que preciso saber o meu lugar etc.

— Pois eu vou dizer a ele que os tempos mudaram. As pessoas valem pelas atitudes, pela maneira como olham a vida, não pelo que possuem. Os bens materiais são transitórios. O que realmente tem valor é a competência que cada um possui para conduzir sua vida e ser feliz.

— Conquistar a felicidade é difícil. Há quem diga que não é coisa deste mundo.

— Depende de como você vê a vida e onde coloca seus objetivos. Geralmente as pessoas sonham, criam ilusões fora da realidade, colocam seu destino nas mãos dos outros e acabam desiludidas e infelizes.

— Explique melhor.

— Sua irmã, por exemplo, coloca os bens materiais acima dos valores do sentimento. Acredita que sendo rica, invejada, será feliz. Por isso está fazendo um casamento conveniente.

— Você fala como se ela fosse ser infeliz. Humberto é uma excelente pessoa. Conheço-o há pouco tempo, mas trata-se de um homem de valor, respeitado, que a ama muito.

— Concordo. Se ela souber valorizar as qualidades dele e seu amor, procurar agradá-lo com sinceridade, tem chance de ter uma vida boa, mas, pelo que tenho observado em Mirtes, ela está longe de satisfazer-se com uma vida tranquila. Ao contrário. É de temperamento ardente, ousado. Não sei se vai conformar-se com o que ele pode lhe dar.

216

— Sei que você uma vez foi ao cinema com ela. Deu para perceber tudo isso tendo saído apenas uma vez? Ou será que se encontraram mais vezes?

— Desculpe, não devia ter usado sua irmã como exemplo. Mudemos de assunto.

— Não. Agora que começou, vá até o fim.

— Uma vez convidei-a para sair porque ela me fixava quando nos encontrávamos ao acaso e tive vontade de conhecê-la. Fomos ao cinema e depois decidimos jantar. Comentamos sobre o filme, conversamos, e deu para notar quanto ela era ambiciosa.

— De fato, desde pequena sempre dizia que só se casaria com um homem rico. Depois desse cinema, vocês voltaram a sair juntos?

— Não. Sua irmã é muito bonita, chama a atenção, principalmente pelo brilho vivo do olhar, mas eu prefiro mulheres mais suaves, de sentimentos delicados, mais femininas. Meu temperamento nunca combinaria com o de uma mulher igual a ela. Depois, quando nos encontrávamos casualmente, em sociedade, eu observava seu empenho em detectar os possíveis candidatos ricos. Desculpe, não deveria falar assim com você. Aliás, nem deveria ter tocado neste assunto. Vamos esquecer.

— O pior é que eu penso como você. Não acho que Mirtes será feliz com esse casamento. Algum dia ela poderá vir a amar de verdade e então nem sei o que poderá acontecer. Tentei conversar com ela, pedir que não aceitasse, mas não consegui nada. Ela riu de mim. Disse que eu estava com inveja. Embora ela seja mais bonita e mais cortejada do que eu, nunca senti inveja dela. Sempre desejei que Mirtes fosse muito feliz.

— Você pensa muito diferente dela. Tenho certeza de que saberá conduzir melhor sua vida. Quem a fez crer que Mirtes é mais bonita do que você?

— Desde criança habituei-me a ouvir isso. Mas eu me sinto bem em ser como sou. Não trocaria minha vida com ninguém. Adoro meus pais. São pessoas boas, honestas, trabalhadoras. Educaram-nos com carinho, deram sempre o melhor que puderam. Meu maior desejo é torná-los felizes. Eles se amam, se respeitam. Em nossa casa o ambiente é de paz. Como você sabe, meu pai ficou muito tempo desempregado. Eu também não conseguia trabalho. Passamos algumas necessidades, mas isso não é nada, porque nos ajudamos e nos apoiamos. Esse ambiente de companheirismo, de compreensão e de amizade, vendo minha mãe procurando economizar, sorrindo, brincando com as dificuldades, foi um exemplo que nunca esquecerei. Isso para mim é mais importante do que tudo.

— Você está certa. Em minha casa estamos bem, nada nos falta. Podemos ter tudo que o dinheiro pode comprar. Mas nada nos agrada mais do que nos reunirmos em família e trocar ideias sobre nossas vidas, nossos desafios. Meus pais também se respeitam e vivem muito bem. Meu pai sempre foi um homem muito assediado pelas mulheres. É muito elegante, charmoso, elas dizem que ele é bonito, mas ele sempre resistiu ao assédio delas. Costuma dizer que quem tem a mulher que ama não precisa de mais nada. Entendo o que você quer dizer. Também acho que, quando temos a felicidade de viver em uma família que se entende e se quer bem, tudo na vida se torna mais fácil.

— Sempre pensei que o dinheiro favorecesse às tentações, tanto no campo afetivo quanto no profissional. Há pessoas que passam por cima de qualquer coisa para conseguir o que querem.

— Ilusão. Só ilusão. Gostaria que conhecesse Émerson. É como um irmão para mim. Ele tem um instituto onde ministra cursos maravilhosos, que ensinam a trabalhar com o emocional e o espiritual. Tenho aprendido muito com ele. Suas ideias sempre vêm ao encontro das minhas. Ele está na festa. Vou apresentá-lo a você.

— Gostaria de conhecê-lo. Você falou em trabalhar com o espiritual. Certa vez houve um problema com Mirtes, que chegou em casa passando muito mal. Foi no tempo em que estávamos desempregados. Nosso dinheiro havia acabado e não podíamos chamar o médico. Então, lembrei-me de uma vizinha, dona Isaltina. Ela costuma atender às pessoas. Reza e elas melhoram. É uma senhora muito boa. Não cobra nada.

— Interessante. Continue.

— Ela veio até nossa casa, rezou e nos mandou orar também. Passou as mãos sobre o corpo de Mirtes e em pouco tempo ela melhorou. Estava com enjoo, dor de cabeça, mal-estar, inquietação, e tudo cessou como que por encanto. Depois ela disse que precisávamos ir ao centro espírita onde ela trabalhava.

— Mirtes foi?

— Não. Dona Isaltina disse que meu pai precisava ir porque estava com as energias muito ruins. Mas ele não quis. Fomos eu e mamãe. Uma moça que nos entrevistou conversou com minha mãe de um jeito tão profundo que ela desabafou, chorou, depois se sentiu muito bem. Fomos então para o salão de passes e eu me senti como se estivesse flutuando. Nunca havia sentido uma sensação tão boa. Foi maravilhoso. Depois

218

disso tive vontade de ir a uma agência procurar trabalho e me indicaram sua empresa.

— No instituto, Émerson também ensina a trabalhar com as energias. Funciona mesmo.

— Dona Isaltina disse que meu pai logo encontraria trabalho. De fato, aconteceu. Agora vamos ao centro uma vez por semana. Tem nos ajudado muito. Acho que, se Mirtes tivesse ido, não teria entrado nesse casamento.

— Cada um escolhe o próprio caminho. Ela preferiu esse.

— Vou torcer para que seja feliz.

Conversaram ainda algum tempo e resolveram dançar mais um pouco. Logo na entrada do salão encontraram Émerson em companhia de Laura, Renata e Marcelo. Valdo parou e apresentou Alzira. Depois dos cumprimentos, ele contou que Alzira e os pais frequentavam um centro espírita, ao que Émerson tornou:

— É bom aprender a lidar com as energias que nos rodeiam e a saber que a vida continua depois da morte do corpo.

— Desde a primeira vez que fui lá me senti muito bem. Pareço flutuar. Saio leve, vejo luzes, sinto muita alegria e paz.

Émerson olhou-a sério e respondeu:

— Você conhece muitas coisas, seu espírito é muito lúcido. Eu me sentiria muito honrado se fosse nos visitar no instituto.

— Irei com prazer. É só me dar o endereço.

— Posso levá-la — ofereceu Valdo. — Será um prazer. Agora que já combinamos tudo, vamos dançar.

Depois que eles saíram, Marcelo disse contente:

— Gosto muito de Alzira. Ela sempre me consolava quando Mirtes me traía e eu me sentia arrasado. Ela conseguia me colocar para cima.

— Essa moça é um espírito muito evoluído. Feliz de quem puder viver ao lado dela.

— Não se parece em nada com a irmã — disse Renata.

— Realmente é muito agradável. Tem uma energia boa — ajuntou Laura.

— Você captou muito bem. Aonde ela vai, melhora o ambiente. Tem sentimentos puros. Foi por isso que a vida colocou Mirtes ao lado dela, para dar-lhe oportunidade de melhorar, de escolher melhor seu caminho. Vamos esperar que tenha aproveitado.

— Não sei — comentou Marcelo. — Mirtes sempre desfez da irmã, sempre a menosprezou. Dizia que ela era boba porque se contentava em viver na pobreza. Às vezes, eu sentia pena dela, por ter uma irmã tão maldosa. Apesar disso, estou certo de que Mirtes não conseguiu deixá-la triste nem mal-humorada. Alzira é lúcida e não se deixa impressionar pelas palavras dos outros com facilidade. Ela sabe o que quer e como quer. Apesar de ser disciplinada, cordata, ter boa índole, só faz o que quer, o que acha certo. O resto, ela joga fora.

— Gostaria de ser como ela — disse Renata, pensativa.

— Você é. Basta não se impressionar com o que os outros dizem — sugeriu Marcelo.

Todos riram e Laura considerou:

— Estou tentando fazer isso há meses. Será que um dia conseguirei?

Olhando Valdo e Alzira, que volteavam pelo salão em um samba animado, Émerson sorriu e concluiu:

— Acho que desta vez Valdo encontrou a mulher que vai colocá-lo no rumo que tem de ir. Agora vamos dançar, a festa está quase acabando e nós só iremos embora depois do fim.

Eles foram para o meio do salão e dançaram com entusiasmo, aproveitando o momento feliz que estavam vivendo.

CAPÍTULO 17

Alzira terminou o expediente. Apanhou a bolsa e foi à sala onde o pai estava trabalhando, como de costume. Vendo-a, ele disse:

— Não precisa me esperar. Hoje vou ficar um pouco mais. Preciso acabar este relatório. Avise sua mãe.

— Vai demorar? Posso ficar e ajudar, se quiser.

— Não é preciso. Não sei quanto tempo gastarei. Talvez uma hora ou duas.

— Está bem. Eu aviso.

Alzira ganhou a rua e foi andando devagar, observando o pôr do sol que coloria o céu formando desenhos caprichosos.

— Alzira, espere.

Ela se voltou e viu Valdo, que a seguia dentro do carro.

— O que quer?

— Falar com você. Espere.

Ele desceu e aproximou-se:

— Quero conversar com você. Vamos, vou levá-la até em casa.

— Obrigada. Não é preciso. O que deseja?

— Não seja mal-educada. Sou seu chefe. Deve obedecer.

O rubor coloriu as faces dela.

— É meu chefe para mandar em mim no que diz respeito ao serviço, dentro da empresa. Fora, sou livre.

— E se eu pedir por favor? Vai me ouvir?

Ela hesitou:

— Está bem.

Eles entraram no carro. Ele deu a partida e saiu em silêncio.

— E então? — indagou ela. — O que deseja?

— Já vai saber.

Andou mais um pouco e parou em uma rua discreta.

— Faz quinze dias que estivemos juntos no casamento de sua irmã. Naquela noite pensei que estivéssemos nos entendendo. Nós nos beijamos, você ficou em meus braços, dançamos. Achei que estivesse gostando de minha companhia. Mas, depois, mudou completamente comigo. Não atende ao telefone, na empresa me evita, finge que não me vê. Havíamos combinado ir ao instituto. Émerson perguntou por você. Eu mesmo não sei o que pensar.

Alzira suspirou e respondeu:

— O que aconteceu naquela noite foi especial. Acabou. Sou uma moça simples, não pertenço ao seu meio social. Sei o meu lugar.

— Isso é preconceito.

— Não. É realidade. Não tenho condições de frequentar um meio social muito acima de minhas posses, embora seus amigos sejam muito agradáveis, e tenho certeza de que não se prenderiam a isso. Mas eu não estaria à vontade.

Valdo sentiu-se constrangido.

— Desculpe, não pensei que se sentisse assim. Se não deseja ir ao instituto, é um direito seu. Mas não precisa me evitar por causa disso. Você não gosta de mim?

Alzira olhou-o firme nos olhos e disse séria:

— Não se trata de você. Estou apenas me protegendo. É minha maneira de ser. Você sabe que tem carisma, que as garotas disputam sua atenção. Você pode escolher entre as mulheres mais bonitas e famosas. Por que faz isso comigo?

— Porque eu nunca conheci nenhuma como você. Você me atrai. A seu lado me sinto alegre, bem-disposto, de bem com a vida. Fazia tempo que não me sentia tão feliz como naquela festa de casamento. Você diz bem: há muitas garotas me rodeando, esperando atenção. Mas elas não me dizem nada. Estou cansado do convencional, das mentiras de salão, das coisas de aparência.

— Isso passa. Logo estará como sempre foi.

— Por que está tão resistente? Do que tem medo?

— De me machucar, de me iludir. Você está curioso porque sou diferente. Só isso.

222

Ele a abraçou e beijou-a nos lábios. Ela retribuiu sentindo o coração disparar e o corpo tremer.

— Você também me quer! — disse Valdo triunfante. — Eu sinto que você estremece quando a toco.

Alzira não conseguiu responder logo. Sentiu vontade de abraçá-lo e entregar-se ao sentimento que a envolvia, mas procurou controlar-se.

— Você me pareceu corajosa, forte. Uma pessoa que sabe o que quer.

— E eu sou. Por isso tenho evitado você.

— Não. Coragem é entregar-se ao que sente sem medo. Nós sentimos uma atração forte um pelo outro. É cedo para saber se é amor, mas se não experimentarmos, nunca saberemos. Confesso que nunca senti por uma mulher o que estou sentindo por você. É algo muito bom, forte, não quero perder isso de jeito nenhum.

— Não sei o que dizer. Estou confusa.

— Não se sente feliz em meus braços?

— Muito. E gostaria de permanecer neles para sempre.

Valdo, emocionado, beijou-a longamente, várias vezes. Depois, acariciou-lhe os cabelos com carinho, aconchegando-a de encontro ao peito.

— Quero ficar assim, com você, sentindo essa emoção que não me recordo de haver sentido antes.

Alzira não resistiu mais: deixou-se ficar prazerosamente usufruindo daquele momento de felicidade.

Meia hora depois, Alzira lembrou-se:

— Preciso ir embora. Minha mãe deve estar preocupada. Sempre chegamos em casa no mesmo horário.

— Estaremos lá dentro de poucos minutos. Mas prometa que não vai mais fugir de mim.

— Prometo.

Ele a deixou na porta de casa e despediu-se com um beijo carinhoso. Alzira entrou e Estela perguntou:

— Escutei um barulho de carro. Aconteceu alguma coisa? Seu pai não veio com você?

— Não. Ele precisou fazer hora extra.

— E você, por que demorou?

— Fiquei conversando e me esqueci da hora.

Estela olhou-a e não disse nada. Era evidente que alguma coisa havia acontecido. O rosto de Alzira estava corado, perturbado, havia um brilho diferente em seus olhos. Quando a filha estivesse pronta para contar, Estela

223

ouviria, como sempre fazia. Não gostava de pressionar as filhas. Mesmo com Mirtes, cujo comportamento a preocupava, ela era discreta.

Quando Antônio questionava esse comportamento, Estela respondia:

— O que adianta pressionar? Elas só vão dizer o que quiserem. Prefiro que contem quando sentirem vontade, assim evito as mentiras.

Alzira, após o banho, estendeu-se na cama, pensativa. Recordando-se do que acontecera, sentia reviverem as emoções daqueles momentos. Valdo tinha um jeito especial de olhá-la que a encantava. Parecia um menino descobrindo a vida, cheio de alegria e vontade de viver.

Ao mesmo tempo, ela refletia que precisava ser mais realista. Ele não era esse menino ingênuo, mas um empresário que dirigia com capacidade uma grande empresa, um moço rico, instruído e habituado ao convívio na alta sociedade.

Era difícil acreditar que ele estivesse mesmo interessado nela, uma moça simples que ocupava em sua empresa uma posição humilde.

Mas ela notou como ele se emocionava quando a beijava. Percebeu o carinho com que a tratava, muito diferente dos rapazes que havia conhecido. Desde a adolescência, ela havia se sentido atraída por alguns jovens, iniciado namoro que invariavelmente terminava do mesmo jeito: eles desejavam mais intimidade do que ela permitia, aborreciam-se e terminavam.

Nos braços de Valdo ela se sentia bem, havia uma delicadeza de sentimentos que a encantava. Ela sabia que não ia conseguir resistir.

Estela bateu na porta do quarto.

— Você quer jantar agora ou vai esperar seu pai?

Alzira levantou-se, abriu a porta e respondeu:

— Estou sem fome. Acho que não vou jantar.

— Escutei barulho na porta. Seu pai deve estar chegando. Vou pôr a mesa. Venha pelo menos nos fazer companhia e comer um pouco.

Ela concordou e desceu. Não queria que a mãe notasse sua emoção. Era cedo para contar-lhe o que estava acontecendo.

Naquela mesma tarde, Mildred, sentada em confortável poltrona na sala de estar de sua casa, folheava uma revista. Na mesinha ao lado, pousavam alguns cartões que recebera de Mirtes, encantada com a viagem.

O fato de Mirtes conseguir o que queria havia feito com que Mildred passasse a admirá-la. Na revista deparou com uma reportagem sobre a viagem do casal e sorriu contente. Mirtes agora pertencia à mais fina sociedade.

224

Virou a página e empalideceu. Lá estava uma foto de Émerson com Laura, abraçados e sorridentes. A legenda dizia que haviam marcado o casamento para breve.

Isso não poderia acontecer. Ela não iria permitir. Atirou a revista longe, apanhou a bolsa e saiu. Tomou um táxi e foi até o terreiro de Pai Tomé. Estava furiosa.

Quando ele a recebeu, ela foi logo dizendo:

— Você me enganou. Tomou meu dinheiro e não fez nada. Émerson vai se casar em breve. Onde está seu poder?

Ele sorriu sem demonstrar preocupação.

— Calma. Estou trabalhando. É preciso esperar.

— Estou cansada de esperar. No casamento de Mirtes eles estavam aos beijos e abraços, e eu tive de suportar isso. Não aguento mais. Você precisa ser mais eficiente. Paguei o que me pediu pelo serviço. Tem de cumprir sua parte.

Ele sorriu e respondeu:

— Tenho tudo preparado. Eles vão se separar. Você vai ver uma coisa.

— Quando?

— No máximo dentro de uma semana.

— Tem certeza?

— Tenho. Sei o que estou fazendo. Você vai ver.

— Quero ver mesmo.

— Precisa ter fé.

— Vou esperar até a semana que vem.

Uma semana passaria depressa. Mildred saiu de lá com dor de cabeça e pensou: "É a tensão. Fiquei com muita raiva".

Ela não viu que dois vultos escuros a seguiram, colando-se a seu corpo.

Vendo-se a sós, Pai Tomé chamou seu ajudante e disse:

— Essa moça não é flor que se cheire. Ela pode nos causar problemas.

— Mas o Pai Tomé dá jeito nela...

— É. Vamos ver. Vou fazer aquele trabalho. Desta vez tem de dar certo.

***

Dois dias depois, Laura acordou e, ao levantar-se, sentiu forte tontura que a obrigou a segurar-se na cabeceira da cama. Assustada, sentou-se e esperou para ver se passava. Aos poucos a tontura diminuiu, mas

225

sentiu-se enjoada e inquieta. Um aperto desagradável no peito dava-lhe a sensação de que iria acontecer alguma desgraça.

Aos poucos seu estado foi melhorando, mas ela não conseguia afastar o medo e a preocupação. A empregada entrou no quarto e ela sentiu vontade de mandá-la embora. Controlou-se. Celina era uma moça boa e prestativa.

Ela se aproximou e perguntou:

— Está se sentindo bem? Está tão pálida!

Laura estremeceu e respondeu irritada:

— Deixe-me sozinha! Não se intrometa em minha vida!

Celina olhou-a assustada. Laura parecia outra pessoa. Saiu em silêncio.

Laura havia marcado um encontro com Émerson para a compra de alguns móveis que deveriam colocar na casa que haviam comprado e onde deveriam morar depois do casamento. Pensou em ligar para ele e suspender o encontro. Estava cansada, sentia o corpo pesado. Iriam outro dia. Telefonou para ele.

— Estou ligando para avisar que não iremos ver os móveis hoje. Acordei indisposta. Ultimamente temos saído muito. Pretendo passar o dia em casa descansando.

— Ontem você estava tão entusiasmada, cheia de ideias para essas compras.

— Mas hoje não estou.

— Vou passar aí para vê-la e conversaremos.

— Não. Hoje quero ficar sozinha. Preciso de paz.

— Está bem.

Émerson, pensativo, desligou o telefone. Ao atender a ligação, sentiu que uma onda de energia escura o envolveu e a cabeça começou a rodar. Reagiu com firmeza, procurando impedir que ela o envolvesse mais. Imediatamente foi ao salão de meditação, colocou-se em posição e começou a trabalhar mentalmente para libertar-se daquela energia. Nesse esforço permaneceu por mais de uma hora. Quando conseguiu afastá-la, permaneceu em observação para identificá-la. Percebeu que ele e Laura estavam sendo alvos de um ataque espiritual. Queria saber como e o porquê.

A imagem de Mildred apareceu novamente à sua frente, rodeada por alguns vultos escuros. Ele sabia que ela faria tudo para impedir seu casamento com Laura, mas que não tinha conhecimento para mandar aquele tipo de energia. Certamente havia procurado outra pessoa. Ele queria descobrir quem. Mas nesse momento seu guia espiritual surgiu à sua frente e ele se curvou reverente, saudando-o.

— O trabalho é pesado. Precisaremos de preparação e apoio para desfazê-lo. Suspenda o curso desta noite. Vou fornecer as instruções.

Émerson ouviu tudo atentamente. O guia finalizou:

— Todos deverão estar aqui às seis em ponto. Laura não vai querer vir. Terá de persuadi-la, porque está muito atingida.

— Farei tudo como diz.

— Muito bem. Conserve seu coração em paz. Confiemos em Deus. A força do mal nada é diante da luz. Vamos precisar de energias limpas e puras para podermos trabalhar. Eu gostaria muito, se fosse possível, que convidasse a namorada de Valdo. A energia dela seria muito importante.

Émerson agradeceu, levantou-se e ligou para a secretária do curso da noite pedindo-lhe para avisar os alunos que a aula havia sido suspensa e seria reposta na semana seguinte. Depois, tratou de convocar as pessoas indicadas, entre elas Marcelo e Renata.

Ligou para Valdo, que também havia sido indicado:

— Sua irmã sofreu um assédio espiritual e não está bem. Teremos de fazer uma reunião para ajudá-la, e meu guia pediu sua presença.

— Pode contar comigo.

— Também pediu uma coisa que não sei se será possível.

— O quê? — indagou Valdo, curioso.

— Disse para trazer sua namorada. A energia dela vai ajudar muito. Você está namorando?

— Estou apaixonado, se é o que quer saber. Seu guia está muito bem informado a meu respeito.

Émerson riu e respondeu:

— Eu não sabia, mas ele nunca se engana. Por isso dei o recado.

— Vou ver o que posso fazer.

Émerson ultimou todos os preparativos para a reunião e ligou para Laura. A empregada disse que ela estava deitada e dissera que não queria ser incomodada.

— Diga-lhe que sou eu.

— Vou tentar.

Émerson esperou alguns minutos.

— Bati na porta e disse que o senhor estava ao telefone. Ela gritou que não queria falar com ninguém, nem mesmo com o senhor.

227

Ele desligou. Precisava arrancá-la da cama e levá-la para a reunião na hora certa. De nada adiantaria ir até lá naquele momento. Preferiu recolher-se em sua sala de meditação.

Sentou-se no chão e começou a mentalizar Laura, tentando libertá-la daquelas energias.

De repente sentiu uma rajada forte de vento e viu um homem escuro, fisionomia endurecida, olhos metálicos, vestido com uma manta escura, parado à sua frente, olhando-o desafiadoramente.

Émerson esforçou-se para manter o equilíbrio e indagou em pensamento:

— O que você quer aqui?

— Vim avisar que não vai adiantar você ficar aí tentando nos mandar embora. Quanto mais interferir, mais iremos judiar dela. Tenho como mandá-la para o hospício. Por isso, pare de intervir.

— Você não vai fazer isso. Ela não merece. É protegida da luz.

— Se fosse, não a teríamos dominado. Agora pare com isso se não quiser que eu mande nossos homens aqui para acabar com você.

— Por que está com tanta raiva? Nunca fizemos nada contra você.

— O aviso está dado. Se ela piorar, a culpa será toda sua.

Ele mandou em direção a Émerson uma onda escura de energia e desapareceu. Émerson sentiu a cabeça rodar e precisou fazer grande esforço para reagir. Depois que conseguiu desvencilhar-se daquela energia, mentalizou forças positivas e sentiu-se melhor.

Como faria para levar Laura à reunião? Tinha certeza de que aqueles espíritos fariam tudo para que ela não comparecesse. Naquele instante, Émerson sentiu a presença de seu guia e ouviu:

— Procure manter o pensamento positivo. Quando chegar a hora, eu avisarei e você irá buscá-la. Vamos confiar.

Valdo desligou o telefone e mandou chamar Alzira em sua sala. Falou-lhe sobre o convite de Émerson.

— Você sabe do que se trata?

— Só sei que o encontro será às seis horas. Deve ser importante, porque Émerson suspendeu a aula desta noite para realizar essa reunião.

— Tem certeza de que ele se referiu a mim?

— Tenho. A única namorada que tenho é você. Aliás, Émerson não sabia que estamos namorando.

— Nem eu. Você não me pediu em namoro.

— Mas o guia espiritual dele sabia e falou em você.

— É curioso. Dona Isaltina costuma dizer que minha presença ajuda os trabalhos do centro. Mas eu não faço nada. Só me sinto muito bem, como se estivesse flutuando.

— Você vai comigo?

— Preciso avisar meu pai.

— Eu a levarei para casa depois. Ele pode ficar sossegado.

— Não sei se essa ideia irá tranquilizá-lo.

— Tenho trabalhado com ele, sei que confia em mim. Aliás, o trabalho que ele está fazendo é excelente. Meu pai me deu os parabéns por tê-lo contratado. Você fala com ele ou quer que eu fale?

— Pode deixar que eu falo. Ele tem ido ao centro e entenderá.

***

Meia hora antes das seis, Alzira já estava no carro de Valdo rumo ao instituto. Assim que chegaram, Marcelo recebeu-os, pedindo:

— Entrem naquela sala que está preparada. Fiquem em prece. Émerson precisa de suporte. Foi buscar uma pessoa.

Eles entraram na sala em penumbra, sentaram-se e permaneceram orando em silêncio.

***

Émerson chegou à casa de Laura. Seguindo instruções de seu guia espiritual, pediu à mãe dela que abrisse a porta do quarto, que estava trancado por dentro. A chave não encaixava e foi preciso introduzir uma espátula na fechadura e derrubar a chave que estava nela.

Émerson entrou e o quarto estava escuro. Laura estava deitada, dormindo profundamente.

— Laura, acorde. Sou eu.

Ela não acordou e ele a chamou novamente, elevando a voz. Nada. A mãe dela, impressionada, disse:

— O que está havendo? Esse sono não é natural. Será que ela ingeriu algum calmante?

— Vamos ajudá-la — respondeu Émerson segurando as duas mãos de Laura, tentando levantá-la.

Ela abriu os olhos, dizendo com voz pastosa:

— Quero dormir. Deixem-me em paz.

— Não. Reaja. Esse sono não é natural. Você tem de vir comigo.

Ela não respondeu e Émerson disse:

— Preciso levá-la ao instituto. É importante.

— Vou ajudá-lo — disse Almerinda, preocupada.

Émerson carregou a namorada até o carro e Almerinda acompanhou-os. Ele a colocou no banco de trás e pediu que a mãe dela a amparasse.

Chegaram ao instituto e imediatamente Émerson a levou até a sala de reuniões, onde o grupo esperava. Como ela não conseguisse permanecer sentada, Émerson apanhou um colchonete e deitou-a nele. Valdo levantou-se assustado, mas um gesto de Émerson o conteve.

— Vamos orar, meus amigos, confiantes na bondade divina que nos colocou aqui para este trabalho.

O silêncio se fez e durante alguns minutos eles permaneceram orando. Até que uma moça do grupo foi sacudida por estremecimentos e gritou colérica:

— Quem ousa intrometer-se em meus negócios? O que vocês pensam que são? Vão se arrepender desta intromissão.

— Continuemos orando — pediu Émerson.

— Não vai adiantar nada. É melhor desistirem.

— Quem vai pensar melhor é você. Obedecendo aos que lhe mandam, está complicando sua vida. Vocês nunca vão vencer o bem. No fim, terão de voltar atrás e refazer tudo que estão destruindo. Pense no sofrimento pelo qual terá de passar quando for chamado a responder por suas atitudes.

— Você está querendo me atemorizar. Somos fortes, ninguém vai nos vencer.

— Você é forte, mas está usando sua força contra a vida, e ela é soberana. Todos os que ficaram contra ela se arrependeram e choraram o tempo perdido. Pense bem. Neste momento está tendo a oportunidade de libertar-se do mal e trilhar um novo caminho de aprendizagem e progresso.

— Isso é mentira. Não confio em ninguém. A vida é um jogo de interesses em que vence o mais forte.

— Quem é mais forte? Você, que não sabe para onde vai nem de onde veio, ou a fonte de energia, que criou e administra o equilíbrio de tudo? Já pensou em como você está vulnerável ficando contra esse poder superior que pode fazer o que quiser com você?

— Senti fome e frio, e eles me socorreram. Trabalhar para eles é obrigação. Depois, eles me protegem. Sofri muita perseguição quando cheguei aqui.

230

— Porque criou inimigos durante sua passagem terrestre. Quando eles lhe pediram contas, em vez de reconhecer seus pontos fracos você desejou brigar ainda mais. Por isso foi usado pelos mercenários do astral, que oferecem proteção a troco de uma obediência servil e aviltante.

— Eles são meus amigos. Vão me apoiar sempre.

— E onde eles estão agora? Por que o deixaram sozinho neste momento em que está sendo chamado à responsabilidade de suas atitudes?

Ele manteve alguns segundos de silêncio, depois respondeu:

— Não sei. Eles sumiram.

— Eles o deixaram para assumir sozinho a responsabilidade do que fez.

— Não é possível. Onde estão? Vou me vingar, eles vão ver.

— Não incorra no mesmo erro. O momento é de auxílio. Se deseja melhorar de vida, terá de mudar sua atitude. O mal cobra um preço muito alto de quem se ilude mergulhando em suas malhas. Saia enquanto é tempo. Estamos recebendo a visita de amigos do plano superior que vieram para ajudá-lo.

— Estou me sentindo angustiado. Eu não creio nisso porque não mereço. Tenho andado errado. Eles não vão me aceitar.

— Eles vão dar-lhe uma oportunidade se você mudar sua atitude e escolher ficar no bem. Vamos orar juntos.

Émerson pediu à luz divina que iluminasse aquele espírito.

Quando terminou, a entidade rompeu em soluços. Quando se acalmou, disse:

— Obrigado pela ajuda. Estou me sentindo melhor. Antes de ir estão me pedindo para buscar o responsável por tudo. Cuidado com ele.

— Continuemos em prece — solicitou Émerson.

Depois de alguns instantes, um rapaz estremeceu violentamente. Sua cadeira, como que tocada por uma força invisível, foi ao chão. As pessoas assustaram-se e Émerson disse enérgico:

— Ninguém se mexa. Está tudo sob controle. Continuem em prece. Precisamos ajudar.

O rapaz estremecia no chão como se estivesse levando choques e gritou:

— Quem ousou invadir meu espaço? Que força é esta que tem esse poder?

— A força da luz divina — respondeu Émerson com voz serena.

— Onde estou? O que querem fazer comigo?

— Está sendo chamado a responder pelas suas atitudes. Chegou a hora de parar com suas bruxarias.

— Quem é você que me fala com autoridade? Não o conheço e não acredito em nada que está dizendo.

— É bom acreditar. O momento é muito importante. Você pensa que pode agir como se fosse Deus! Intromete-se na vida alheia, obrigando as pessoas a fazer o que você quer. Usa as forças da natureza, criadas para manter a vida, a serviço de seus interesses pessoais, vendendo ilusões, prometendo tudo sem o mínimo escrúpulo. Isto agora acabou. Chegou a hora de escolher.

— O que é isto, um julgamento?

— Um aviso. A maldade tem limites e a sua já atingiu o máximo. A vida está dando um basta, e daqui para a frente você não poderá mais prejudicar ninguém.

— Eu não prejudico. Ajudo as pessoas a conseguir o que desejam para serem felizes.

— Mentira. Você está apenas interessado em ganhar dinheiro. Explora os pontos fracos das pessoas em proveito próprio.

— Não tenho culpa se o que elas desejam não é bom. O que é isto? Quem são estas pessoas que me rodeiam com olhos de luz e fazem com que eu me sinta sem forças? O que querem?

— Terá de escolher. Ou se arrepende, desfaz todas essas bruxarias que mantém em seu terreiro, ou não voltará mais para seu corpo.

— Vão me matar? Eu não quero. Que horror! Eu não consigo voltar para o corpo. É mentira. Eu não morri! Quero voltar para o corpo agora. Esse corpo caído não é meu. Digam que não estou morto.

— Ainda não está, mas isso depende só de você.

— O que preciso fazer para retomar meu corpo?

— Primeiro libertar-me e a Laura, retirando todas as energias negativas.

— Está bem. Mas preciso voltar ao corpo para fazer isso.

— Deixe de mentiras. Você não precisa voltar ao corpo. Quem pensa que vai enganar? Vamos, faça a limpeza.

O rapaz sentou-se no chão, tossiu, esfregou as mãos e começou a resmungar em uma língua estranha. Depois de alguns minutos ele disse:

— Pronto. Os dois já estão livres. Agora quero retomar meu corpo.

— Antes temos de conversar.

A voz de Émerson estava modificada, mais forte e com ligeiro sotaque estrangeiro. Ele continuou:

232

— Há muitos anos que você desenvolveu sua sensibilidade e descobriu algumas forças da natureza. Porém, em vez de utilizá-las a favor do bem, enveredou pelo mal, desencarnando em péssimas condições. Durante anos no astral, antes de reencarnar, você recebeu esclarecimentos e prometeu que nesta encarnação usaria sua sensibilidade para ajudar o progresso da consciência. Porém, uma vez encarnado, cedeu às tentações ambiciosas e acabou enveredando novamente pelo caminho do mal. Assim, chegou ao limite do permitido. Só voltará ao corpo se prometer deixar o mal e comprometer-se com os que ainda se demoram no erro.

— Eu prometo. Nunca mais farei nada disso.

— Devo esclarecer que estaremos vigilantes. Ao primeiro deslize, deixará o corpo sem condições de regresso. Agora vá.

O rapaz estremeceu. Passou a mão pela testa, levantou-se um tanto desconcertado e sentou-se novamente. Émerson aproximou-se de Laura, que dormia, e colocou a mão direita sobre sua testa, dizendo:

— Volte, Laura. O perigo passou. Está tudo bem.

Ela abriu os olhos e, vendo o noivo ajoelhado a seu lado, abraçou-o assustada.

— Onde estou? Tive um pesadelo horrível.

— Calma. Acabou. Está tudo em paz.

Ele a ajudou a levantar-se. Ofereceu-lhe uma cadeira para que se sentasse. Depois murmurou comovida prece de agradecimento pela ajuda recebida e encerrou a reunião.

As luzes foram acesas e havia no rosto de cada pessoa uma indagação. Émerson explicou:

— Vocês nunca haviam participado de um trabalho deste nível. Isso mereceria uma aula especial, o que não é possível agora. Está todo mundo bem?

Eles acenaram que sim e ele prosseguiu:

— Esta noite vocês viram a incorporação de uma pessoa viva.

— Se ele não aceitasse a proposta, seria mesmo tirado do corpo? — indagou Marcelo.

— Não sei. É provável que sim. A morte é uma escolha. De um jeito ou de outro cada um escolhe o momento de ir. Embora não seja uma escolha consciente, o livre-arbítrio é sempre respeitado.

— Será que ele vai cumprir o prometido? — indagou Renata.

— Os espíritos que estavam aqui são de alta hierarquia e cumprem o que dizem. Vão acompanhá-lo e, se ele recomeçar com o mal, encontrarão meios de persuadi-lo.

233

— Eu não acreditava em bruxaria — considerou Valdo —, mas, depois do que vimos, não dá mais para duvidar. Laura chegou inconsciente, o que me assustou muito. Eles podem matar com uma magia dessas?

— Esse é um questionamento difícil de responder. Acredito que todos que vivem no bem sempre serão auxiliados e libertados. O problema pode ser com alguém que opta pela maldade e acaba tornando-se presa fácil desses espíritos. Eu confio na justiça divina e sei que não cai uma folha da árvore sem a vontade de Deus.

— Sempre pensei que as pessoas boas, que vivem no bem, jamais fossem envolvidas por essas magias. Pelo que entendi, a bruxaria era contra você e Laura. Vocês vivem só no bem, ensinando-nos a pensar positivo e fazer sempre o melhor que podemos. Por que foram atingidos?

— Para que aprendêssemos a lidar com essas energias. Todos nós estamos encarnados em um mundo onde há espíritos de vários níveis de conhecimento. Além disso, há aqueles que desencarnam e, presos aos interesses mundanos, não querem deixar a Terra, permanecendo no astral, circulando por este mundo, influenciando as pessoas. Para aprender a conhecer o teor das energias que nos cercam e desenvolver resistência às mais negativas, precisamos senti-las. Como são desagradáveis, desequilibrando o sistema nervoso, provocando vários sintomas físicos, reagimos procurando ficar bem. Assim, vamos nos tornando mais resistentes a essas energias. A sabedoria e o conhecimento têm o preço da experiência que cada um terá de pagar. Agora vamos embora. Outro dia falaremos mais sobre este tema.

Enquanto as pessoas saíam, Émerson aproximou-se de Alzira.

— Obrigado por ter vindo.

— Não sei por que me convidou. Estou envergonhada. Assim que me sentei na cadeira, adormeci e só acordei quando as luzes se acenderam. Não vi nada do que aconteceu. Acho que nunca mais vai me convidar.

Émerson sorriu e seus olhos brilharam quando disse:

— Você saiu do corpo e trabalhou muito. Gostaria de poder contar com você aqui no instituto.

— Mas eu não fiz nada. Tem certeza de que fui eu?

— Tenho. Você esquece tudo assim que volta ao corpo. Gostaria de ensinar-lhe alguns exercícios para que aos poucos se torne mais consciente.

— Quer dizer que eu me lembraria de tudo que você diz que eu fiz?

— É. Se quiser, posso ensinar. Você precisa fazer uma iniciação espiritual. Os espíritos que a acompanham são muito iluminados.

— É por isso — tornou Valdo — que eu me sinto tão feliz ao lado dela.

— Vocês serão muito felizes juntos.

Eles saíram de mãos dadas, e seus olhos brilhavam de felicidade.

Depois que todos se foram, Émerson abraçou Laura, dizendo:

— Felizmente acabou tudo bem.

— Por que fizeram isso comigo?

— Queriam nos separar, mas ninguém vai conseguir. Você é a companheira que escolhi para viver pelo resto da vida.

Almerinda aproximou-se, dizendo:

— Laura precisa alimentar-se. Não comeu nada hoje. Deve estar se sentindo fraca.

— Não estou, não, mãe. Mas meu estômago está avisando que quer comer.

Eles riram. Émerson apagou as luzes e saíram abraçados. Estavam alegres e em paz.

CAPÍTULO 18

Uma semana depois, Mildred levantou-se decidida a procurar alguns amigos e tentar descobrir se havia alguma novidade com relação a Émerson e Laura.

Tomou café e foi ao clube.

Encontrou duas conhecidas estendidas ao lado da piscina. Aproximou-se e puxou conversa. A certa altura, uma delas, olhando maliciosa para Mildred, disse:

— Você já recebeu o convite de casamento de Émerson?

Mildred empalideceu e procurou controlar-se:

— Convite? Li na revista que marcaram a data.

— Ontem, à tarde, recebemos o convite. Será dentro de três semanas.

— Não, ainda não recebi.

— Ontem à noite estive na casa de Laura e estavam felicíssimos. Compraram uma casa maravilhosa! Vocês precisam ver a decoração!

Mildred esforçou-se para controlar-se. Pelo jeito, Pai Tomé não havia conseguido nada. Fora ingênua dando-lhe dinheiro, acreditando que tivesse algum poder. Aquilo não podia ficar assim. Ele teria de devolver seu dinheiro ou ela o denunciaria. Sabia como fazer isso sem aparecer.

Logo protestou um compromisso e saiu. As duas moças trocaram olhares maliciosos:

— Viu como ficou descontrolada? Eu não disse que ela ainda gosta dele?

— Vi. Saiu furiosa. Pobre de quem cruzar com ela hoje.

— Do que Émerson se livrou! Laura é tão diferente!

— É mesmo. Com ela ele será muito feliz.

Mildred deixou o clube e dirigiu-se imediatamente ao terreiro de Pai Tomé. Uma vez lá, tocou a campainha, mas ninguém atendeu. Bateu palmas e nada. Tentou olhar pelo buraco que havia no portão de madeira e não viu ninguém.

Resolveu aguardar um pouco. Foi para o carro e ficou meia hora esperando, mas ninguém apareceu. Desceu e foi tocar novamente a campainha. Um rapazinho que passava aproximou-se:

— Moça, está procurando Pai Tomé? Ele foi embora.

— Como foi embora? Para onde?

— Ninguém sabe, não, senhora. Ele fez a mudança à noite. Foi embora sem se despedir de ninguém.

— Aconteceu alguma coisa?

— Não sei. O fato é que ele estava apressado. Disse que não ia atender mais ninguém.

— E os companheiros dele, também foram?

— O que sei é que todos sumiram. Não vai adiantar esperar.

Mildred voltou para o carro nervosa. Fora enganada. Nem sequer tinha como desabafar a raiva. Sentia a cabeça doendo, o estômago enjoado e um gosto amargo na boca.

Precisava fazer alguma coisa para impedir aquele casamento. Mas o quê? Durante o trajeto de volta, tentou pensar em algo viável, mas não conseguiu.

Uma vez em casa, decidiu aproximar-se do casal para ver se conseguia ter alguma ideia. Naquela noite, iria ao instituto a pretexto de informar-se sobre os cursos.

Chegou lá pouco antes das oito e dirigiu-se à secretaria, olhando em volta para ver se via um dos dois que lhe interessavam.

Naquele momento, Émerson estava em sua sala, analisando alguns documentos. De repente, sentiu uma onda de energia desagradável. O rosto de Mildred surgiu em sua mente. Imediatamente ligou para a secretaria, dizendo:

— Está aí com você uma moça chamada Mildred?

— Está.

— Preciso falar com ela. Encaminhe-a até minha sala.

A secretária desligou e voltou-se para Mildred:

— Émerson deseja falar com você. Pediu-me para acompanhá-la à sala dele.

Mildred sentiu-se agradavelmente surpreendida. Seria uma boa oportunidade para descobrir o que desejava. Acompanho a moça de bom grado.

A secretária bateu levemente na porta, abriu-a e Mildred entrou.

— Como vai, Émerson? Que prazer vê-lo!

— Entre, Mildred. Quero conversar com você. Sente-se.

Ele apontou uma cadeira em frente à sua mesa. Esperou que ela se acomodasse e continuou:

— Posso saber o que veio fazer aqui?

— Informar-me. Pretendo inscrever-me em algum curso.

— Várias vezes você esteve no instituto. Assistiu a palestras, aos cursos, mas não aprendeu nada. Acho que agora não temos mais nada para oferecer-lhe.

— Como assim?

— Não vou aceitar você em nenhum de nossos cursos.

Ela se levantou irritada:

— Por quê? Eu posso pagar como qualquer pessoa.

— Sente-se e escute. Vou dizer-lhe por que tomei esta decisão. Você vem aqui, mas não está interessada em aprender. Anos atrás, antes de minha viagem para o exterior, fui muito franco com você. Expliquei-lhe por que estava terminando nosso namoro. Eu senti que não desejava me casar com você. Não lhe dei nenhuma esperança de reatar algum dia. Apesar disso, quando voltei, notei que você ainda alimentava essa ilusão.

— Eu sempre o amei!

— Só que eu nunca alimentei esse seu sentimento. Descobri que amo Laura. É com ela que desejo viver pelo resto dos meus dias. Mas você não se conforma com isso. Quer a todo custo nos separar, acreditando que ainda tem alguma chance comigo. Mas não há nenhuma possibilidade.

— Como pode dizer uma coisa dessas? Não posso evitar sentir esse amor.

— Nós somos muito diferentes, Mildred. Nunca seríamos felizes juntos.

— Está sendo injusto comigo. Eu quero aprender o que você ensina. Por que não me deixa frequentar o instituto?

— Porque se você houvesse aproveitado o que aprendeu aqui não teria ido à procura de um pai de santo para nos prejudicar. Saiba que os favores desses espíritos desequilibrados e interesseiros têm um preço muito alto que um dia terá de pagar.

— Quem lhe contou? Acho que foi a boba da Mirtes. Ela passou mal, ficou com medo e veio atrás de você. Só pode ser isso!

— Então Mirtes sabia! Mas não foi ela quem me contou. Saiba que tenho amigos espirituais que me protegem. Foram eles que me contaram tudo. Devo esclarecer que aquele pai de santo não vai mais atrapalhar a vida de ninguém. Deixou definitivamente de fazer suas bruxarias.

Mildred empalideceu e sentiu as pernas bambas. O ar faltou-lhe e ela pensou que ia desmaiar.

Émerson apanhou um copo de água e ofereceu-o a ela, dizendo:

— Beba. Estou lhe contando a verdade para ajudá-la. Não lhe desejo mal. Quero que pense bem no que estava fazendo e nos riscos que corre envolvendo-se com forças negativas que não conhece. Isso poderá custar-lhe muito caro. Por outro lado, analise sua vida, perceba quanto tempo perdeu alimentando uma ilusão que só lhe trará tristeza. Você é jovem, bonita, tem classe. Não perca seu tempo, sua juventude, esperando alguma coisa que nunca acontecerá.

A atitude inesperada de Émerson deixou Mildred chocada a tal ponto que lágrimas começaram a descer pelas faces pálidas. Émerson continuava:

— Pense, Mildred. Cuide de você, de sua vida. Não espere nada dos outros. Aceite o possível e procure dentro de você, de seu coração, coisas que lhe deem prazer. Você é um espírito eterno. A vida a criou para a felicidade, mas essa é uma conquista que depende de você. Só de você. Procure me esquecer, pois nunca voltarei para você. Agora pode ir. Desejo que seja muito feliz.

Mildred apanhou a bolsa, pegou o lenço, enxugou as lágrimas, depois se olhou no espelho, retocou a maquiagem, guardou tudo e levantou-se.

— Você está me mandando embora. Nunca pensei que fosse capaz disso.

— Para nós, neste momento, é melhor ficarmos separados. Se um dia a vida nos reunir novamente, espero que estejamos melhor e que nossa convivência seja mais agradável.

Ela não respondeu nada. Virou-se e saiu. Vendo-a, ninguém diria que havia chorado nem que fora desmascarada. Contudo, por dentro, ela estava chocada. Olhar de frente para a própria maldade é doloroso e difícil. Encarar as consequências do erro colocadas claramente pode ser desagradável, mas sempre será proveitoso.

No trajeto de volta, ela não conseguia esquecer as palavras de Émerson. Como ele havia descoberto tudo? Só poderia ter sido Mirtes. Como ela pôde ter sido tão traiçoeira? Dizia-se sua melhor amiga e a traíra pelas costas.

Lamentou que ela estivesse ausente. Porém não lhe perdoaria aquela atitude. Por mais que negasse, só ela poderia ter contado. Não acreditava naquela história de que um espírito houvesse dito.

Émerson usara tal desculpa para proteger Mirtes. Poderia até ser que algum conhecido a tivesse visto indo ao terreiro. Mas, ainda assim, como ele poderia saber por que ela fora lá?

240

Émerson afirmara que Pai Tomé nunca mais atenderia ninguém. Era possível que a polícia estivesse sabendo do caso.

Mildred continuava questionando sem ter certeza de nada. Quando Mirtes voltasse, teria de contar-lhe o que sabia.

Sua cabeça doía e as indagações misturavam-se a tal ponto que, ao chegar em casa, ela procurou um comprimido e foi deitar-se. Em um ponto Émerson estava certo: ela havia perdido os melhores anos de sua juventude esperando por ele, acreditando que um dia ele voltaria.

O que fazer de sua vida agora, depois que ele afirmou de maneira tão categórica que nunca mais voltaria? Como retomar as ilusões dos tempos de juventude e procurar um outro amor?

Diante do espelho, no quarto, examinou-se friamente. Estava um tanto pálida, abatida, mas era bonita, elegante, tinha classe, dinheiro. Por que se prendera tanto a um amor que ele nunca sentira por ela?

A dor da rejeição machucava, e Mildred sentou-se na cama, chorando copiosamente. Não se lembrava de haver chorado tanto antes. Quando as lágrimas secaram, sentiu-se cansada. Encheu a banheira, colocou sais perfumados na água, despiu-se e sentou-se dentro dela.

Era agradável ficar assim, e ela se lembrou de que quando era criança sua mãe costumava deixá-la tomar um banho desses em sua banheira cheia de sais perfumados. Ela considerava aquilo um presente. Era como se ela fosse a mãe, a dona daqueles aposentos, os mais luxuosos da casa.

De repente, uma dúvida acometeu-a. Se houvesse casado com Émerson, seriam felizes juntos? Ela não gostava das ideias dele nem do tipo de vida que ele levava. Não tinha paciência para ouvi-lo falar de seus estudos nem de seu instituto.

Reconheceu que odiava aquele instituto. Aos poucos foi percebendo que eles eram mesmo muito diferentes. Ela amava o jovem adolescente que conhecera anos atrás, não o homem que ele havia se tornado.

Ele não era como ela gostaria que fosse. Reconhecia isso. Essa ilusão havia infelicitado toda a sua vida. Por causa dela, nunca olhara para os rapazes que a procuravam, nem aceitara a corte de ninguém. Havia se fechado prisioneira de uma ilusão, de um sonho infantil que nunca se tornaria realidade.

Naquele momento percebeu a verdade que havia nas palavras que Émerson lhe dissera. Agora precisava dar novo rumo à sua vida. Talvez uma viagem lhe fizesse bem. No dia seguinte iria a uma agência de turismo. Passar uma temporada em Nova Iorque seria interessante. Ela gostava de diversão, movimento. Talvez Los Angeles ou Las Vegas.

Permaneceu na banheira fazendo planos de viagem até sentir sono. Depois enxugou-se, colocou o pijama e deitou-se. Estava tranquila, a dor de cabeça havia passado.

Ajeitou-se e dormiu logo. Sonhou com dois homens de fisionomia desagradável que conversavam com ela.

— Você não pode desistir assim — disse um deles.

— Não é justo — emendou o outro. — Depois de tudo que você passou estes anos todos, agora vai deixar que ele se case e seja feliz com a outra?

— Você precisa lutar pelo seu amor.

Mildred olhou-os séria e respondeu:

— Deixem-me em paz. Agora quero cuidar de minha vida. Chega de perder tempo. Vou cuidar de minha felicidade.

— Sua felicidade está com ele — respondeu um.

— Isso mesmo. Nós podemos ajudar você.

Ela deu de ombros e respondeu:

— Não adianta. Não dá mais. Ele não serve para mim. Eu estava iludida.

— Somos amigos de Pai Tomé. Ele desistiu, mas nós não. Continuamos trabalhando para você.

Mildred olhou-os, sacudiu a cabeça e deu uma gargalhada.

— Não acredito em espíritos. Isto é um sonho. Vocês vão sumir e nunca mais me apareçam, porque não acredito. Nunca mais vou procurar um pai de santo. Chega! Eu não estou aqui para ser enganada.

— Você pediu, nós ajudamos. E agora você tem de retribuir. Não vai se ver livre de nós assim.

Mildred olhou-os com raiva e gritou:

— Vou. Vocês vão embora. De hoje em diante não vou alimentar nenhuma ilusão. Espíritos não existem. Sonho é ilusão. Deixem-me em paz. Eu não devo nada a ninguém. Pai Tomé não fez nada, não tem nenhum poder. Eu não lhes devo nada. Agora vão embora!

Mildred disse isso com tanta força que os dois foram arremessados longe. Enquanto ela se afastava, um disse ao outro:

— É melhor irmos embora de vez. Essa é páreo duro. Não vai nos obedecer.

— É. Vamos procurar outra. Ela deu nó até em Pai Tomé. É melhor irmos embora mesmo.

Os dois se afastaram e Mildred continuou dormindo tranquila.

No dia seguinte, acordou descansada. Fazia tempo que não se sentia tão bem.

Levantou-se disposta a programar sua viagem. Abriu as janelas do quarto aspirando com satisfação o perfume das flores que vinha do jardim.

A lembrança do que acontecera na véspera apareceu de repente em sua mente, provocando certa tristeza.

"É natural" — pensou —, "mas a partir de hoje tudo será diferente. Não quero me sujeitar a um casamento e às obrigações de criar uma família. Vou aproveitar a mocidade, divertir-me, participar das coisas com interesse, descobrir novamente o prazer de viver".

***

Na tarde anterior, depois que Mildred saiu de sua sala, Émerson ligou para Laura combinando ir buscá-la dali a uma hora. Os preparativos para o casamento iam adiantados e eles precisavam ver como andava a decoração da casa. Com alegria, eles examinaram tudo na mansão em que iriam viver depois do casamento.

Estava escurecendo quando saíram de lá e Émerson convidou-a para um lanche em uma confeitaria. Enquanto comiam, Laura tocou no assunto que a incomodava:

— Não me conformo com o que me aconteceu. Sempre fui uma pessoa equilibrada. Não podia ter me deixado dominar daquele jeito.

— Há coisas que ainda temos dificuldade para explicar. Esqueça isso, já passou. Você me parece bastante bem.

— Fisicamente, sinto-me bem. Porém estou fragilizada. Não sabia que era tão vulnerável.

— A magia foi feita para mim, e não foi a primeira vez.

— Você não me disse nada.

— Nesses assuntos, o melhor é não dar importância e buscar proteção. Como eu reagi, busquei ajuda espiritual e consegui anular, eles foram atrás de você, que não estava treinada como eu na identificação dessas energias.

— Eles pretendiam me matar?

— Eles queriam nos separar. Um amigo espiritual que nos protege avisou-me e ensinou como anular essas energias.

— Fiquei sem forças. Não conseguia pensar, só queria dormir. Mas era um sono desagradável, pesado.

— Era um transe hipnótico.

— Você disse que aquilo foi feito por um pai de santo encarnado. Como é que ele teve tanta força?

— A força deles é aparente. O mal vive de ilusões, explorando os pontos fracos e as crenças das pessoas.

— Depois de haver estudado tanto as energias, não consegui resistir.

— Quando estamos estudando o mundo das energias e suas influências, a vida nos permite vivenciar essas experiências para aprendermos como funcionam e como nos tornarmos imunes a elas.

— Quando eu ignorava o assunto, não sentia suas influências.

— Ninguém é imune a elas. Claro que, desenvolvendo a sensibilidade, você as percebe mais. Quem desconhece o assunto, ao sentir essas influências, pensa que está doente fisicamente. Recorre aos médicos, toma remédios.

— É por isso que em muitos casos os médicos não encontram nada e receitam calmantes, terapias.

— Os calmantes só ajudam quando o problema é emocional, ou físico. Nos casos de obsessão, de influências de espíritos, eles fazem mal.

— Por quê?

— Porque, anulando a resistência, os espíritos dominam a pessoa com mais facilidade. É por isso que quando sinto algum problema de saúde repentino, como dor de cabeça, primeiro recorro à prece, peço ajuda espiritual. Como sou pessoa saudável, ela passa e nunca preciso de remédio.

— Já tive diversos males que com meditação e oração sumiram sem que eu tomasse nada.

— Os males provocados por energias negativas atingem nosso corpo astral e provocam sintomas que se refletem no físico: dores que circulam ora de um lado ora de outro, atordoamento, náuseas, arrepios, desânimo, fraqueza etc. Se nos assustarmos, tivermos medo, elas se tornam mais fortes. Se mantivermos a calma, não dermos importância a elas e nos ligarmos com o bem, com a espiritualidade maior, elas vão embora. Às vezes, é preciso treino e tempo para conseguirmos isso. Mas é compensador. Quando nos livramos delas, recuperando o equilíbrio, tomamos consciência do próprio poder e da proteção divina, que nunca nos desampara.

— Depois do que passei, ficarei alerta.

— Após a conversa que tive com Mildred, acho que ela nunca mais tentará nada.

— Eu sabia que havia sido ela. Nunca aceitou nosso noivado. Muitas vezes eu sentia o olhar dela cheio de ódio sobre nós, embora fizesse tudo para dissimular.

— É preciso compreender. Eu mudei, cresci, aprendi. Tive mestres maravilhosos que me ensinaram a enxergar a vida sob a óptica da espiritualidade. Ela permaneceu igual, com a mente parada na adolescência, alimentando as ilusões, distanciada da realidade. Enquanto eu evoluía, ela alimentava o impossível. Nós somos muito diferentes. Quando namoramos, eu era um jovem preocupado com as aparências. Sentia-me feliz por namorar uma garota que todos cobiçavam. Quando perdi meus pais, fui sacudido pela força espiritual, surgiram os questionamentos. Foi quando percebi que Mildred não tinha condições de me compreender, que meus valores haviam se tornado muito diversos dos dela. Tentei conversar, mas ela não entendeu. Antes de viajar sem data para voltar, acabei com nosso namoro, falei de minhas razões, fiz minha parte. Por isso, não me culpo pelo fato de Mildred ter continuado esperando.

— Ela preferiu segurar o sonho em vez de enfrentar a verdade.

— Isso mesmo. Mas, depois da conversa que tivemos, sei que ela finalmente compreendeu quanto somos diferentes. Nunca seríamos felizes juntos.

— Tem certeza de que ela não voltará a nos prejudicar?

— Tenho. Mostrei-lhe quanto se prejudicou alimentando um sonho impossível. Senti que compreendeu. Por isso, hoje estou particularmente feliz.

— Eu também. Faço votos de que ela encontre a felicidade. Houve um tempo em que senti muito ciúme dela. Mas isso também foi uma ilusão de nossa adolescência.

— Naquele tempo você escondia seu brilho. Só consegui vê-lo quando regressei.

— Eu admirava as garotas que se sobressaíam, tinham admiradores. Como eu não tinha jeito para agir como elas, me menosprezava. Durante muitos anos vivi retraída, com medo de me expor. Foi você quem me ensinou a enxergar minhas qualidades, a reconhecer meus valores, a ter paciência com meus pontos fracos.

— Apesar das diferenças, ninguém é menos. Cada pessoa tem dentro de si a essência divina. Fomos ensinados a olhar para fora, valorizar mais os outros. É elegante diminuir-se para que os outros brilhem. Muitos pagam um preço caro por essa ilusão.

— Vivem à margem da vida, insatisfeitos, procurando conformar-se com o pouco que tem.

— Quem acredita que é menos merece pouco. A vida nos deu um potencial imenso para ser desenvolvido. Ela nos estimula de várias formas, mas a conquista do progresso é trabalho nosso. Ninguém pode fazê-lo por nós. Quando você se omite, está falhando em sua mais importante missão, que é a de cuidar de si.

— Dizem que é egoísmo.

245

— Egoísmo é julgar-se superior aos outros. Se ninguém é menos, também ninguém é mais. Alguns estão mais desenvolvidos espiritualmente que outros, mas todos têm o mesmo potencial. Essa é a justiça divina. Ele criou a diversidade, não existem duas pessoas iguais. E todas têm potenciais que, se desenvolvidos, as tornariam felizes e realizadas. Mas essa é uma conquista individual.

— O fato de eu cuidar de mim, do meu progresso, reconhecendo minhas qualidades, meus pontos fracos, não significa que eu precise menosprezar os outros. Para mim, eu estou em primeiro lugar. Tenho de trabalhar para suprir minhas necessidades e tornar-me uma pessoa melhor. Mas o respeito aos outros é necessário.

— Respeitar significa aceitar os outros como são, sem a pretensão de querer mudá-los.

— Resta-nos o cuidado de escolher bem os amigos. Quanto às pessoas em geral, deve-se ter o bom senso de evitar as que nos incomodam.

Émerson sorriu.

— Vejo que aprendeu depressa.

— Desejo que Mildred nos esqueça. Não sinto nenhuma mágoa pelo que nos fez, mas não quero conviver com ela.

— Todos temos o direito de preservar o próprio equilíbrio evitando energias que nos perturbam.

Continuaram conversando, esquecidos do tempo, imersos na afinidade de pensamentos que tornava seu relacionamento agradável. Juntos sentiam-se bem. Ambos se interessavam em aprender a viver melhor.

***

No fim da tarde, Marcelo deixou o escritório, passou em uma banca de jornais, comprou uma revista e foi para casa. Como sempre fazia antes do jantar, tomou um banho. Enquanto esperava a refeição, sentou-se na sala para ler a revista.

De repente estremeceu. Havia uma foto de Rômulo e Nora abraçados, e a legenda dizia que, como o casamento se realizaria em quinze dias, eles estavam atarefados com os preparativos da festa.

Marcelo pensou em Renata. Teria ela visto a reportagem? Pensou em ligar, mas hesitou. Se ela não a viu, não seria ele a dar-lhe a notícia.

A mãe chamou-o para o jantar, e ele sentou-se à mesa calado. Iolanda olhou-o séria e indagou:

— Aconteceu alguma coisa? Você parece preocupado.

— Não houve nada. Estava pensando em uma matéria que li na revista.

246

Após o jantar ele subiu para o quarto. Sentia-se inquieto, preocupado. Renata não saía de seu pensamento. Resolveu telefonar para saber como ela estava. Decidiu que não tocaria no assunto.

Ligou e depois dos cumprimentos ele procurou conversar sobre outros assuntos. Renata estava comunicativa e alegre como sempre, e ele concluiu que ela não havia visto a revista.

— O que você está fazendo agora? — indagou ela.

— Nada. Não tenho nenhum programa para hoje.

— Nesse caso, venha tomar um café comigo.

— Está bem, irei. Dentro de quinze minutos estarei aí.

Satisfeito, ele se arrumou e saiu. Seria bom estar por perto, caso alguém contasse a ela que em duas semanas Rômulo estaria casado.

Durante o trajeto foi pensando em Renata. Sentia um carinho muito grande por ela. Tinha vontade de protegê-la para que ninguém a fizesse sofrer.

Parou em uma floricultura e comprou algumas rosas. Quando tocou a campainha, o criado abriu a porta. Renata estava logo atrás dele sorrindo.

Marcelo entrou e entregou-lhe as flores. Ele notou que os olhos dela brilharam de satisfação.

— Que lindas, Marcelo! Venha, vamos colocá-las num vaso.

Ele a acompanhou até a sala de estar e a observava enquanto ela arrumava as flores. Seu rosto estava tranquilo e corado, a expressão de seu rosto era alegre.

— Pedi para você vir porque estou me sentindo muito feliz e queria dividir esta alegria com você.

— Gosto de vê-la assim.

Sentaram-se no sofá e Renata contou que os pais haviam saído. Marcelo convidou:

— A noite está muito bonita. Vamos dar uma volta, tomar um sorvete?

— Vamos. Vou apanhar a bolsa.

Enquanto ele esperava, aproximou-se do porta-revistas e estremeceu. Em cima de todas as publicações estava um exemplar da que ele havia comprado. Talvez Renata não a tivesse visto ainda. Sentiu vontade de escondê-la. Mas nesse instante ela estava de volta.

— Vamos?

Saíram, e Marcelo estava indeciso. Não sabia se deveria tocar no assunto, preveni-la, porque fatalmente ela leria a notícia.

— Você mudou, ficou calado. O que foi?

— Nada.

— Você tem alguma coisa. Por que não me conta?

— Não há nada. Gosto de vê-la alegre, e não desejo que nada venha perturbar essa sua alegria.

— Você é meu melhor amigo. Vou contar-lhe o motivo da minha felicidade.

— Eu sabia que havia algum.

Ele parou o carro, virou-se para ela e esperou.

— Hoje eu estou livre, completamente livre do passado.

— Explique melhor.

— Minha mãe trouxe uma revista esta manhã e encontrei nela notícias do casamento de Rômulo em breve. Não senti absolutamente nada. Olhando os dois, pareceu-me estranho que eu tivesse sofrido por ele. Foi como se tivesse caído uma venda de meus olhos. Então recordei-me de todas as implicâncias dele, dos momentos desagradáveis do nosso namoro, de como ele agia comigo, e cheguei à conclusão de que nunca o amei de verdade. Era por vaidade que eu me sentia no ápice quando desfilávamos juntos em sociedade. Descobri que esse namoro foi a forma que encontrei de me projetar como uma moça de classe, de sucesso. Foi por vaidade ferida que sofri tanto com nosso rompimento. Eu o usei como uma bengala para aparecer, porque me achava menos, sem condições de agradar por mim mesma. Foi você primeiro e depois Émerson que me fizeram enxergar a vida de outra forma. Aprendi com vocês a me ver como sou, a sentir que não preciso me apoiar nos outros para ser feliz. Pedi para você vir porque queria que soubesse como me sinto.

Os olhos de Renata brilhavam emotivos. Marcelo sentiu-se tocado e num gesto carinhoso abraçou-a apertando-a de encontro ao peito. Depois, beijou-a nos lábios com amor. A emoção irrompeu forte e eles se beijaram longamente várias vezes.

— Eu a amo — disse ele emocionado. — Nunca senti por ninguém o que estou sentindo agora. Gostaria que este momento fosse eterno.

— Eu ainda não sei o que é esta emoção que me invadiu quando me beijou. Também não havia sentido nada assim antes. Não sei se é amor, mas este momento é mágico e eu quero que me beije mais.

Eles se beijaram novamente, depois ela descansou a cabeça no peito dele e permaneceram assim longamente, sentindo as emoções do momento, o prazer da descoberta e a alegria de um amor correspondido.

CAPÍTULO 19

Sentada na primeira classe do avião, Mirtes sentia-se impaciente para chegar a São Paulo. A viagem ao lado de Humberto tinha sido maravilhosa. Ele, muito apaixonado, disposto a agradar, cercava-a de atenções. Habituado àquelas viagens, levava-a para conhecer o que havia de mais interessante, hospedava-a nos melhores hotéis e, o que a deixava mais contente, dera-lhe um cartão de crédito sem limites.

Além de comprar roupas de grifes famosas, joias e tudo que sua fantasia inventava, frequentava os melhores salões de beleza. Mirtes tinha bom gosto e com todo trato havia se tornado ainda mais bonita. Por onde passava despertava interesse, e Humberto não escondia o ciúme, não a deixando sozinha em momento algum.

De volta ao Brasil depois de um mês e meio de lua de mel — eles haviam esticado a viagem —, Mirtes não via a hora de chegar para poder desfilar pela alta sociedade usando as coisas lindas que comprara. Sentia prazer em provocar inveja nas mulheres e cobiça nos homens.

Finalmente o avião aterrissou em São Paulo. No saguão do aeroporto, o motorista de Humberto os aguardava. Os filhos dele não foram esperá-los, cada um pretextando uma desculpa. Mirtes não se importou. Sentia que os dois rapazes não haviam aceitado o casamento, mas essa atitude não a incomodava. Pior para eles.

Uma vez em casa, enquanto os criados cuidavam da bagagem, que era volumosa, Mirtes percorreu a luxuosa propriedade, olhando cada canto com olhos brilhantes de orgulho.

Tudo aquilo era seu! Finalmente era uma mulher da alta sociedade. Imaginou as festas que daria no magnífico salão, as pessoas que convidaria.

Certamente Valdo com a família. A lembrança da cena de Alzira nos braços dele enchia-a de raiva. Mas, por outro lado, não levava aquilo muito a sério.

Valdo era namorador. Alzira deve ter dado em cima e ele aproveitou. Era provável que nunca mais houvessem se encontrado e tudo não tenha passado de um flerte de festa.

Reconhecia que Alzira havia ficado bonita vestindo aquelas roupas, usando joias e tendo sido cuidada por gente capacitada. Mas Valdo estava familiarizado com mulheres de classe, e Alzira seria uma entre tantas.

Com o tempo, ele ainda haveria de se interessar por ela. Agora que ele não precisaria assumir nenhum compromisso, tudo seria mais fácil.

Mirtes estava disposta a conquistá-lo de qualquer jeito. Ele sempre se mostrou arredio, e isso o tornava mais interessante. Era o que faltava para que a felicidade dela fosse completa.

Humberto aproximou-se solícito:

— Não está cansada?

— Não. Estou ansiosa para ver nossos amigos.

— Entendo que sinta saudade de sua família. Foi a primeira vez que saiu de casa durante tanto tempo. Mas viajamos a noite toda.

Saudade da família foi o que ela não sentiu em nenhum momento. Mas não negou. Para Humberto ela precisava continuar fazendo o papel da boa moça. Por isso respondeu:

— Eu gostaria de ir lá agora mesmo. Mas tem razão: precisamos descansar. Vou mandar a criada preparar um bom banho com aqueles sais que comprei em Paris. Preciso ficar cheirosa e descansada para meu marido.

Ele a beijou delicadamente nos lábios e Mirtes esboçou ligeiro protesto, alegando:

— Estou transpirando. Não quero que se aproxime. Fico constrangida.

— Não fique. Você está sempre cheirosa.

— Vou subir e me preparar para você.

Ele sorriu contente. Enquanto circulava pela casa com o mordomo, verificando tudo, ele se sentiu o mais feliz dos homens. A indiferença dos filhos, que nem foram ao aeroporto dar-lhes as boas-vindas, não o incomodava. Ao contrário, justificava-se pensando que casar havia sido providencial, porquanto filhos não se importam com a solidão dos pais. Cuidam de suas vidas, seguem seu caminho e pronto. Agora, ele nunca mais ficaria sozinho. Havia encontrado uma companheira que o amava e o fazia feliz.

Estendida na tepidez da banheira cheia de espuma, Mirtes apanhou o telefone e discou para Mildred. A criada atendeu e informou:

250

— Dona Mildred não está.

— Quando ela chegar, diga que Mirtes voltou. Peça-lhe para me telefonar.

— Ela viajou ontem para a Itália sem data para voltar.

Mirtes sentou-se na banheira, surpreendida.

— Viajou para a Itália? Com quem?

— Ela foi sozinha. Dona Augusta não queria que ela fosse. Mas a senhora conhece dona Mildred. Quando ela quer uma coisa, não desiste.

— Ela não deixou nenhum recado para mim?

— Não, senhora.

— Peça a dona Augusta o telefone e o endereço do hotel onde ela vai ficar. Preciso falar com ela. Acabei de chegar de viagem. Mais tarde telefono para saber.

Mirtes desligou intrigada. O que teria feito Mildred modificar seus planos? Estava curiosa. Mildred ajudara-a muito com os preparativos e o cerimonial do casamento, mas agora não precisava dela para nada.

Sentia-se segura em sua nova posição. Apreciava a companhia de Mildred porque com ela não precisava fingir. Ela era sua única amiga. Desejava mostrar-lhe as compras que fizera, falar dos lugares que visitara.

Demorou-se na banheira, imaginando como seria sua vida dali para a frente. Humberto era o marido ideal. Manejava-o com facilidade. Seus projetos amorosos, que incluíam Valdo, não iam além da aventura que o mistério tornaria mais interessante. Mas de forma alguma desejava perder o apoio do marido, porque era importante conservar o respeito e as aparências.

Mirtes pretendia brilhar em todos os aspectos, inclusive no papel de esposa virtuosa. Gostava de representar papéis convenientes, conforme o momento. Sentia-se esperta, inteligente, capaz.

***

Naquela tarde, Valdo conversava com o pai no escritório sobre os negócios da empresa. Tudo ia muito bem: as vendas aumentando, os clientes satisfeitos com o desempenho dos novos produtos, que se multiplicavam rapidamente.

— Estou pensando em viajar um pouco com sua mãe — disse Péricles.

— Quando pensa ir?

— Laura se casa na semana que vem. Pensamos em partir alguns dias depois do casamento, o tempo suficiente para sua mãe se preparar. Sabe como ela é.

— Sei. É uma boa ideia. Quanto tempo pensa ficar fora?

— Não sei ainda. Vai depender de Almerinda. Estou disposto a ficar quanto tempo ela desejar. Antigamente nossas viagens eram curtas por causa dos negócios, mas agora, com você na direção, podemos nos demorar.

— Aproveitem bem, porque, quando voltarem, será minha vez. Tenho viajado muito a trabalho, mas desta vez pretendo sair a passeio.

— Sozinho não tem graça. Aliás, sua mãe ontem estava falando sobre você.

— Falando o quê?

— O casamento de Laura com Émerson deu-nos dupla satisfação. Ele sempre foi como um filho para nós. Tenho certeza de que serão muito felizes e logo nos darão os netos que desejamos. Mas você é mais velho do que ela e nem pensa em formar uma família.

— Não devem se preocupar com isso.

— Não é uma preocupação, mas uma interrogação. Você circula, as moças ficam em volta, é amável com elas, namora aqui e ali, mas que eu saiba nunca se apaixonou para valer.

— Não sou volúvel, pai. Estava apenas procurando encontrar a mulher com a qual valeria a pena casar.

— Estava? Quer dizer que já a encontrou?

— Sim.

Péricles sorriu e perguntou:

— Quem é ela? Nós conhecemos?

— Ela não é de nossa roda de amigos, mas vocês a conhecem. Estamos namorando. Se ela me quiser, acho que chegarei ao casamento.

— É mesmo sério! Gostaria de conhecê-la.

— É cedo. É uma moça de boa família, linda, lúcida, bonita por dentro e por fora!

— Você está apaixonado mesmo.

— Estou. Por mim, casaria amanhã. Mas preciso ir com calma. Ela também me ama, mas reluta, porque vive do próprio trabalho e não pertence ao nosso meio social.

— Isso é bobagem. Quando conheci Almerinda, ela também trabalhava para se sustentar.

— Mas você também não era rico. Para mim o que conta são os valores espirituais, as qualidades pessoais. Conheci muitas mulheres bonitas, mas nenhuma delas provocou em mim esse sentimento de euforia, de alegria, de paz que sinto quando estou com ela.

— Nesse caso, decida de uma vez. Peça-a em casamento e pronto. Você não precisa casar com uma moça rica. O que você possui é mais do que suficiente para manter uma família. Se ela é tudo isso que você diz, não perca tempo. Não lhe dê chance de pensar muito.

Valdo sorriu. Talvez o pai estivesse certo. Depois que Péricles se foi, Valdo ficou pensando e tomou uma decisão. Mandou chamar Antônio em sua sala.

O pai de Alzira bateu levemente na porta.

— Entre, senhor Antônio. Sente-se, por favor. Precisamos conversar.

Antônio sentou-se em frente à escrivaninha, dizendo:

— O senhor precisa de algum relatório? Não me disseram nada.

— Não. Não vamos conversar sobre trabalho. Nosso assunto é particular.

— Aconteceu alguma coisa?

— Aconteceu, senhor Antônio. E preciso de sua ajuda.

— Estou à disposição.

— Quero que dê seu consentimento para eu me casar com sua filha Alzira.

Antônio abriu a boca e fechou-a de novo sem encontrar de pronto uma resposta. Alzira não dissera nada, e ele ignorava que estivessem namorando.

— Gostei de Alzira desde o primeiro dia em que a vi. Mas foi no casamento de Mirtes que nos entendemos. Estamos namorando. Eu a amo e tenho certeza de que ela corresponde. Apesar disso, hesita em me aceitar por causa de minha condição financeira. Não acho válido esse argumento. Por isso, recorro ao senhor.

— Não sei o que dizer. Alzira não me disse nada.

— O senhor me conhece apenas profissionalmente. Sou um homem de bem, amo minha família, pretendo ser um bom marido para sua filha.

— Não tenho dúvidas sobre isso. Mas é que preciso conversar com Alzira, saber o que ela quer. Também tenho de falar com minha mulher. Não posso decidir nada sem conversar com elas.

— Compreendo. Eu deveria ir à sua casa, fazer esse pedido de maneira formal. Desculpe. É que ainda há pouco conversei com meu pai, que me sugeriu formalizar logo o pedido.

— Doutor Péricles concorda com esse casamento?

— Claro. Minha família deseja minha felicidade. Aprova a moça que eu escolher. Espero que o senhor também aprove. Garanto que farei Alzira muito feliz.

— Bem, de minha parte fico muito honrado com seu pedido. Se Alzira concordar, terei muito gosto em recebê-lo como genro.

— Isso merece uma comemoração.

Valdo levantou-se, foi à sala contígua e voltou com uma bandeja, garrafa e duas taças. Serviu o vinho, ofereceu uma taça a Antônio e tomou a outra, dizendo:

— Um brinde à felicidade de nossas famílias.

Tocaram as taças e Antônio tomou alguns goles. Sentia-se emocionado. Nunca imaginara que Alzira pudesse casar-se com o dono da empresa. Ela, que sempre fora uma moça simples, discreta, ia casar-se com um moço bonito e tornar-se muito rica.

— Gostaria que me recebesse em sua casa hoje à noite para tratarmos do assunto.

— Será um prazer. Estaremos à sua espera.

Antônio saiu da sala procurando refazer-se da surpresa. Passou por Alzira e disse:

— Venha à minha sala. Temos de conversar.

Pela fisionomia do pai, percebeu que alguma coisa havia acontecido. Imediatamente o acompanhou. Uma vez na sala, ele disse:

— Valdo acabou de me pedir sua mão em casamento.

Alzira sentou-se e murmurou:

— Ele não me disse nada. Como foi isso?

— Você também não me disse que estavam namorando.

— Eu achava que você não ia gostar.

— Não ia mesmo. Ia pensar que ele estava querendo se aproveitar de você. Mas agora vejo que é sério. Ele quer casar. Você gosta mesmo dele?

Os olhos dela brilharam quando respondeu:

— Gosto muito!

— Hmm... Basta olhar para você para saber.

— O que foi que você respondeu?

— Que ia falar com você e Estela. Ele vai em casa hoje à noite para saber a resposta. Mas tinha certeza de que você o aceitaria. Abriu uma garrafa de vinho e fizemos um brinde para comemorar.

— E a família dele, o que dirá quando souber?

— O pai já sabe. Foi o doutor Péricles que o aconselhou a fazer logo o pedido.

— Puxa. Nesse caso, ele falava sério mesmo.

— Muito sério. Gostei do jeito como ele me pediu. Quis até convencer-me de que será um bom marido para você.

Alzira levantou-se e beijou o pai na face, dizendo contente:

— Pai, sou a mulher mais feliz do mundo!

— Sua mãe vai gostar, mas ao mesmo tempo vai ficar triste. Vamos ficar sem você em casa.

— Estarei sempre com vocês.

— Nem sei o que dizer. Nossa vida melhorou mesmo. No ano passado eu estava desempregado, desesperado, sem dinheiro. Hoje estou trabalhando em uma empresa séria, sendo valorizado pelos patrões. Tenho uma filha rica e outra que vai se tornar a dona desta empresa.

— Se Deus nos deu tudo isso, foi porque merecemos. Nos momentos ruins não perdemos a coragem nem a fé. É hora de agradecer.

— É o que farei todos os dias. Depois que nos ligamos à espiritualidade, tudo começou a melhorar. Senti-me mais calmo e alegre. Em casa há harmonia.

— Agora preciso voltar ao trabalho. Nem sei se conseguirei prestar atenção ao serviço.

Antônio sorriu contente. Ele também se sentia eufórico. Queria que o tempo passasse depressa para chegar em casa e contar a novidade à esposa.

Quando Alzira ia saindo da sala de Antônio, Valdo estava à sua procura.

— Meu pai já me contou. Por que não me disse o que pretendia fazer?

— Eu queria fazer o pedido, mas não sabia como nem quando. Meu pai agora à tarde sugeriu que eu não perdesse mais tempo. Então resolvi falar com seu pai, assim você não teria mais argumentos para recusar.

Alzira alteou a cabeça levemente para trás, sorriu e respondeu:

— Quem lhe disse que eu recusaria?

Ele a abraçou e ela enrubesceu, dizendo:

— Estamos no corredor! Alguém pode ver!

— E daí? Vamos nos casar.

— Aqui sou uma funcionária. Não quero abusar. Vou terminar meu serviço. À noite conversaremos.

Antes que ele respondesse, Alzira apressou-se a ir para sua mesa. Precisava terminar algumas cartas. Era namorada do dono, mas não queria abusar.

***

Quando chegaram em casa, Estela ao saber do pedido não conteve as lágrimas.

— O que é isso, mãe?

— São lágrimas de felicidade. Você não me contou nada. A ocasião merece comemoração. A que horas ele ficou de vir?

— Às oito — respondeu Alzira.

— Temos duas horas. Enquanto você vai se arrumar, Antônio vai comprar duas garrafas de champanhe e alguns salgadinhos.

À noite, quando Valdo chegou à casa de Alzira, ela o esperava emocionada. Ele levou um ramo de flores para Estela, que agradeceu com voz trêmula. Antônio convidou-o a sentar-se na sala e Alzira sentou-se ao lado dele no sofá.

Os pais de Alzira sentiam-se inibidos diante do rapaz. Afinal ele era um moço fino, de classe. Porém Valdo, notando a timidez dos futuros sogros, logo colocou-se à vontade, conversando com naturalidade e respeito.

Falou do amor que sentia por Alzira, da felicidade por haver sido aceito como membro daquela família. Suas palavras sinceras tocaram o coração deles, que logo perderam a timidez inicial.

O carisma de Valdo tornava-o querido por todos onde quer que fosse. Quando ele se despediu, Alzira acompanhou-o ao portão.

Estela comentou com o marido:

— Que moço encantador! Chorei pensando que íamos perder nossa filha, mas agora acho que acabamos de ganhar um filho.

— Também gosto dele. Você precisa ver no escritório, como ele age. É firme, direto, exigente no serviço, mas ao mesmo tempo justo e compreensivo. É um verdadeiro líder. Por isso doutor Péricles o colocou na direção da empresa.

Alzira voltou à sala. Estendeu a mão na qual reluzia um anel de brilhantes, dizendo:

— Estamos noivos! Ele quer marcar a data do casamento.

— Puxa, por falar nisso, Mirtes já deve ter voltado da lua de mel. Nem nos telefonou.

— Ela deve estar muito ocupada — tornou Alzira.

— Por que não telefona para ela? — sugeriu Antônio.

— Não — disse Estela. — A vida dela agora mudou. Não quero incomodar. Ela sabe onde estamos. Virá quando quiser.

Alzira lembrou-se das palavras que a irmã costumava dizer:

— Um dia vou sair desta casa, ser muito rica, e vocês não vão me ver mais.

Porém não disse nada. Sua mãe tinha razão. Quando sentisse vontade, ela os visitaria.

Foi para o quarto olhando encantada para o anel que brilhava em seu dedo. Era lindo! Mas seu significado era ainda maior. Era um laço de amor entre ela e Valdo. Naquela noite Alzira custou a adormecer, sonhando com o futuro.

***

No dia seguinte, Mirtes acordou tarde. Tomou o café na cama. Humberto havia saído e ela aproveitou para abrir os pacotes e rever tudo que comprara durante a viagem.

Em meio a tantas coisas bonitas, nem notou o tempo passar. Humberto chegou para almoçar e foi encontrá-la ainda no quarto.

— Veja que lindo este colar de jade.

— Você é mais linda do que tudo isso.

Ela sorriu contente.

— Já avisou sua família que chegamos?

Mirtes fingiu surpresa:

— Fiquei tão entretida que esqueci.

— Seria bom irmos até lá esta noite para levar os presentes. Certamente você comprou muitas coisas para eles.

Mirtes mordeu os lábios. Ela não havia comprado nada.

— Eu prefiro telefonar. Melhor não irmos lá esta noite.

— Pensei que estivesse com saudade deles.

— Estou. Mas preciso confessar uma coisa. Espero que compreenda. Eu discuti com meus pais antes de nosso casamento.

— Por quê?

Ela hesitou um pouco, depois disse:

— É que eles fizeram de tudo para eu desistir. Diziam que você era muito velho para mim, que eu ia me arrepender. De nada valeu eu dizer que o amava. Eles insistiram tanto… Como eu não quis obedecer, nós nos desentendemos.

— Mas eles vieram ao casamento, trataram-me bem. Não percebi nada.

— É que, quando viram que eu fiquei firme, conformaram-se. Mas até o último momento tentaram fazer com que eu mudasse de ideia. Por isso, não acho bom irmos lá juntos.

— Eles temiam que eu não a fizesse feliz. Mas agora, vendo que nos damos bem, verão que estavam enganados.

— Vamos deixar o tempo passar. Eu telefono, aviso que voltamos, levo os presentes amanhã ou depois, e pronto.

— Faça como quiser.

257

Mirtes sorriu contente. Humberto não lhe daria trabalho para ser manejado.

Só no fim da tarde Mirtes resolveu ligar para a mãe e avisar da chegada. Depois de conversar com Estela, falar de sua felicidade e das coisas que havia comprado, Mirtes concluiu:

— Diga a Alzira para deixar as joias que lhe emprestei com você. Amanhã passarei para buscá-las. Tenho muitos compromissos e não sei a hora que irei.

— Estão guardadas comigo desde o dia de seu casamento. Passe a hora que quiser.

Estela desligou o telefone pensativa. Por que suas filhas eram tão diferentes uma da outra?

Quando Alzira e Antônio voltaram do trabalho, Estela contou-lhes que Mirtes havia ligado, mas omitiu o recado das joias. Estavam felizes, e ela não desejava de forma alguma entristecê-los. Havia aprendido que, para conservar a harmonia no lar, era preciso evitar pensamentos ruins. A mesquinhez de Mirtes era inoportuna e desagradável. Estela resolveu não dar nenhuma importância a suas palavras.

Mirtes apareceu na casa dos pais às quatro da tarde, ostentando seu luxo, satisfeita por notar a vizinha olhando-a atrás de uma das janelas.

Estela recebeu-a com alegria:

— Como você está bonita!

— Estou muito bem. Fiz uma viagem maravilhosa. Minha casa, então, acabaram de decorar. Ficou deslumbrante!

— Que bom. Quer um café, um suco?

— Não. Tenho um chá logo mais com alguns amigos. Passei aqui para saber de vocês e buscar minhas joias.

Estela subiu, apanhou os estojos e entregou-os a ela, que esperava na sala. Mirtes abriu e conferiu tudo.

— Está em ordem. Alzira continua trabalhando naquele emprego pobre?

— Continua. Mas será por pouco tempo. Ela ficou noiva ontem à noite.

Mirtes franziu o cenho admirada:

— Noiva? De quem?

— Do chefe dela. Valdo.

Mirtes levantou-se de um salto e exclamou:

— De Valdo! Não pode ser! Ele só pode estar se aproveitando da ingenuidade dela. Bem que os vi juntos no jardim no dia de meu casamento. Mas não tive tempo de avisar.

— Você está enganada. Ele falou com seu pai e pareceu-nos muito sério. Quer marcar a data do casamento.

— Ele não vai se casar com ela. Sempre foi um namorador, não leva nenhuma moça a sério.

— Não é o que nos pareceu. Tem certeza do que está falando?

— Claro que tenho. Eu o conheço há tempos. Uma vez me convidou para ir ao cinema. Eu fui, mas depois eu não quis mais sair com ele. Vi logo que era um aproveitador.

Estela ficou preocupada. Teriam se enganado tanto?

Mirtes sentiu-se sufocar de raiva. Apanhou a bolsa, dizendo:

— Agora preciso ir. Mas fale com papai para não deixar esse namoro ir adiante. Ele é quem poderá tomar providências. Com Alzira não vai adiantar falar, ela não vai me ouvir.

Depois que ela se foi, Estela sentiu-se atordoada. Foi à cozinha, tomou um copo de água e respirou fundo. Aos poucos foi se acalmando. Mirtes podia estar errada. Antônio trabalhava todos os dias com Valdo. Se ele não fosse um bom moço, teria sabido. Em um ambiente de trabalho essas coisas nunca ficam ocultas.

***

Mirtes saiu de lá tentando conter a raiva. Como a insignificante Alzira havia conseguido conquistar Valdo? Como ela se atrevia a roubar seu sonho de amor? Isso não iria ficar assim. Aquele casamento não poderia consumar-se. Faria tudo para impedir. Valdo era seu e não o deixaria para mais ninguém.

Pensou em Mildred. Se ela estivesse por perto, poderia ajudá-la a dar um jeito naquilo. Precisava falar com ela. Na véspera tinha conseguido o endereço onde ela estava. Ligara para o hotel, mas ela havia saído. Tentaria novamente.

Pensando nisso, decidiu voltar para casa. Trancou-se no quarto e ligou para o hotel. Desta vez foi mais feliz: Mildred havia acabado de chegar.

Depois dos cumprimentos, Mirtes tornou:

— Cheguei ansiosa para ver você e fui surpreendida com sua viagem. O que aconteceu? Você não me contou que pretendia viajar.

— Aconteceu que resolvi mudar minha vida. O tempo passa e não vou perder mais tempo esperando por alguém que não me quer. Agora vou cuidar de mim. Encontrei aqui na Itália algumas pessoas com as quais tenho saído. Estou me divertindo muito.

— Quer dizer que desistiu de Émerson?

259

— Sim. Ele não serve para mim. Não faria minha felicidade. Vou levar a vida do jeito que eu gosto. Ele vai casar-se com Laura. Que faça bom proveito.

— Então aquele pai de santo não fez nada. Bem que eu avisei. Essas besteiras nunca funcionam.

Mirtes falou da viagem, das coisas que havia comprado, de como a casa ficara bonita. Depois disse:

— Preciso de sua ajuda. Você é minha única amiga. Quando é que você volta?

— Não sei. Enquanto estiver bom aqui, vou ficando.

— Não posso esperar muito. Valdo resolveu casar com minha irmã. Preciso fazer alguma coisa para impedir esse casamento. Queria que estivesse aqui para me ajudar.

— Você ainda está apaixonada por ele?

— Não. Mas quero que ele se apaixone por mim. Ele não serve para a boba da Alzira. Então, você vem?

— Não. Quando eu disse que ia pensar em mim, falei sério. É o que estou fazendo. Para dizer a verdade, seu problema não me interessa. Ou melhor, seria bom que você deixasse sua irmã e Valdo em paz. Posso dizer por experiência própria que isso não vai dar certo. Ele não ama você. Insistir não vai adiantar.

— Quer dizer que se recusa a me ajudar?

— Sim. Já ajudei você até demais. Agora chega.

— Nunca esperei isso de você. Ainda vai precisar de mim.

— Não preciso de ninguém. Posso cuidar da minha vida muito bem.

Mirtes bateu o telefone irritada. Mildred havia mudado. O que teria acontecido com ela?

Estendeu-se na cama tentando chegar a alguma ideia para separar Alzira de Valdo. Ela não notou que alguns vultos escuros se aproximaram dela, segredando-lhe frases aos ouvidos.

Continuou ali sem perceber que as ideias que lhe ocorriam vinham dos vultos negros que a circundavam.

260

CAPÍTULO 20

Todas as tardes Mercedes lia as colunas sociais à procura de notícias de Humberto e a esposa. Por isso, pôde vê-los nas revistas em vários lugares da Europa. A beleza e a juventude de Mirtes exacerbavam seu ciúme, e ela passava noites em claro imaginando um nos braços do outro na intimidade, sentindo seu ódio aumentar a cada dia.

A solidão e a saudade dos bons momentos que desfrutara ao lado dele aumentavam seu sofrimento, sua sensação de perda, sua insatisfação. Era com impaciência que esperava que o tempo passasse e eles voltassem ao Brasil.

Diante de alguns amigos que conheciam seu drama e que tentavam confortá-la, ao mesmo tempo em que a aconselhavam a tentar esquecer Humberto, Mercedes dissimulava o ódio que sentia. Lamentava-se, revelava sua tristeza, dizia-se vítima da ingratidão de Humberto, chorava. Mas, apesar disso, dizia que o perdoava porque ainda o amava e desejava de coração que ele fosse feliz com a nova companheira.

Foi um amigo comum quem lhe telefonou informando que o casal havia regressado. Imediatamente ligou para o detetive Sobral, porém ninguém atendeu. Ligou várias vezes, mas só no fim da tarde conseguiu encontrá-lo.

— Você precisa agir. Eles já voltaram.

— Está bem, madame. Temos de conversar. Onde podemos nos encontrar?

— Não quero que venha à minha casa. Ninguém pode saber que está trabalhando para mim.

— Pode confiar. Nosso trabalho é sigiloso.

Ela combinou um encontro em um lugar discreto e pouco frequentado. Queria que fosse naquele mesmo dia, mas, como ele não podia, ficou para a manhã seguinte.

Foi com impaciência que Mercedes esperou pelo encontro. Compareceu pontualmente ao local combinado, onde ele já a estava esperando. Ela parou o carro, e ele abriu a porta e sentou-se a seu lado.

— Vamos dar uma volta — pediu ele.

Pararam em uma rua deserta e Mercedes indagou impaciente:

— E então? Já planejou o que vai fazer?

— Estive pensando... Talvez possamos resolver isso de uma forma mais leve e com menos risco.

— Como?

— Armando uma cilada para ela. O que o marido faria se a surpreendesse nos braços de outro?

— Ficaria furioso. Humberto é cheio de princípios. Perderia a cabeça, com certeza.

— Talvez ele mesmo acabasse com ela, o que nos deixaria livres de qualquer suspeita.

Mercedes pensou um pouco, depois respondeu:

— Ele iria preso, e de que me serviria? Estaríamos separados do mesmo jeito. Eu quero que ele volte para mim.

— Ele tem nome e dinheiro. Iria se livrar da justiça com facilidade. Um homem que mata a mulher por traição tem a simpatia do júri. Os homens são solidários entre si.

— Mesmo assim, acho arriscado. Ele está apaixonado por ela. Em vez de matá-la, pode até se suicidar.

Sobral coçou a cabeça, dizendo:

— Nesse caso, só resta fazer a encomenda.

— Quanto tempo vai demorar?

— Terei de ir ao Mato Grosso falar com Dinho e acertar os detalhes. O plano tem de ser bem-feito.

Ela concordou. Combinaram que ela daria a Sobral uma quantia em dinheiro para as despesas. Quando ele voltasse, informaria o preço estipulado por Dinho.

Tudo acertado, deixou o detetive no lugar em que o apanhara e voltou para casa.

Quando pensava que dentro de pouco tempo Mirtes estaria fora de seu caminho, sentia um aperto no peito, um certo medo, mas visualizava novamente as cenas de amor que havia imaginado, pensava nos anos

262

de amor e dedicação que dera a Humberto, e o rancor reaparecia com toda a força.

Aquela moça não podia amar Humberto. Era pobre e com certeza casara por causa do dinheiro dele. Iria fazê-lo infeliz, não merecia ficar ao lado dele. Ela, Mercedes, sim, amava-o com sinceridade e cuidaria bem dele até o fim de seus dias

Nesses momentos, imaginava como se amariam quando ele voltasse, sofrido, triste, em busca de aconchego e conforto. Ela então o perdoaria e o receberia de braços abertos.

***

Mirtes chegou em casa satisfeita. Passara a tarde no cabeleireiro. À noite iria com o marido a um jantar na casa de um ministro. Queria apresentar-se impecável e mostrar a todas aquelas damas cheias de pose que ela tinha classe o suficiente para frequentar suas casas.

Depois, Humberto sentia-se orgulhoso quando a levava pelo braço, porque todos a fitavam com admiração e as revistas importantes disputavam um bom ângulo para fotografá-la. Era disso que Mirtes gostava.

Entrou em casa pensando em tomar um banho e descansar até o momento de vestir-se para o jantar. Humberto não havia chegado e ela subiu disposta a fazer o que pretendia.

Ao passar pela porta do escritório, que estava aberta, viu um envelope bonito na salva de prata sobre a mesa. Entrou, apanhou-o e, como estava aberto, abriu-o. Era o convite de casamento de Émerson e Laura, que se realizaria dentro de quinze dias. Junto, um cartão de Émerson, dizendo que havia ido pessoalmente entregar o convite, mas, como não encontrara ninguém em casa, deixara-o com um dos serviçais. Pedia desculpas por não ter podido esperar.

Mirtes sentou-se com o convite na mão. Então era verdade mesmo. Eles iam casar e era por isso que Mildred havia partido e estava tão mudada.

Deu de ombros. Devolveu o envelope à salva de prata e subiu para o quarto. Afinal, não tinha nada com aquilo. Era mais uma festa para ir.

Enquanto se deliciava dentro da banheira, ficou imaginando as roupas que compraria para ir àquele casamento e o sucesso que faria, porquanto lá estariam todos os seus conhecidos, inclusive Marcelo.

Seria divertido tentar tirá-lo de Renata. Ele nunca resistira aos seus encantos. Seria fácil e excitante.

***

Valdo chamou Alzira em sua sala. Assim que ela entrou e fechou a porta, ele abraçou-a e beijou-a nos lábios com amor. Ela retribuiu e beijaram-se várias vezes. Por fim ela disse:

— Você mandou me chamar. Precisa de alguma coisa?

— Sim. Estava louco para beijá-la.

— Não deveria fazer isso. Os funcionários sabem que estamos noivos, e não quero abusar.

— Eu preferia que você concordasse em deixar o emprego, em marcarmos o casamento para daqui a um mês e começarmos a cuidar dos preparativos.

— Você sabe que não posso. Se não trabalhar, não poderei comprar o que desejo para o enxoval.

— Eu acharia melhor que, em vez de preocupar-se com essas coisas, se preocupasse comigo, que estou impaciente para tê-la em meus braços e nunca mais nos separarmos.

Alzira suspirou:

— Meu pai não quer que você pague todas as despesas. Diz que como pai tem a responsabilidade de contribuir com o que puder.

— Vocês disseram que estão aprendendo sobre a espiritualidade, mas eu duvido.

— Por quê?

— Porque dão mais valor às coisas materiais do que às espirituais.

— Isso não é verdade.

— É, sim. Ou então você ainda tem dúvidas de que me ama o suficiente para casar.

— Como pode pensar isso de mim? Sabe que eu sou louca por você.

— Nesse caso, o orgulho é mais forte do que seu amor. Que importa quem paga nossas despesas? A vida deu-me condições de fazer isso. O que tenho é mais do que suficiente.

Alzira olhou-o séria e protestou:

— Você está enganado. Nós temos dignidade. Meu pai quer ter o prazer de casar a filha pagando parte das despesas.

— Orgulho. O que importa o dinheiro? Ele é apenas um meio que nos permite usufruir de coisas boas. Seu pai é um homem digno, independentemente de suas posses. Não é o dinheiro que lhe dá dignidade. A modéstia é uma qualidade que enobrece o homem. Por que temos de adiar nossa felicidade tendo de esperar para nos casarmos, quando nós dois ansiamos por viver juntos?

Alzira olhava-o hesitante. Ele insistiu:

— Vamos marcar a data logo e preparar tudo.

264

— Eu gostaria. Mas penso em meus pais. Minha mãe tem chorado às escondidas porque logo deixarei a casa.

— É natural. Minha mãe também anda assim por causa de Laura. Olhe, Alzira, depois do casamento de minha irmã, meus pais vão tirar férias, viajar, ficar um mês fora. Vamos marcar nosso casamento para daqui a dois meses. Assim teremos tempo de concluir os preparativos. Até lá meu pai terá regressado e retomado o comando da empresa, e nós poderemos viajar em lua de mel.

Valdo começou a discorrer sobre os lugares que conheceriam, o que fariam na viagem, e os olhos de Alzira brilhavam de prazer. Por fim, ela disse:

— Está certo. Vamos marcar. Hoje à noite falaremos com meus pais. Quero ver se você terá coragem de dizer a eles o que me disse agora há pouco.

— O que foi que eu disse?

— Que somos materialistas, orgulhosos e não aprendemos nada sobre espiritualidade.

— Se for preciso, direi, sim. Não vê que eu a amo e que estou lutando para tê-la em meus braços para sempre?

Ela sorriu e beijou-o delicadamente nos lábios.

— Foi isso que me comoveu.

— Seja sincera: você também está louca para casar comigo.

— Não seja pretensioso. O pior é que não dá para negar.

Beijaram-se novamente, depois ela saiu apressada.

O noivado deles havia provocado comentários na empresa. Valdo era muito cobiçado pelas mulheres que disputavam cada gesto seu.

Naquela noite mesmo, Valdo conversou com os sogros. Estela foi contra a antecipação. Um casamento apressado poderia dar margem a comentários desagradáveis, com o que Antônio concordou. Valdo, porém, argumentou de várias formas e finalmente conseguiu o que desejava. Marcaram o casamento para dali a dois meses.

Quando Alzira acompanhou o noivo até a porta, Estela comentou com o marido:

— Logo perderemos nossa filha. Sinto o coração apertado.

— A casa vai ficar vazia sem ela. Mas eles se amam. Viu como estavam felizes?

— É o que me conforta. Mas ao mesmo tempo não sei se fizemos bem em concordar. Depois do que Mirtes falou...

265

— Não acredito em uma só palavra do que ela disse. Ela nunca foi boa irmã. Sempre fez tudo para diminuir Alzira, que é uma boa filha. Tão boa filha que eu gostaria de dar um dote a ela, mesmo pequeno.

— Eles sabem que ainda estamos pagando nossas dívidas. Não querem esperar.

— Viu o empenho com que ele insistiu em marcar a data? Estão apaixonados.

— Eu preferia que esperassem mais para se casar. Assim teríamos tempo para conhecê-lo melhor.

— Pois eu não preciso disso. Se você visse como ele é querido e respeitado pelos funcionários, não diria isso. Depois, Mirtes não tem de dar nenhuma opinião. Ela trouxe em casa um desconhecido com idade para ser seu pai e casou-se rapidinho.

— Você concordou com o casamento.

— Apesar da idade, gostei dele. Pareceu-me um homem de bem. Só não sei se ela gosta dele ou do dinheiro e da posição que ele tem.

— Infelizmente, penso como você. Rezo todos os dias para que eles sejam felizes.

***

Os noivos, dentro do carro, combinavam as primeiras providências para o casamento. Valdo dizia:

— Meus pais mandaram convidá-la para jantar em nossa casa no próximo sábado. Será uma ocasião excelente para tratarmos do assunto com eles.

— Acha que vão concordar?

— Por certo. Estavam ansiosos para me virem casado. Tenho certeza de que vão adorar você.

— Estou nervosa só de pensar nisso.

Ele riu.

— Não há razão para isso. Eles são adoráveis.

— Você tem certeza de que não se sentiram contrariados por você ter escolhido uma moça simples como eu?

— Quando se casaram, eles viviam do salário dele, que naquele tempo não era maior do que o de seu pai. Apesar de haverem progredido financeiramente, ganhado respeito da comunidade, continuam sendo as mesmas pessoas.

— Eles estavam no casamento de Mirtes, mas é claro que não se recordam de mim.

266

— Ao contrário. Mamãe, quando soube, lembrou-se da cor de seu vestido, até de quantas vezes dançamos. Ela notou logo meu interesse por você.

Quando Alzira entrou em casa, sentia-se feliz e com a cabeça cheia de planos.

***

A tarde do casamento de Émerson e Laura decorreu rápida em meio aos preparativos. O casamento civil seria realizado no salão de festas da casa da noiva, especialmente decorado para aquele fim. Para a bênção espiritual, o casal havia convidado um mestre budista amigo de Émerson, pertencente à ordem que ele frequentara.

Depois, haveria o jantar e o baile. Os pais dela a princípio estranharam o fato de os dois não se casarem na igreja católica, como era hábito na família. Mas acabaram respeitando a vontade dos noivos.

A cerimônia estava marcada para as sete da noite. Os convidados começaram a chegar pouco antes, recebidos e acomodados pelo chefe do cerimonial.

Mirtes entrou no salão pelo braço do marido, cabeça erguida, olhos brilhando de satisfação, sentindo-se a mulher mais bela do mundo. E, de fato, muito bem vestida, ostentando belíssimas joias, chamava a atenção por onde passava pelo seu bom gosto, beleza e classe.

Vendo-a desfilar como uma princesa, ninguém cogitaria sua origem pobre. Humberto sentia-se orgulhoso por ter uma esposa tão bela.

Os conhecidos de Humberto aproximavam-se para cumprimentá-los, e Mirtes sorria contente, notando a admiração dos homens e o brilho invejoso das mulheres. O triunfo conquistado colocava um brilho especial em seus olhos, e o prazer refletia-se em seu sorriso.

Quando Valdo aproximou-se com Alzira, Mirtes estremeceu. Ele cumprimentou Humberto e sorriu para Mirtes, perguntando:

— Como vai?

— Bem — respondeu ela examinando a irmã de alto a baixo. — Que surpresa, Alzira! Não pensei que viesse ao casamento.

Alzira, que acabara de cumprimentar Humberto, respondeu:

— Eu não poderia faltar. Gosto muito de Émerson e Laura.

Ela estava muito elegante em seu vestido cor de malva que realçava a cor de sua pele clara e acetinada. Mirtes notou logo o anel de brilhantes que ela ostentava.

267

— Mesmo porque Alzira agora faz parte da família — completou Valdo.

Humberto cumprimentou o casal pelo noivado e concluiu:

— Espero que sejam tão felizes quanto nós.

Mirtes procurou sorrir e dissimular a raiva. Havia notado o brilho apaixonado dos olhos de Valdo quando fixava Alzira. Aquilo não podia ser verdade. Sua insignificante irmã havia conseguido o que ela, com toda a sua inteligência e beleza, não conseguira.

— Agora vocês vão nos dar licença — disse Valdo. — Precisamos ir. Temos uma participação na cerimônia.

Eles se foram e Mirtes a custo conseguiu dominar a contrariedade. As pessoas foram encaminhadas para a sala ao lado. A cerimônia ia começar.

As cadeiras estavam dispostas em fileiras. No centro, a passadeira vermelha; no fundo, uma mesa ao redor da qual Émerson, o juiz de paz e seu auxiliar esperavam. Havia flores em profusão e muito bom gosto na decoração.

A música começou e os presentes levantaram-se. Laura, de braço com o pai, entrou caminhando lentamente até a mesa. Atrás deles o cortejo dos familiares e padrinhos, que se postaram ao lado dos noivos.

O juiz realizou o casamento e cumprimentou os noivos. Depois, o monge budista amigo de Émerson, que estava ao lado, colocou-se de frente aos noivos e falou sobre a vida a dois, salientando os valores que levam à conquista da felicidade: amor, compreensão, respeito, dedicação e bom humor.

Depois circulou em volta do casal, rezando em um idioma desconhecido dos presentes, e seu auxiliar balançava de vez em quando o pequeno sino que trazia. Enquanto rezava, colocava as mãos sobre os noivos. No final da cerimônia, cantou e, por fim, deu aos noivos alguns objetos sagrados, desejando-lhes vida longa, muitos filhos e fartura.

A cerimônia tocante comoveu os presentes. Mirtes, porém, não prestou atenção. Só tinha olhos para Alzira e Valdo. Ela viu Almerinda abraçar Alzira com carinho e Péricles beijá-la delicadamente na face. Isso a irritou ainda mais. Ela não se conteve:

— Não sei por que resolveram fazer esta cerimônia horrível. Por que não se casaram na igreja, como todo mundo?

Humberto olhou-a surpreendido. Ele havia se emocionado com as palavras do monge.

— Você não gostou? — perguntou baixinho.

Diante do olhar surpreso do marido, Mirtes percebeu que havia exagerado.

— Não é isso. Eu acho lindo um casamento na igreja. De fato, é mais solene. Depois, estou com um pouco de dor de cabeça.

— Você estava tão bem... Quer que vá buscar um comprimido?

— Não, obrigada. Isso vai passar.

Depois dos cumprimentos, o jantar foi servido e Alzira sentou-se ao lado de Valdo na mesa dos noivos.

Mirtes estava descontrolada e esforçava-se para dissimular. Sorria, conversava, mas seus olhos furtivamente acompanhavam cada passo da irmã.

O baile começou, e ela viu Alzira circular nos braços de Valdo, corada e feliz. Notou a inveja das moças que costumavam circular esperançosas à volta dele e a amabilidade dos pais de Valdo, com Péricles chegando a dançar com Alzira enquanto Valdo dançava com a mãe.

Mirtes foi ao toalete. Enquanto esperava, sentou-se em uma poltrona perto do biombo que separava as duas salas. Atrás do biombo, duas senhoras conversavam enquanto uma delas esperava a filha.

— Que linda a noiva de Valdo!

— É mesmo. Ele demorou para decidir-se, mas agora acertou. Ela é uma doçura. Conversamos e adorei-a. Almerinda está muito feliz. Disse que a moça é inteligente, alegre e cativante.

— Por isso Valdo está pelo beicinho. Só tem olhos para ela.

Quando as duas senhoras se foram, Mirtes levantou-se nervosa. Alzira estava fazendo mais sucesso do que ela. Não conseguia entender. Precisava acalmar-se. Não podia deixar ninguém perceber o que estava sentindo. Teria de encontrar um jeito de acabar com aquele noivado.

Voltou para o salão e apanhou uma taça de champanhe, que ingeriu rapidamente. Precisava relaxar. Aos poucos sentiu-se mais calma. Apanhou outra taça. Ela era uma vencedora. Não podia deixar-se dominar pelo pessimismo. Haveria de tirar Alzira de seu caminho. Não ia suportar ver a irmã frequentando os mesmos lugares que ela e sendo mais valorizada.

A festa decorria animada, e passava das duas da manhã quando as pessoas começaram a ir embora. Mirtes sentia-se atordoada. Havia bebido além da conta, e Humberto, solícito, queria levá-la para casa.

— Não quero. Vamos ficar mais um pouco. Agora que a festa está boa...

Ele concordou. Ela quis dançar, mas ficou tonta e ele a conduziu para um sofá em outra sala. Passava das três quando finalmente conseguiu convencê-la a ir embora.

269

Ao chegarem em casa, o motorista abriu o portão e o carro entrou nos amplos jardins, parando em frente à porta principal. Humberto desceu amparando Mirtes atordoada e colocou a chave na fechadura.

— Vamos voltar para a festa — disse ela rindo. — Não quero ir para casa.

— Você precisa descansar, deixe-me abrir a porta.

O motorista levou o carro. Humberto girou a chave, abriu a porta e, quando se voltou para Mirtes, viu um vulto escuro sair por trás da coluna da varanda. Quis gritar, mas não teve tempo. Ouviu um disparo, depois outro, e Mirtes tombou em uma poça de sangue.

Desesperado, Humberto abraçou-a enquanto gritava por socorro. Correria. As luzes da casa foram acesas, e ele gritava:

— Chamem uma ambulância! Mirtes foi ferida!

Ele se debruçou sobre ela, que havia desmaiado, e gritou:

— Tragam um lençol, depressa! Precisamos estancar o sangue!

Com o lençol nas mãos, Humberto rasgou-o e envolveu a cintura de Mirtes, onde o sangue escorria. Em seu desespero, não sabia o que fazer.

A ambulância demorou quinze minutos que, para Humberto, ao lado de Mirtes pálida e sem sentidos, pareceram horas. Quando finalmente chegou, procederam-se os primeiros socorros e Mirtes foi levada para o hospital. Humberto foi junto na ambulância.

A polícia foi chamada e interrogou os criados da casa. Eles não haviam notado nada de especial. O motorista também não. Ele estava colocando o carro na garagem quando ouviu os tiros. Não havia visto nada.

A polícia foi ao hospital e tentou conversar com Humberto, mas ele estava em choque e não ajudou muito. Foi o mordomo quem avisou os filhos de Humberto e a família de Mirtes.

Alzira estava no portão de sua casa despedindo-se de Valdo quando o telefone tocou com insistência.

— É melhor eu atender — disse ela soltando-se dos braços dele.

— Alô. O quê? Como? Onde? Meu Deus!

Alzira empalideceu e quase desmaiou. Valdo apanhou o telefone e soube o que havia acontecido. Amparou Alzira e pediu:

— Procure se acalmar. Pode não ter sido grave.

Alzira chorava desconsolada:

— Temos de avisar meus pais. Meu Deus!

Valdo correu à copa, apanhou um copo de água e deu-o a ela. Nesse instante, Antônio descia as escadas.

— Escutei o telefone e parece que você gritou. O que houve?

Alzira correu para o pai dizendo aflita:

— A casa de Humberto foi assaltada e Mirtes está ferida. Foi levada para o hospital.

— Vou acordar sua mãe. Iremos imediatamente.

Valdo ligou para a casa de Humberto, informando-se sobre o hospital. Meia hora depois chegaram e foram conduzidos à sala de espera, onde Humberto, sentado em uma poltrona, com a cabeça entre as mãos, não escondia seu desespero.

Eles se aproximaram e ele levantou o rosto pálido, dizendo com voz angustiada:

— Ela estava tão alegre! De repente, aquele vulto escuro apareceu e atirou. Não consegui fazer nada!

— Onde está ela? — indagou Estela aflita.

— O que dizem os médicos? — quis saber Antônio.

— Levaram-na para a sala de cirurgia.

— É grave? — perguntou Antônio.

Enquanto eles conversavam, Valdo procurou o médico de plantão para informar-se.

— Nada posso dizer por enquanto. Eu a atendi. Estava quase sem pulso, pois deve ter perdido muito sangue. Mandei fazer uma transfusão e chamei o cirurgião. Uma bala está alojada nos intestinos e ela foi levada para a cirurgia.

— É grave?

— Ela é jovem e saudável. Vamos esperar que reaja. Vamos precisar de mais sangue.

— Se o meu servir, estou à disposição.

Valdo voltou à sala onde os outros estavam e todos olharam em sua direção. Estela perguntou:

— Como ela está? Soube de alguma coisa?

— Eles estão cuidando dela. Temos de esperar. Estão extraindo a bala.

Estela não disse mais nada. Sentou-se, baixou a cabeça e começou a rezar. Sentia o coração apertado. Alzira sentou-se a seu lado, segurando sua mão.

— Vamos rezar juntas, mãe. É o que podemos fazer por ela agora.

Enquanto rezava pedindo pela recuperação da irmã, Alzira recordou-se do sonho que tivera com Mirtes e sentiu um aperto no peito. Lágrimas rolaram pelo seu rosto, mas ela não disse nada. Precisava ser forte, confiar em Deus e apoiar a família naquele momento difícil.

As horas passavam e Mirtes continuava no centro cirúrgico. Valdo cuidou das formalidades da internação.

271

Passava das dez horas quando finalmente o médico procurou pela família. Todos voltaram-se para ele ansiosos, crivando-o de perguntas.

— Ela resistiu à cirurgia e foi levada para a unidade de terapia intensiva.

— Ela vai ficar boa? — indagou Estela.

— É cedo para dizer. Ela está muito fraca. Vamos esperar que reaja.

— Quer dizer que ela ainda corre risco de vida? — perguntou Antônio.

— Infelizmente sim. Mas ela é jovem e saudável. Vamos pensar no melhor.

Alzira estava pálida, e Valdo abraçou-a dizendo:

— Vamos respirar um pouco lá fora. Você está precisando de ar fresco.

Alzira deixou-se conduzir em silêncio. Ele tentou confortá-la.

— Coragem! Mirtes vai ficar boa.

— Sinto que ela não vai resistir.

— Não seja pessimista. Vamos pensar no melhor.

Alzira tentou reagir. Aquele sonho não tinha nada a ver com aquela situação. Nele Mirtes aparentava idade avançada. Sorriu dizendo:

— Tem razão. Ela vai ficar boa.

— Vamos tomar um café. Você não comeu nada até agora.

— Não estou com fome. Sinto um nó no estômago.

— Vamos levar café para nosso pessoal. Seria bom pedirmos um quarto. Assim ficaremos mais à vontade. Vocês poderão relaxar um pouco.

— Obrigada, Valdo. Ainda bem que você está aqui.

Ele a beijou levemente no rosto e respondeu em tom jocoso:

— Eu sei que você não pode mais viver sem mim.

Valdo sabia que o caso era grave e tentava dissimular a preocupação. Mirtes estava no limiar entre um estado e outro. Tanto poderia morrer quanto se recuperar. O futuro dela, só o tempo poderia revelar. Quanto a eles, precisavam esperar para saber o que lhes reservava o destino.

CAPÍTULO 21

Começou para eles o tempo da espera. As horas passavam e Mirtes continuava na mesma. Veio a noite e ela continuava inconsciente.

Estela e Antônio insistiram para que Humberto fosse para casa descansar um pouco, mas ele se recusou. Estava inconformado. Parecia estar vivendo um pesadelo.

Ninguém queria ir para casa. Antônio decidiu dizendo:

— Não podemos ficar todos aqui. Não sabemos por quanto tempo ela ficará no hospital. Teremos de nos revezar para fazer-lhe companhia. Alzira, vá para casa, tome um banho e tente dormir um pouco.

— Eu quero ficar aqui.

— Seu pai tem razão — tornou Estela. — Vá. Qualquer mudança na situação dela, avisaremos. Amanhã cedo, eu ligo para dizer como ela está e para pedir algumas coisas de que vamos precisar. — E, voltando-se para o marido: — Seria bom que você fosse também. Eu e Humberto permaneceremos aqui. Não é preciso tanta gente. Quando ela melhorar, vai precisar de todos nós.

— De jeito nenhum — contestou Antônio. — Eu fico. Ela pode acordar, e eu quero estar junto. Depois, Humberto está tão deprimido que, se ela precisar de alguma coisa, ele não terá condições de atender.

Valdo levou Alzira para casa. No trajeto, insistiu para que ela se alimentasse. Pararam em um restaurante e a custo conseguiu que ela engolisse um pouco de sopa.

Quando estavam quase chegando em casa, Alzira pediu:

— Vamos passar na casa de dona Isaltina e pedir ajuda.

Isaltina atendeu-os com carinho e foi logo dizendo:

— Entrem, vamos conversar. Eu soube o que aconteceu. Sinto muito.

— Viemos pedir ajuda espiritual — disse Alzira depois de apresentar o noivo. — Ela foi operada esta manhã, mas até agora não voltou a si. Sinto-me angustiada.

— Compreendo como se sente. Mas você é pessoa de fé, tem conhecimento espiritual. Este é o momento de confiar em Deus. Você sabe que Ele faz tudo certo e não cai uma folha da árvore sem que Ele permita.

— A senhora acha que ela vai ficar boa? — indagou Alzira.

— Claro que vai. Tudo quanto nos acontece é passageiro.

— Ainda bem. Ela vai demorar muito para se recuperar?

— Isso depende de como o espírito dela enfrentará a situação. Sua irmã é pessoa muito apegada ao mundo material.

— A senhora quer dizer que ela não tem conhecimento espiritual? — desta vez foi Valdo quem perguntou.

— Todos os desafios que a pessoa enfrenta no mundo acontecem para ensinar-lhe determinada lição. Uma vez aprendida, tudo se resolve. Mirtes valoriza mais a matéria do que o espírito. Essa é uma inversão de valores que sempre atrai sofrimento. Sua recuperação vai depender de como ela reagir a essas experiências. Nossas preces em favor dela devem ser para que ela consiga aprender o que a vida está querendo ensinar-lhe.

— O médico diz que ela está correndo risco de vida. Desde que eu soube do caso, sinto um terrível pressentimento. Será que ela vai morrer?

— A vida e a morte pertencem a Deus. É natural que sinta angústia. Uma violência como a de que Mirtes foi vítima nos faz sentir o quanto somos vulneráveis. Você ainda está em choque. Vamos orar juntos para que Deus nos ajude, esclareça e conforte. Não esqueça que a vida sempre faz o melhor.

Isaltina levantou-se, colocou as mãos sobre a cabeça de Alzira, fez uma prece e começou a ministrar energias durante alguns minutos. Depois fez o mesmo com Valdo. Por fim, agradeceu aos amigos espirituais a ajuda que receberam.

— Sente-se melhor? — indagou ela.

— Sim — tornou Alzira. — A angústia desapareceu.

— Vamos confiar, minha filha.

Quando saíram, Valdo comentou:

— Que energia boa! Eu estava tenso, com dor de cabeça. Agora estou aliviado.

— Eu também. Parece que saiu um peso de cima do meu peito.

274

Os dois foram para a casa dela. Ao entrarem, Valdo disse:

— Não vou deixar você sozinha.

— Eu estou mais calma. Ficarei bem.

— Acho que vou dormir aqui.

— De jeito nenhum. Papai não iria gostar. Depois, você também não dormiu, não descansou nada. Melhor ir para casa, tomar um banho, refazer-se. Eu ficarei bem.

Ele só partiu depois que ela prometeu ligar, se precisasse de algo.

Alzira tomou um banho. Assim que se deitou, o telefone tocou. Era Valdo.

— Como você está? — perguntou ele.

— Bem. Acho que conseguirei dormir.

— Minha mãe não contou nada a Laura e Émerson. Eles viajaram logo cedo.

— Fez bem. Se eles soubessem, não teriam ido, o que seria uma pena. Estragar a lua de mel deles não iria beneficiar Mirtes em nada.

— Mamãe pediu que eu ligasse e explicasse isso a você.

— Sua mãe é muito atenciosa. Diga-lhe que agradeço e concordo com ela.

Conversaram um pouco mais, depois se despediram. Alzira pensou na irmã na UTI do hospital. Sentiu tristeza, mas reagiu. Não podia deixar-se abater. Evocou a luz divina e pediu a Deus que ajudasse Mirtes a aprender a lição que a vida queria lhe ensinar para que pudesse curar-se.

Sentiu um brando calor no peito e, vencida pelo cansaço, adormeceu.

***

Mercedes acordou e recebeu um telefonema do detetive Sobral. Na véspera, ela havia pagado a quantia que Dinho pedira adiantado. Sobral garantira que ele era de confiança e que só trabalhava daquela forma. Dinho planejava tudo para estar longe do local do crime quando a polícia começasse a investigar. Graças a essa cautela, nunca fora apanhado.

— E então? — indagou, agitada.

— Missão cumprida.

— Tem certeza?

— Sim. Tenho amigos na delegacia onde o caso foi registrado. Há mais algumas despesas que a senhora precisa nos reembolsar.

— Você não disse que eu teria de pagar mais alguma coisa.

— São despesas de viagem. O dinheiro que levei não foi suficiente. Depois, eu também tenho um preço.

— Pensei que já tivesse pagado tudo. Não tenho muito dinheiro.

— O serviço foi bem-feito, e isso custa caro.

— Está bem. Diga o valor e vamos nos encontrar no lugar de sempre. Vou levar o dinheiro.

Depois de desligar o telefone, Mercedes procurou os jornais da manhã, mas não viu nenhuma notícia a respeito do assunto. Teria sido enganada?

A criada, que chegou cedo, foi logo dizendo:

— A senhora viu o que aconteceu com o doutor Humberto?

Mercedes estremeceu:

— Não. O que foi?

— A casa dele foi assaltada e a esposa dele levou dois tiros. Está entre a vida e a morte no hospital.

— Quem lhe contou?

— Meu namorado. A senhora lembra que foi o doutor Humberto quem deu emprego a ele?

— Sim.

— Foi uma tragédia. Parece que ela não escapa. Não acha que foi castigo por ele ter largado a senhora e casado com uma moça que poderia ser filha dele?

— Não acho nada. Humberto me deixou e estou conformada. A vida dele não me interessa. Não quero falar mais nesse assunto.

A criada se foi e Mercedes sentou-se apreensiva. O serviço não fora feito como devia. Mirtes ainda estava viva e poderia escapar.

Foi para o quarto, fechou a porta e ligou para Sobral. Assim que ele atendeu, foi dizendo:

— Vocês me enganaram. Ela não morreu.

— Não? Acalme-se. Ele nunca falha.

— Ela está na UTI. Foi inútil.

— Vamos esperar. Fique calma. Como soube? Nos jornais não há nada.

— Minha criada me contou. O namorado dela trabalha na casa de Humberto.

— Ela pode estar enganada. Vou informar-me e volto a ligar.

— Cuidado ao telefonar para cá. Desligue se não for eu que atender.

***

276

No hospital, o estado de Mirtes continuava igual. Nenhum sinal de melhora. À tarde, o médico passou para vê-la. Quando saiu da UTI, Antônio abordou-o preocupado.

— Doutor, ela não acorda. Por quê?

— Infelizmente o estado dela se agravou. Ela entrou em coma.

Antônio empalideceu:

— Por favor, doutor, salve minha filha!

— Estamos nos empenhando, mas ela perdeu muito sangue. Além disso, a bala perfurou os intestinos e misturou elementos contaminados à corrente sanguínea. Apesar da assepsia e dos cuidados, não conseguimos evitar que a infecção aparecesse e se generalizasse.

Quando Antônio voltou ao quarto onde Humberto, Estela, Alzira e Valdo esperavam, todos o olharam preocupados.

— E então? — perguntou Estela. — Falou com o médico?

— Sim. Ela não melhorou.

— Ela está demorando muito para acordar — tornou Humberto. — Não é um bom sinal.

— De fato. O médico disse que ela está com uma infecção.

— Eu solicitei uma junta com especialistas. Temos de fazer alguma coisa — disse Humberto.

Enquanto Valdo e Humberto cuidavam de tudo, Alzira insistia para que a mãe descansasse um pouco. Estela estendeu-se na cama, mas estava tensa. Ao menor ruído, estremecia. Apesar de haver passado a noite em claro, não conseguia dormir.

Às oito da noite, os especialistas compareceram, estudaram o caso, examinaram a paciente e confirmaram o diagnóstico do cirurgião que cuidava do caso. Estavam fazendo tudo que era possível, mas ela não reagia.

Passava das onze quando o médico procurou a família para dizer que a situação havia se agravado, e que Mirtes estava dando sinais de que não conseguiria resistir.

Diante do desespero de todos, Alzira chamou Valdo e pediu:

— Vá à casa de dona Isaltina, conte-lhe tudo e peça-lhe que venha nos ajudar.

Valdo partiu imediatamente.

A médium, assim que o viu, tornou:

— Eu sei, meu filho. Ela piorou.

— É. A família está aflita e perguntou se a senhora pode ir até lá para fazer uma prece.

277

— Está bem. Vou apanhar a bolsa.

Assim que eles apareceram no quarto do hospital, Estela levantou-se e abraçou Isaltina, chorando.

— Por favor, peça para Mirtes melhorar.

— Vamos confiar na bondade divina, que faz sempre o melhor. Quando a dor nos visita, muitas vezes não entendemos o que ela quer nos ensinar. Mas acreditem: ela só aparece depois de haver esgotado todos os outros meios. Neste momento, Mirtes precisa de nosso apoio na forma de energias puras que a sustentem e auxiliem a passar por essa situação. Vamos nos esforçar para melhorar nossas energias, pensando na fé que temos no amparo divino, que nunca nos abandona. Vamos lembrar de Mirtes cheia de alegria e saúde, abraçá-la com amor, desejando que ela se restabeleça.

Todos acompanhavam as palavras de Isaltina, tentando reagir ao estado de angústia que os dominava. Ela continuava falando, e aos poucos, todos foram se sentindo melhor.

Estela, que estava sentada na cama, recostou-se nos travesseiros e adormeceu. Isaltina continuou falando, pedindo ajuda espiritual.

— Senhor, derrame sobre nós a bênção da paz. Desconhecemos as causas que envolvem esse triste acontecimento. Fortaleça-nos para que, ainda assim, tenhamos força para aceitar a vontade divina, que nunca erra. Permita, Senhor, que o entendimento de Mirtes se abra e que ela possa aprender o que a vida está pretendendo ensinar-lhe.

Naquele momento, Isaltina viu o espírito de Mirtes, amparado por duas enfermeiras, aparecer no quarto, olhos abertos, parecendo alheia ao que estava acontecendo.

Isaltina, emocionada, continuou:

— Mirtes, que Deus a abençoe. Vá em paz e perdoe os que a feriram. Eles não sabem o que fazem.

Isaltina viu que duas lágrimas rolaram dos olhos de Mirtes. Em seguida, as enfermeiras a levaram.

Valdo olhou preocupado para Alzira. Ele sentiu que Mirtes estava partindo. As lágrimas desciam pelo rosto de sua noiva e ele segurou sua mão. Ela também havia entendido.

Estela dormia, vencida pelo cansaço. Antônio segurou Humberto pelo braço, levando-o para fora. Valdo, Alzira e Isaltina também saíram.

— Vamos à UTI — pediu Humberto.

Assim que chegaram ao corredor, viram um movimento incomum na unidade em que Mirtes estava.

Assustado, Humberto gemeu:

— Meu Deus! Ela piorou! Vamos lá.

Isaltina abraçou Alzira, dizendo:

— Ela já partiu. Vamos orar para que siga em paz.

Alzira não chorou mais. Ela sabia que a morte era apenas uma viagem e que Mirtes estava seguindo seu destino. Olhou para o pai, que, abatido, tentava conter Humberto, que mal podia suster-se nas pernas.

— Humberto precisa de socorro médico — disse Valdo. — Vamos colocá-lo na poltrona. Fiquem com ele que vou buscar um médico.

Isaltina segurou a mão dele, dizendo baixinho:

— Coragem. Não se entregue assim. Tudo vai passar.

Valdo voltou com um médico, que o examinou e disse:

— Ele precisa de repouso. Está com a pressão muito alta e alteração dos batimentos cardíacos. Vou aplicar-lhe um calmante.

Humberto não queria afastar-se dali, mas o médico mandou dois enfermeiros levarem-no para o quarto.

Estela acordou assustada, sem perceber o que estava acontecendo. Viu quando os enfermeiros aplicaram uma injeção em Humberto, que em seguida adormeceu.

"Meu Deus!", pensou ela. "Ele está mal. Será que Mirtes…"

Levantou-se e foi até o corredor da UTI. Isaltina abraçou-a, dizendo--lhe ao ouvido:

— Você precisa ser forte. Sua filha partiu.

Estela sentiu as pernas fraquejarem. Isaltina sentou-a na poltrona. Imediatamente, Alzira e Antônio abraçaram-na enquanto Isaltina e Valdo oravam por eles.

***

Os dias que se seguiram foram de tristeza e dor.

Valdo tomou todas as providências para o sepultamento. Humberto, contrariando o médico, fez questão de acompanhar tudo. Seus filhos, tocados pelo sofrimento dele, cercaram-no de atenções.

Queriam levá-lo para a mansão da família, mas Humberto não quis. Queria ficar lá, na casa onde fora feliz ao lado da esposa.

Apesar da dor que os entristecia, Estela, Antônio e Alzira sentiam-se fortalecidos pela fé e pela certeza de que a vida continua após a morte do corpo, diferentemente do que pensava Humberto. Embora chocados pela brutalidade do acontecimento, procuravam confortá-lo, o que estava sendo difícil. Inconformado, ele mergulhou na depressão, perdeu o gosto de viver.

O médico conversou com os filhos para que tentassem ajudá-lo. Assustados com o abatimento dele, nos primeiros dias os dois rapazes procuraram levantar-lhe o ânimo. Não obtendo resultado, aos poucos foram desistindo.

Em menos de um mês após a morte de Mirtes, apenas a família dela o visitava, tentando fazê-lo levantar-se. Humberto, porém, não reagia de forma alguma. Passava os dias na cama, apático, entregue ao desânimo.

A pedido de Estela, Isaltina fora visitá-lo algumas vezes. No entanto, embora Humberto a recebesse educadamente, ele não melhorava.

— Ele perdeu o gosto de viver. Se continuar assim, não viverá muito tempo — considerou Isaltina à família de Mirtes.

— É uma pena. É um homem bom e gostava muito de minha filha — lamentou Estela.

— Ele estava no auge da paixão. Não se conforma com a tragédia — comentou Valdo.

— Não é fácil para um homem como ele passar por uma experiência dessas — tornou Antônio.

— Eu penso de outra forma — disse Alzira. — A bondade não impede ninguém de passar pelos desafios na vida.

Todos a olharam admirados.

— A bondade atrai o bem — comentou Estela.

— Mas não impede que as pessoas passem por experiências dolorosas.

— Não acha que você está sendo injusta? — perguntou Antônio ligeiramente escandalizado com as palavras da filha.

— Não, papai. Uma pessoa pode ser muito boa, mas ingênua. E a vida quer que aprendamos a viver com sabedoria. Por isso a evolução do espírito nunca para. E esse processo ocorre através do atrito. Ninguém gosta de mudanças. As pessoas se acomodam. De repente, tudo muda e elas são obrigadas a aceitar o novo, a seguir em frente.

— Tem razão, Alzira — concordou Isaltina. — Foi a sabedoria divina que falou pela sua boca. Estamos vendo todos os dias pessoas que consideramos bondosas sofrerem toda sorte de problemas. Observamos, depois de algum tempo, quanto elas amadureceram com eles.

Valdo abraçou Alzira, dizendo:

— Você acabou de responder às minhas indagações. Acho injusto uma pessoa boa sofrer. Onde está seu merecimento?

— Na ajuda espiritual que sempre tem — respondeu Isaltina. — Os amigos que fazemos pelo caminho, seja no astral ou no mundo terreno, são energias positivas que nos apoiam nos momentos difíceis. Com elas encontramos forças para enfrentar as situações com menos dor e mais lucidez, o que favorece nossa vitória. Mas, já que você falou em mérito, nós só conquistamos algum quando vencemos nossos pontos fracos. Ajudar os outros é bom, dá prazer, faz bem à alma, mas não nos dá merecimento. Em nosso progresso espiritual, o que conta mesmo é a modificação de nossas atitudes para melhor.

Essas conversas faziam muito bem a todos eles, criando à sua volta um ambiente de paz. Isaltina, embora se ocupasse em muitas atividades, sempre encontrava um tempo para um café com os amigos e a troca de ideias sobre espiritualidade. Entre eles havia nascido uma amizade sincera e proveitosa.

Por causa da morte de Mirtes, Alzira resolveu adiar a data do casamento. Valdo, embora contrariado, acabou aceitando. Ela queria ficar mais um pouco morando com os pais, confortando-os. Marcaram uma nova data para seis meses depois.

***

Foi com satisfação que Mercedes ficou sabendo da morte de Mirtes. Sobral havia ido investigar no hospital e confirmou que ela morrera. Imediatamente foi dar a notícia.

Mercedes continuou pagando Sobral para acompanhar a vida de Humberto. Ela queria saber tudo que estava acontecendo.

A criada às vezes comentava o quanto ele estava abatido, fechado na mansão, sozinho com os criados, sem vontade de viver.

"Isso passa", pensava ela. "O tempo cura todas as feridas. Logo ele estará aqui à minha procura."

Mas o tempo passava e ele não aparecia. As notícias não eram animadoras. Sobral dizia que ele estava doente. O detetive acompanhava também as investigações da polícia sobre o crime. Assim soube do interesse de Humberto em oferecer recompensa a quem desse alguma pista do assassino.

Mas, apesar do esforço, a polícia não tinha nenhuma pista. Ninguém havia visto nada. Mesmo Humberto só enxergara um vulto. O delegado várias vezes o interrogara sem resultado. Certa vez, comentou com Humberto:

— Para mim não foi assalto. Foi encomenda.

— Como assim? — indagou Humberto.

— Matador profissional. O tipo de arma, o calibre da bala revelam que a pessoa entende do assunto e atirou para matar. Sua mulher tinha inimigos?

— Não. Mirtes era amada por todos. Isso não pode ser, doutor.

— Se fosse algum inimigo seu, o senhor estaria morto agora. Infelizmente, esses tipos sabem o que estão fazendo e nunca erram. Não deixam pista.

Depois que o delegado se foi, Humberto ficou pensando em suas palavras. Mas não chegou a nenhuma conclusão. Ele estava errado. Só podia mesmo ter sido um assalto. Não havia outra explicação.

Mas, fosse o que fosse, ele não iria desistir. Sua vida estava destruída e dali para a frente viveria para a vingança. Precisava fortalecer-se, ficar bem para poder investigar por conta própria.

A partir daquele dia, esforçou-se para alimentar-se melhor, obedecer às recomendações médicas e recuperar a saúde.

***

Dois meses depois, Mercedes telefonou para Humberto. Com voz triste, disse que lamentava o acontecimento e estava preocupada com ele. Ouviu dizer que estava doente.

Humberto comoveu-se com as palavras dela. Mercedes amava-o de fato. Havia se afastado completamente para não prejudicar seu casamento e agora procurava-o preocupada com seu bem-estar. Agradeceu seu interesse.

Ela finalizou:

— Avalio como deve estar se sentindo sozinho. Eu sei como é isso. Se desejar conversar, venha tomar um chá comigo. Você sabe que sempre será bem-vindo à minha casa.

A princípio ele pensou em não ir, mas, decorridos alguns dias, começou a achar insuportável sua solidão. A presença de Mirtes com sua risada alegre, sua exuberância, enchia sua casa, que, agora vazia e silenciosa, o deprimia.

Uma tarde, triste e abatido, foi à casa de Mercedes, que o recebeu com carinho. Humberto sentiu-se apoiado. Não teve vergonha de falar de seus sentimentos.

Mercedes controlou a raiva e ouviu-o pacientemente falar do amor que sentia por Mirtes, de como fora feliz a seu lado e de como sofria com a separação. Ela a custo conseguiu controlar a revolta ouvindo-o discorrer sobre a rival. Porém o pensamento de que ela vencera, e que ele em breve estaria de volta e esqueceria aquela aventura dava-lhe forças.

O tempo todo Mercedes mostrou-se como uma amiga leal e dedicada.

— Chorei muito quando soube. Sua felicidade é tudo quanto desejo na vida. O amor que sinto por você é puro e verdadeiro.

Embalado em falar de si, Humberto nem pensou que ela podia estar mentindo, que sua atitude não era natural em uma mulher de meia-idade que havia sido trocada por outra muito mais jovem e bonita.

A partir daquele dia, Humberto passou a visitar Mercedes com frequência. Agora, seu assunto predileto era a vingança. Contou-lhe que havia contratado um detetive para procurar o assassino. Ele não descansaria enquanto não o colocasse atrás das grades.

Mercedes imediatamente comunicou-se com Sobral, que procurou descobrir quem era a pessoa que estava trabalhando para Humberto.

Sobral era bem relacionado no meio policial, mas não conseguiu identificar ninguém. Sabia que eles eram discretos, porque os clientes queriam sigilo. Passou na delegacia e conversou com policiais amigos, tentando obter uma pista, mas foi inútil.

— A senhora tem certeza de que Humberto contratou mesmo um detetive?

— Tenho — respondeu Mercedes. — Disse até que tem recebido alguns relatórios. Ele está levantando a vida da família dela porque o delegado suspeita de que foi um profissional.

— Ele disse isso?

— Disse. Mas Humberto acha que o delegado está enganado. Não acredita nessa hipótese.

— Ainda bem. Eles não vão descobrir nada.

— É o que eu acho. Humberto me conta tudo. Vou ver o que posso descobrir. Qualquer novidade, eu ligo.

Estela e Antônio de vez em quando visitavam o genro, preocupados com seu abatimento. Espaçaram as visitas depois que ele se recuperou.

Agora era Humberto que, quando a saudade batia forte, ia à casa dos sogros conversar. Falava das providências que estava tomando para descobrir o assassino de Mirtes.

Depois que ele saía, Estela comentava com o marido:

— Não gosto da maneira como Humberto fala.

— Mas eu concordo com ele. Gostaria de ver esse assassino na cadeia.

— Eu também. Mas tenho procurado não cultivar a vingança. Não quero ter ódio no coração.

— Quando penso em nossa filha agredida daquele jeito, sinto muita raiva.

— Não é fácil. Há momentos em que a dor fica insuportável. Mas então me recordo das palavras de dona Isaltina e procuro trabalhar isso de outra forma.

— Não há palavras que possam ajudar nesta hora.

— Há, sim. São palavras de sabedoria. Às vezes, questiono por que Deus permitiu que esse crime se consumasse. Somos pessoas de bem... Por que ele não impediu que esse assassino a atingisse?

— São perguntas que eu fiz mil vezes, sem encontrar resposta.

— Isaltina me explicou. Nós somos responsáveis por tudo que nos acontece na vida. Nossas atitudes criam nosso destino. Não existe injustiça. Deus está no leme de tudo. Se fomos atingidos por essa tragédia, foi porque precisávamos aprender alguma coisa.

— O que se pode aprender com uma coisa dessas? Eu senti raiva, impotência, desânimo.

— Onde está sua fé? Esqueceu como fomos ajudados quando estávamos sem dinheiro e sem emprego?

— Eu não esqueci. Mas por que Mirtes teve de passar por isso?

— Eu não sei. Mas, como Deus é misericordioso, justo, deve haver uma boa razão. Eu prefiro perdoar, procurar aceitar o que aconteceu, deixar o castigo do criminoso nas mãos de Deus. Tenho certeza de que um dia, seja onde for, ele terá a lição de que precisa para respeitar o sagrado direito à vida.

Antônio abraçou a esposa, dizendo comovido:

— Você é muito melhor do que eu. Por favor, ensine-me a suportar esta mágoa e perdoar.

Ela o beijou na face com carinho:

284

— A vingança não trará Mirtes de volta. Ao contrário, só vai perturbá-la no astral. Precisamos mandar-lhe pensamentos de luz, de amor e de paz. Não sabemos como ela está aceitando o que lhe aconteceu.

— Você acha que ela está sofrendo?

— Mirtes tinha gênio forte, era um pouco rebelde. Isaltina disse que, se ela aceitar a ajuda dos espíritos socorristas e lhes obedecer, ficará bem. Mas, se se rebelar, poderá sofrer muito mais.

— Nesse caso, vamos nos esforçar para manter a calma e mandar-lhe pensamentos bons.

— Isso mesmo. Deus nos dará forças para superarmos nossos sofrimentos.

Eles não viram que um vulto escuro em um canto da sala chorava copiosamente, em franco desespero. Trazia um longo vestido roto e uma ferida aberta na barriga, sobre a qual colocava uma das mãos como a impedir que sangrasse.

CAPÍTULO 22

Mirtes abriu os olhos assustada. Sua barriga queimava. Além disso, sentia tonturas e tinha dificuldade de raciocinar.

Lembrou-se de que havia bebido um pouco a mais, e talvez a bebida lhe tivesse feito mal. Olhou em volta. A sala branca estava silenciosa. Não havia ninguém. Que lugar era aquele?

A um canto, algumas macas e dois corpos cobertos por um lençol. O lugar era frio e provocou-lhe uma desagradável sensação. Estaria sonhando?

Passou a mão pela cabeça tentando mandar embora aquele atordoamento. Sentiu medo e desejou sair dali, mas a curiosidade foi mais forte.

Que corpos eram aqueles cobertos? Claro que estavam mortos. Só se cobre a cabeça de uma pessoa quando ela está morta.

Aproximou-se de um deles e tentou levantar o lençol, mas não conseguiu. Sua mão passava por ele sem tocá-lo. Sem saber o que fazer, fixou o olhar sobre o corpo e imediatamente viu que era o de um homem jovem.

Aproximou-se do outro e naquele momento dois rapazes de branco entraram na sala. Um deles levantou o lençol e Mirtes estremeceu: era ela que estava estendida naquela maca, nua e gelada.

O que significava aquilo? Que pesadelo era aquele? Apavorada, saiu correndo e nem sequer notou que passou através das portas fechadas. Viu-se na rua. Mas era estranho, as pessoas falavam, os carros andavam e ela não ouvia nenhum ruído. Era como se estivesse morta.

Claro que só podia ser um pesadelo. Em breve ela acordaria e tudo voltaria ao normal. Aquele corpo costurado e frio não era o dela. Era uma ilusão, um sonho. Ela estava viva. Podia se apalpar, sentir, pensar.

Mirtes não sabia por quanto tempo perambulou pelas ruas tentando voltar para casa. Cansada, sentou-se em uma praça. Um jovem sentou-se a seu lado, olhou para ela e sorriu.

Ela notou que ele a estava vendo, o que não acontecia com as pessoas com quem havia tentado conversar. Aproveitou o momento:

— Você está me vendo?

— E ouvindo muito bem.

— Quero ir para casa, sair deste pesadelo horrível.

— Não é um pesadelo.

— O que é, então?

— Uma mudança de estado. Você está em outra dimensão. Sua casa agora é outra.

— Não acredito. Como pode dizer uma coisa dessas?

— É verdade. Você não pertence mais ao mundo dos encarnados.

— Não pode ser. Quem fez isso comigo? Como me tiraram de lá, assim, de uma hora para outra, sem meu consentimento, justo agora que eu estava no auge de minha vida?

— Há momentos em que a vida assume a direção e é preciso aceitar.

— Eu quero voltar para minha casa. Você não está dizendo a verdade.

— É melhor aceitar o inevitável. Você não pode mais voltar para lá. Vim buscá-la. Vou levá-la para um lugar onde ficará amparada e receberá todos os esclarecimentos que quiser.

— Não quero ir. Não o conheço e não acredito em nada do que está dizendo. Quero ir para minha casa. Fique sabendo que tenho dinheiro. Agora sou muito rica. Se me levar para lá, posso recompensá-lo muito bem.

Ele sorriu e respondeu:

— Eu não preciso de nada. Vim para ajudá-la. Venha comigo.

— Já disse que não quero. Deixe-me em paz. Está confundindo minha cabeça.

— Você está chegando agora e desconhece os perigos a que está sujeita. Venha comigo. Se não gostar do lugar, poderá sair.

— Não. Você está querendo me sequestrar. Vou procurar a polícia e dar queixa.

— Está bem. Não posso forçá-la.

Ele desapareceu e Mirtes olhou em volta assustada. Ninguém podia desaparecer daquele jeito. Que loucura era aquela? A lembrança do corpo costurado a atormentava. Aquilo só podia ser um pesadelo. Ela estava viva, bem viva.

288

Sentou-se novamente e começou a pensar em sua casa, em como gostaria de estar lá. Era tudo tão lindo, tão agradável...

De repente, sem saber como, ela se viu em seu quarto, em casa. Humberto estava deitado, abatido, pálido. Estaria doente?

Radiante, Mirtes aproximou-se dele, dizendo:

— Finalmente eu o encontro! Como é bom estar em casa! O pesadelo acabou.

Humberto, porém, não se mexeu. Continuou cabisbaixo, triste. Mirtes insistiu:

— Humberto, sou eu. Voltei para casa! Ajude-me! Não sei o que aconteceu, mas meu vestido está roto, sujo de sangue, estou machucada, preciso de um médico.

Ele continuava sem nenhuma reação. Talvez estivesse doente mesmo. Mirtes saiu à procura de algum criado que pudesse explicar-lhe o que estava acontecendo.

Foi em vão que tentou atrair a atenção deles. Ninguém a ouvia ou via, e ela foi ficando desesperada. Aquilo não podia continuar. Tinha de haver uma explicação.

Mas ninguém a socorria. Precisava prestar atenção à conversa deles, talvez assim pudesse saber o que tinha acontecido.

A princípio não foi fácil. Ela via as pessoas conversando, mas não conseguia ouvir o que diziam. Redobrou a atenção e aos poucos foi conseguindo ouvir.

Falavam de um assalto, de um crime, estavam procurando um assassino. Ela viu Humberto contratar um detetive para investigar o crime. Até que, um dia, quando o detetive estava com ele, finalmente ela ouviu o marido dizer:

— Continue investigando. Não descansarei enquanto não pegar o assassino de minha querida Mirtes.

"O assassino de minha querida Mirtes..."

Aquelas palavras caíram sobre ela como uma bomba e continuaram martelando em seus ouvidos. Ela gritou e perdeu os sentidos.

Quando acordou, continuava no quarto do casal. Aquelas palavras voltaram e ela ficou apavorada. Crime? Então era verdade mesmo? Ela estava morta? Aquele corpo frio, costurado, era o seu? Como podia ser isso se ela estava mais viva do que nunca? Lembrou-se das palavras de Isaltina e estremeceu. Estava ela falando a verdade?

Desesperada, Mirtes chorou copiosamente. Por que aquilo havia acontecido? Agora que ela tinha conseguido o que queria, jovem, admirada, rica, prestigiada na sociedade, alguém havia destruído tudo? Cerrou os punhos com raiva. Quem teria feito aquilo?

Quando se sentiu mais calma, decidiu ficar ao lado do marido e acompanhar as investigações. A pessoa que fez aquilo haveria de pagar caro pela maldade.

Mirtes ficou junto a Humberto e presenciou seu sofrimento. Triste e comovida com a atitude dele, quando o via triste, olhando seu retrato, dizia-lhe ao ouvido:

— Você é meu único amigo. Estou a seu lado. Juntos, vamos descobrir esse assassino e nos vingar. Ele não pode ficar impune.

Naqueles momentos, Humberto sentia aumentar sua raiva e o desejo de vingança. Era em vão que os familiares de Mirtes tentavam demovê-lo. Ela ficava irritada vendo-os insistir para que ele deixasse a polícia cuidar do caso.

Foi com curiosidade que ela acompanhou Humberto à casa de Mercedes. Mais lúcida e habituada a seu novo estado, Mirtes conseguia perceber os pensamentos das pessoas. Notou logo que Mercedes fingia-se compungida, mas estava feliz com sua morte. Isso despertou nela uma suspeita.

Certa tarde, quando Humberto se despediu, ela continuou na casa de Mercedes. Pôde perceber o ciúme que ela sentia e o esforço que fazia para controlá-lo. Mirtes resolveu ficar ao lado dela para vigiá-la. Assim, ouviu uma conversa dela com Sobral ao telefone. Suas suspeitas tinham fundamento.

Quando Mercedes marcou um encontro com Sobral para pagar-lhe os serviços no acompanhamento de Humberto e do caso, Mirtes foi atrás.

Sobral entrou no carro e Mercedes indagou como estava a investigação, ao que ele informou:

— Não descobriram nada. Nem podiam. Dinho está muito longe e não deixou pista.

— Humberto não desiste. Está com uma ideia fixa.

— A senhora pode ficar sossegada. Ninguém descobrirá nada. Tenho visto Humberto ir à sua casa muitas vezes. Desse jeito, a senhora logo conseguirá o que deseja.

— Você descobriu quem está trabalhando para ele?

— Ainda não. Mas, seja quem for, vai quebrar a cara. Foi tudo muito bem-feito.

— Espero que seja assim. Ninguém pode saber que fui a mandante. Paguei um preço alto. Espero que Dinho me esqueça e nunca volte para me chantagear.

— O que é isso, madame? Sou um profissional de confiança. Não teria contratado Dinho se ele não fosse um homem sério, cumpridor da palavra.

— Está bem. Se continuarem assim, não vão se arrepender. Sei reconhecer quem me é fiel.

Mirtes, sentada no banco traseiro do carro, ouvia estarrecida. Suas suspeitas estavam certas. Aquela mulher abandonada havia realizado sua vingança. Em vez de acabar com o traidor, voltara-se contra ela. Se tivessem matado Humberto, teria sido até um bem, porque Mirtes estaria rica, jovem e viúva, pronta para usufruir da vida como gostaria. Mas não. Ela lhe tirara a vida. E agora teria de pagar por isso.

Irritada, Mirtes atirou-se sobre Mercedes dando-lhe socos e empurrões, dizendo revoltada:

— Sua traidora infame! Pensa que acabou comigo, mas estou aqui. Agora você vai pagar por tudo que me fez. Você e esse réptil que por dinheiro não hesitou em chegar ao crime.

Mercedes sentiu uma tontura violenta e empalideceu. Sobral olhou-a assustado.

— O que foi? A senhora está se sentindo mal?

— Foi de repente… Fiquei tonta, minha cabeça pesa, estou com enjoo. Acho que vou desmaiar.

Sobral abriu as janelas do carro.

— Por favor, não faça isso. Não posso chamar ninguém. É perigoso que nos vejam juntos.

Mirtes afastou-se um pouco, procurando acalmar-se. Ela precisava saber quem havia atirado. Todos os culpados iriam pagar pelo crime. Ela não os deixaria em paz.

Mercedes respirou fundo e disse:

— Já passou. Tudo isso me deixou nervosa. Não gosto de tratar desse assunto.

— Nem eu. Mas precisamos ir até o fim.

Mirtes observava atentamente e decidiu acompanhar Sobral. Mercedes havia sido a mandante; restava saber quem consumou o crime.

***

Desde aquele dia, Mirtes passou a seguir Sobral. Descobriu que ele ganhava a vida enganando as pessoas para explorá-las. Na tarde do dia seguinte foi que ela viu o detetive ligar para Dinho. Exultou. Ele era quem procurava. Lembrava-se perfeitamente do nome.

Ouviu que Sobral dizia:

— Estou ligando para dizer que está limpo. Nosso negócio deu certo. Fique tranquilo que o caminho está livre.

— Entendi. Mas não telefone mais. Só se tiver novidades. Por aqui está coberto, tudo como sempre, na mais perfeita ordem.

Despediram-se e Mirtes colou-se em Sobral. Ela queria conhecer Dinho.

Mas não conseguiu nada. Como saber onde ele estava? Apesar de não saber como fazer, continuou colada ao detetive. Seguia todos os seus passos.

Dois dias depois viu um rapaz entrar no escritório. Trazia a roupa rasgada e uma cicatriz feia no pescoço. Vendo-a, perguntou:

— Quem é você? O que faz aqui?

— Eu é que pergunto. O que quer?

— Tenho umas contas a ajustar com esse sujeito.

Mirtes riu satisfeita:

— Eu também. Estou aqui para me vingar.

O rapaz abriu um sorriso largo e estendeu a mão, dizendo:

— Nesse caso, estou com você. Meu nome é Jairo.

— O meu é Mirtes.

Em um canto da sala eles conversaram e desabafaram.

Jairo contou que estava apaixonado por uma mulher casada. O marido contratou Sobral para seguir a esposa. Ele fotografou tudo, mas o marido não quis fazer o flagrante. Disse que não queria escândalo. Preferia que alguém desse cabo do rival. Quanto à esposa, ele mesmo daria jeito.

— Sobral, esse bandido, contratou um matador que me tirou a vida à queima-roupa.

— Já sei: Dinho.

— Esse mesmo. Como você sabe?

Mirtes contou tudo e finalizou:

— Preciso descobrir onde ele está. Por isso estou aqui. Todos o que me mataram vão pagar.

— Você não pode fazer nada. Faz um ano que o estou seguindo. Sei onde esse canalha está, mas não consegui fazer nada contra ele. Voltei para tentar alguma coisa contra Sobral.

Mirtes entusiasmou-se:

— Você vai me levar aonde esse assassino está.

— Não adianta. Ele é muito perigoso. Tentei de todas as formas me vingar dele, mas ele tem alguns asseclas que o protegem. Quase acabaram comigo.

292

— Como assim?

— Pessoas como nós, sem corpo. Eles nem me deixaram chegar perto dele.

Mirtes ficou pensativa, depois disse:

— Nesse caso é preciso usar inteligência, fazer tudo sem que eles saibam.

— Como pensa agir?

Antes que Mirtes pudesse responder, entrou na sala uma mulher com roupas sujas de sangue, cabelos desalinhados, olhos aflitos. Aproximou-se de Jairo, dizendo:

— Procurei você por toda parte. Por que me abandonou?

— Eu não a abandonei. Estou procurando resolver nossos problemas. — Voltando-se para Mirtes, que os observava curiosa, continuou: — Esta é Eli. Foi por ela que me apaixonei.

— Quer dizer que ela também foi assassinada?

— Sim. Pelo próprio marido. Ele fez umas alterações no carro dela. Na estrada ela ficou sem breque e despencou no barranco. Assim ela veio. Todos pensaram que foi acidente.

— Quer dizer que o marido dela continua livre?

— Livre e já está saindo com outra.

— Aquele cachorro não perde por esperar — interveio Eli com raiva.

— Todos temos contas a ajustar. Juntos poderemos conseguir o que pretendemos. Eu ajudo vocês e em troca vocês me ajudam. Que tal?

Os dois concordaram e ali mesmo selaram o pacto de vingança. Jairo e Eli tinham morrido havia mais de cinco anos. Nesse período haviam se juntado a outros que como eles desejavam ajustar contas com pessoas na Terra que os tinham prejudicado.

Graças a alguns serviços que prestavam ao grupo, haviam conseguido lugar para morar e convidaram Mirtes para ir com eles. Assim, poderiam planejar os próximos passos. Ela concordou.

O lugar era um sobradão abandonado onde viviam outros desencarnados. Mirtes não gostou do lugar, mas precisava ter paciência. Depois cuidaria de seu futuro. Naquele momento queria vingar-se. Com a ajuda deles, tudo seria mais fácil. Conformou-se em ficar ali por algum tempo.

A primeira providência foi conhecer Dinho. Jairo e Eli a levaram até ele. Residia em um pequeno sítio onde plantava alguns alimentos e vivia com simplicidade. Vendo sua casa simples, sua vida modesta, ninguém imaginaria que ele tivesse dinheiro no banco, muito bem aplicado, e algumas propriedades em São Paulo.

Era tido pela vizinhança como pessoa de bem, embora vivesse retraído. Morava em companhia de uma mulata que lhe servia de criada e de amante.

Mirtes duvidou, mas Jairo mostrou-lhe no porão as armas muito bem cuidadas, munição e as roupas que usava quando saía para fazer seu trabalho. Vendo-o, Mirtes não se conteve. Atirou-se sobre ele gritando com raiva:

— Assassino! Você me tirou a vida, precisa pagar. Você vai ver!

Jairo tentou segurá-la, dizendo:

— Não faça isso. Eles vão nos pegar.

Nesse instante dois homens apareceram e agarraram Mirtes, que se debatia tentando soltar-se sem conseguir.

— Este terreno é proibido. Como você entrou aqui? — gritou um deles.

Jairo, que se escondera fora da sala, apareceu dizendo:

— Ela não sabia. Está alucinada. Vou levá-la embora. Isso não vai mais acontecer.

— Eu conheço você — disse o outro. — Eu já disse que não era mais para voltar aqui.

— Vim atrás dela para impedir que entrasse na casa. Ela não está em seu juízo perfeito.

Mirtes estava muito assustada, mas aproveitou a deixa, fingindo-se de louca, rindo e não falando coisa com coisa.

Os dois olharam-na desconfiados. Depois um deles segurou-a pelos braços e sacudiu-a, gritando:

— Vou deixá-la ir. Mas nunca mais apareça por aqui. Da próxima vez coloco você no calabouço. Lá aprenderá a respeitar nossas ordens.

Ela continuou resmungando. Jairo segurou-a e levou-a embora rapidamente. Eli, que os esperava, foi dizendo:

— Você já não a tinha avisado que não podia fazer isso? Acho que não devemos ajudá-la. Ela vai nos meter em confusão.

— Não — apressou-se a dizer Mirtes. — Pode confiar. Nunca mais farei isso.

Lágrimas corriam pela sua face. Ela estava assustada.

— É melhor assim — disse Jairo. — Vamos planejar tudo com inteligência. Não foi isso que você disse? Eles são mais fortes do que nós. Não podemos fazer nada.

— Mas, quando me atirei sobre a mulher que mandou me matar, ela passou mal.

— Ela está encarnada. Não pode ver você. Além do mais, os encarnados pensam que nós estamos mortos. Não sabem que continuamos vivos.

— Nesse caso, você tem razão. Vamos deixar esse matador para o final, já que ele é protegido por desencarnados. Trataremos primeiro dos outros: o detetive, Mercedes e o marido de Eli. Afinal, foram eles que pagaram o matador que Sobral intermediou.

Os dois concordaram com entusiasmo. Combinaram vigiar todos os passos dos três. Enquanto Mirtes cuidaria de Mercedes, Eli cuidaria do marido e todos vigiariam Sobral.

***

Depois do dia em que Mercedes passou mal no carro, ela começou a não dormir bem. Tinha pesadelos, via-se perseguida por vultos escuros. Por causa disso, tinha medo de dormir. Quando estava pegando no sono, estremecia e acordava sem ar, suando muito, coração disparado.

Foi ao médico, que receitou um calmante. Vencida pelo cansaço, Mercedes comprou o remédio. Tomou um comprimido antes de dormir e logo pegou no sono. Viu-se saindo do quarto e no corredor encontrou-se com Mirtes, que a esperava, olhos brilhantes de ódio, vestido roto e sujo de sangue, cabelos em desalinho. Desesperada, Mercedes quis voltar ao corpo, mas Mirtes a segurou pelo braço gritando:

— Assassina! Assassina! Acha que seu crime ficará impune? Você vai pagar!

Ela ria sinistramente, e Mercedes, apavorada, esforçava-se para soltar-se dela. A custo conseguiu desvencilhar-se e correu para o corpo adormecido, mergulhando nele. Mirtes acompanhou-a dizendo:

— Não adianta fugir. Você vai me pagar. Mulher malvada, traidora. Humberto vai saber de tudo e vai ajudar na minha vingança.

Mercedes conseguiu finalmente mergulhar no corpo. Queria levantar-se, mas o calmante havia deixado seu corpo mole. Apavorada, entre o sono e a lucidez, ela viu Mirtes à sua frente brigando, ora irônica, ora enraivecida. Assim a noite passou, sem que ela pudesse descansar.

Na manhã seguinte, assim que acordou, jogou fora o calmante. Sentira-se pior com ele.

Humberto, que havia voltado a frequentar sua casa por sentir-se muito só, notou seu abatimento.

— Você precisa voltar ao médico. Está abatida.

Ao que ela respondia:

— É que fico triste vendo sua infelicidade. Se eu pudesse, faria qualquer coisa para devolver-lhe a alegria de viver.

— Minha alegria se foi com Mirtes. Nunca mais serei feliz. Você é muito boa. Fico comovido vendo sua preocupação. Não quero que nada de mau lhe aconteça. Precisa se cuidar.

Mirtes assistia àquelas conversas e sentia a raiva aumentar. A falsidade de Mercedes incentivava sua raiva. Se ao menos Humberto não fosse tão bobo! Mas ele se deixava conduzir, sem disposição para fazer nada. Seus filhos afastavam-se dele a cada dia, e Mercedes o conduzia como queria.

Mirtes via o apartamento luxuoso, as joias que Mercedes possuía, e tudo aquilo era motivo de raiva. À noite, quando Mercedes se recolhia, ela reiniciava sua agressão.

Mercedes ia ficando mais abatida, vivia sonada, cochilando durante o dia, apavorando-se quando a noite ia chegando. A instâncias de Humberto, ia ao médico, que diagnosticava crise nervosa, uma vez que os exames de laboratório nada acusavam. Receitava calmantes que ela não comprava com medo de tomá-los e sentir-se pior.

Uma tarde, Humberto estava na casa de Mercedes, quando ela se aproximou dele chorosa e triste. Observando seu rosto pálido, Humberto foi tocado de compaixão:

— Você não está bem. Receio que minha presença tenha contribuído para isso. Não sou boa companhia para ninguém. Talvez seja melhor eu espaçar minhas visitas.

Mercedes sentou-se ao lado dele no sofá, segurou sua mão e levou-a aos lábios dizendo:

— Se você me deixar, morrerei mais depressa. Eu o amo muito.

Aproximou seu rosto do dele e começou a beijá-lo nas faces, na testa, nos lábios. Surpreendido, Humberto não teve forças de repeli-la. Ele voltara a frequentar sua casa apenas como amigo e não haviam retomado o antigo relacionamento.

Quando ela o beijou nos lábios, ele retribuiu sem coragem de resistir. Mirtes, que se encontrava em um canto da sala, ficou indignada. Era aquilo que Mercedes queria. Para tê-lo de volta foi que mandou assassiná-la.

Agora estava conseguindo, enquanto ela, Mirtes, havia perdido tudo, transformando-se naquela sombra triste, mal vestida e infeliz.

Cheia de raiva, atirou-se sobre Mercedes, gritando furiosa:

— Assassina! Você não vai tê-lo de volta. Estou aqui para impedir. Assassina! Assassina miserável!

Mercedes estremeceu e separou-se de Humberto. Olhos arregalados, gritou aflita:

— Você está morta! Os mortos não voltam! Deixe-me em paz.

296

Mirtes, percebendo que havia sido vista, respondeu:

— Eu estou viva! Você matou meu corpo, mas eu estou viva! A morte não me destruiu. Agora você vai pagar, sua assassina. Nunca vai ser feliz. Voltei para me vingar.

— O que foi, Mercedes? O que há com você? Responda!

Ela continuava olhando fixamente para o vazio, olhos esbugalhados, rosto mais pálido ainda, trêmula, sem poder falar.

Assustado, Humberto segurou-a pelos braços e sacudiu-a, dizendo:

— Mercedes! O que você tem? Olhe para mim.

Ela estremeceu e perdeu os sentidos. Humberto, aflito, chamou a criada e estenderam-na no sofá. Ele pediu:

— Ligue para o médico. Peça-lhe que venha imediatamente.

Enquanto a criada corria ao telefone, Humberto tentava reanimar Mercedes, friccionando seus pulsos, abrindo sua blusa, dando-lhe palmadinhas nas faces e chamando:

— Mercedes… Mercedes… Volte! Acorde!

Aos poucos ela foi voltando. A criada trouxe um copo de água. Humberto levantou-lhe a cabeça e colocou o copo em seus lábios.

— Beba, Mercedes.

Ela começou a tremer e não conseguiu beber a água.

— Acalme-se. O médico logo estará aqui.

Ele continuou segurando as mãos dela murmurando palavras de carinho, tentando acalmá-la. Quando ela conseguiu falar, disse:

— Onde está ela? Você a expulsou?

— Quem?

— Ela me odeia, me persegue, não me deixa dormir. Eu sei que é ela.

— Não estou entendendo. Ela quem?

— Sua mulher, ela me persegue. Está com ciúme de mim.

Humberto olhou para a criada preocupado. Mercedes estava variando.

— Não pode ser. Mirtes está morta.

— Eu a vi. Estava com um vestido sujo de sangue, cabelos desalinhados, cheia de ódio. Quer me matar.

— Foi alucinação, Mercedes. Quem morre não volta. Você precisa refletir. De onde tirou essa ideia?

— Eu vi. Não a deixe me pegar. Tenho medo!

Humberto foi conversando, procurando acalmá-la. O médico chegou e examinou-a. Prescreveu a receita e pediu que fossem comprar o medicamento imediatamente porque ele mesmo queria aplicá-lo.

A criada saiu apressada e voltou poucos minutos depois com o remédio. O médico aplicou uma injeção e Mercedes adormeceu em seguida. Preocupado, Humberto conversou com ele para saber o que pensava.

— Dona Mercedes está com o sistema nervoso abalado. Fizemos todos os exames clínicos. Ela não tem nenhuma doença.

— Mas ela teve alucinações, crise nervosa. Nunca a vi assim. Mercedes sempre foi pessoa equilibrada.

— Aconselho-o a levá-la a um psiquiatra. Sou clínico geral, e o caso dela requer tratamento especializado. Com a injeção, ela vai dormir algumas horas e acordar melhor.

— Vou seguir seu conselho.

Humberto sentia-se angustiado, triste. Imaginava que sua presença estava perturbando Mercedes, que o amava e acreditava estar traindo Mirtes. Por isso ela estava em crise. Era melhor ele ir embora. Antes de ir, prometeu à criada uma boa gratificação para que ela cuidasse bem de Mercedes.

Quando o médico aplicou a injeção, Mirtes ficou ao lado do leito esperando que Mercedes deixasse o corpo para continuar sua perseguição. Mas, para sua surpresa, viu que o duplo etérico dela dormindo elevou-se apenas uns cinquenta centímetros sobre o corpo adormecido e ficou ali, sem perceber nada.

Mirtes nunca havia visto aquilo e chamou Jairo, perguntando o que estava acontecendo. Ele riu e respondeu:

— Há medicamentos fortes que fazem esse efeito. Não me pergunte o porquê, eu não sei. Mas é caso comum. Vamos embora, porque agora você não vai poder fazer nada. Tem de esperar esse efeito passar. Vamos ajudar Eli, que está precisando de nós.

Os dois saíram rapidamente, enquanto Mercedes finalmente havia conseguido adormecer sem sonhar.

CAPÍTULO 23

Quando Mercedes acordou, chamou diversas vezes por Humberto. A criada ligou com urgência para ele, que se dirigiu para lá acompanhado de um psiquiatra. Chegando ao apartamento, o médico pediu para ficar a sós com ela.

Humberto esperou na sala ansioso. Desejava deixar Mercedes nas mãos de um especialista capacitado e afastar-se. Ele havia se convencido de que sua presença a estava prejudicando.

Uma hora depois, quando o médico entrou na sala, Humberto levantou-se e indagou:

— E então, doutor, o que achou?

— Ela está mesmo com o sistema nervoso muito abalado. Ao deixar o quarto, conversei com a criada, que me informou que dona Mercedes não gosta de tomar calmantes. Imagina que eles lhe fazem mal.

— É um absurdo.

— Se ela tivesse tomado os medicamentos que lhe foram receitados, não teria chegado a este estado. Está com ideia fixa, julga-se culpada pelo afeto que tem pelo senhor e imagina que sua esposa morta deseja vingar-se.

— Ela me disse isso. Infelizmente, minha esposa morreu assassinada por um assaltante e até agora a polícia não conseguiu descobrir nada. Mercedes é muito dedicada a mim. Depois que enviuvei de minha primeira esposa, ela se tornou minha companheira. Sempre foi muito boa. Quando me apaixonei por Mirtes, aceitou nossa separação, mas, segundo diz, nunca deixou de me amar. É uma pessoa boa, que só deseja minha felicidade.

O médico olhou-o admirado.

— Penso que o senhor está enganado. Dona Mercedes odeia sua esposa.

— Ela lhe disse isso?

— Não. Mas percebi claramente seu ódio quando a mencionava. Ela não quer ver essa realidade.

— Nunca me pareceu isso.

— Pois para mim ficou claro. Ela aceitou a separação aparentemente. No fundo odiou ser trocada por uma mulher mais jovem. Essa é uma reação natural em um caso desses. Ela foi rejeitada, abandonada, odiou a rival que lhe roubou o homem amado. Fez mais: em seu inconsciente desejou que ela desaparecesse, que morresse. Quando soube que sua mulher havia sido assassinada, sentiu-se culpada. A culpa faz a pessoa sentir-se má. Ninguém quer ser mau. Passou a ter pesadelos, insônia, medo de dormir, e alucinou.

Humberto passou a mão pelos cabelos, pensativo. O que o médico dizia tinha lógica.

— Pode ser isso, doutor. Hoje, quando cheguei aqui, ela se sentou a meu lado no sofá dizendo quanto me amava e sofria vendo meu sofrimento. Depois que terminamos nosso caso, tornamo-nos apenas amigos e nunca mais tivemos intimidade. Mas, nesta tarde, além de declarar seu amor, ela me beijou com tal calor que não tive coragem de repelir. Foi nessa hora que ela teve a alucinação.

— Aí está. Tal como eu disse! Ela está sob o efeito da culpa.

— Decidi afastar-me dela. Pretendo acompanhar o tratamento, mas não quero vê-la. Sinto que minha presença a prejudica.

— Ela vai ter de aprender a lidar melhor com isso. Mas no início do tratamento será melhor mesmo que fique afastado dela. O senhor também está muito abalado. Por que não faz uma viagem, tenta distrair-se um pouco?

— Não tenho vontade. Minha vida acabou depois da morte de Mirtes.

— O tempo cicatriza as feridas. Hoje há medicamentos que ajudam a vencer a depressão.

— Não há remédio que cure a dor que sinto. Mas obrigado pelo interesse. O que sugere para o caso de Mercedes?

— Ela precisa de um tratamento intenso, contínuo. Como não toma remédio, seria indicado ela ficar algum tempo em minha clínica. Lá tomará os medicamentos na hora certa, e na terapia vamos procurar torná-la consciente de sua ilusão. Quando ela aceitar a realidade, estará curada.

300

— Ela não vai querer ir.

— Procure convencê-la. Nossa clínica é moderna, agradável. Tenho certeza de que se sentirá bem lá. Se ela continuar como está, vai piorar.

— A injeção fez bem a ela. Apesar da inquietação que tem, seu rosto está mais corado.

— No início poderemos fazer uma semana de sonoterapia. Antes preciso fazer-lhe alguns exames clínicos.

— Farei o possível para convencê-la. Amanhã mesmo a levarei até lá.

— Seria bom. Quanto antes iniciarmos o tratamento, melhor será.

Depois que o médico se foi, Humberto foi ter com Mercedes.

— Sua aparência melhorou.

— Dormi e o sono fez-me bem.

— O médico disse que preciso cuidar de minha depressão. Aconselhou-me a fazer uma viagem. Hoje mesmo vou procurar a agência de turismo. Quero ir o mais cedo possível.

— Posso ir com você?

— Não. Você também precisa tratar-se. Ele quer que você fique alguns dias hospedada em sua clínica para tratamento.

— Quer me internar?

— Não. Ele apenas deseja que tome os remédios na hora certa e faça terapia. Acha que você precisa trabalhar suas emoções. Se fizer isso, dentro de pouco tempo estará curada.

— Ele disse isso?

— Garantiu. Então eu pensei: enquanto você fica se tratando com ele, eu faço uma viagem. Quando voltar, estaremos bem e falaremos sobre nossas vidas.

— Você promete que pensará em mim?

Ele segurou as mãos dela com carinho:

— Amor eu não posso lhe dar. Estou incapacitado de amar. Mas gosto muito de você, desejo que fique bem, que seja feliz. Quando eu voltar da viagem, estaremos melhor, tudo terá passado.

Os olhos dela brilharam esperançosos.

— Sim. Eu confio em você.

— Vai fazer o tratamento?

— Vou.

— Amanhã mesmo eu a levarei até lá. Dentro de pouco tempo estará curada.

301

No dia seguinte pela manhã, Humberto levou Mercedes à clínica. Era um lugar agradável, mais parecido com um hotel do que com um hospital. Mercedes estava nervosa, chorou ao despedir-se, e Humberto não via a hora de deixar aquele lugar.

Chegou em casa mais deprimido do que nunca. Sentou-se na sala pensativo, sem coragem de fazer nada. Pouco depois, o criado avisou-o que Alzira e os pais haviam chegado.

Humberto levantou-se para recebê-los. Os recém-chegados logo notaram que ele estava mais magro e mais triste. Depois dos cumprimentos, tentaram animá-lo um pouco, falando dos preparativos para o casamento de Alzira, marcado para dali a dois meses.

Alzira aproximou-se de Humberto e tomou-lhe a mão, dizendo:

— Pensei que iria encontrá-lo melhor. Sinto que aconteceu alguma coisa que o abalou muito. O que foi?

Talvez por estar fragilizado por haver sofrido tantos problemas e pelo fato de a voz de Alzira lembrar a de Mirtes, Humberto não conseguiu controlar-se e chorou convulsivamente.

Estela e Antônio levantaram-se emocionados, e Alzira fez-lhes sinal para que permanecessem sentados. Em silêncio, esperaram que ele se acalmasse. Por fim, Alzira disse:

— As lágrimas lavam a alma.

— Desculpem. Melhor seria eu ter morrido com ela. Aonde vou só levo tristeza e dor.

— Não diga isso. Nós compartilhamos sua dor. Mas temos de aceitar a vontade de Deus. A morte é irreversível.

— Eu sei. É isso o que me dilacera.

— Juntos encontraremos forças para superar este momento difícil. Às vezes, desabafar é bom. O que aconteceu que o abalou tanto?

— Preciso desabafar mesmo. Não sou de ferro... Vocês não ignoram que, antes de conhecer Mirtes, tive um caso com uma mulher chamada Mercedes. Ela me fazia companhia e ajudava a preencher o vazio deixado pela morte de minha primeira esposa.

Ele fez uma pausa e, notando que os três o ouviam com respeito e atenção, continuou:

— Quando me apaixonei por Mirtes e fui correspondido, senti que havia encontrado o amor de minha vida. Quando ela aceitou meu pedido, terminei o caso com Mercedes. Ela foi compreensiva. Deixei-a bem financeiramente e nos separamos.

Humberto continuou falando de sua tristeza e de como encontrava em Mercedes a ouvinte atenta, a amiga carinhosa. Finalmente falou dos últimos acontecimentos, omitindo apenas o detalhe do beijo. Finalizou:

— Hoje acompanhei Mercedes à clínica e deixei-a internada e chorando.

Alzira olhou-o firme e disse:

— Está na hora de você saber que a morte é apenas uma viagem. Mirtes continua viva em outra dimensão.

— O que está me dizendo? Isso não é verdade. Ela está morta, e os mortos não voltam.

— Está enganado. O corpo de Mirtes morreu, mas seu espírito continua vivo no outro mundo.

Humberto olhou para os sogros como que pedindo esclarecimentos.

— É verdade — confirmou Antônio comovido.

— É essa certeza que nos tem confortado depois da tragédia — completou Estela.

— Não... Não posso crer. Isso é ilusão.

— Ilusão é pensar que a vida seja tão pequena que termine com a morte. O espírito é eterno. No universo nada se perde, tudo se transforma. A morte é uma transformação. Mas o espírito continua do mesmo jeito, consciente de tudo, com os mesmos amores e desejos que sempre teve — esclareceu Alzira.

— Nunca ninguém provou nada disso — tornou Humberto.

— Ao contrário: para os pesquisadores sérios, há inúmeras provas da sobrevivência do espírito após a morte. Creio que Mirtes apareceu mesmo para Mercedes. Ela era muito ciumenta. Pode ter se irritado com o afeto de vocês.

Humberto baixou a cabeça envergonhado. Lembrou-se do beijo que trocara com Mercedes. Se Mirtes estivesse ali em espírito, teria ficado muito irritada. Mas era difícil de acreditar nisso.

— Seria muito bom se fosse verdade, mas não podemos cultivar uma ilusão.

— Você está precisando de ajuda espiritual — disse Alzira, com voz firme. — Vamos levá-lo ao centro espírita de dona Isaltina. Tenho certeza de que essa ajuda se estenderá sobre Mercedes.

— Eu nunca fui a um lugar desses...

— Há sempre uma primeira vez. Hoje à noite, eu e Valdo viremos buscá-lo. Depois da morte de Mirtes senti vontade de levá-lo lá, mas não quis passar por cima de suas crenças. Agora sinto que é necessário. Não dá para esperar mais.

— Por que, filha? — indagou Antônio. — Humberto não está inclinado a ir. Temos de respeitar sua vontade.

A voz de Alzira tornou-se mais firme e segura quando respondeu:

— Trata-se de uma necessidade urgente. Mirtes não está bem. Se queremos ajudá-la, devemos fazer o que nossos mentores pedem. Humberto precisa tratar da parte espiritual com urgência.

— Nesse caso, eu vou — concordou ele, impressionado com o tom com que Alzira dissera aquelas palavras.

— Viremos buscá-lo às sete.

Quando deixaram a casa de Humberto, tanto Estela quanto Antônio estavam admirados com a atitude da filha, muito diferente da habitual.

— O que aconteceu com você? — indagou Antônio assim que se viram a sós.

— Senti uma força muito forte e, quando vi, estava falando todas aquelas coisas com Humberto.

— Acho que é mediunidade — considerou Estela.

— Está se sentindo bem? — indagou Antônio.

— Muito bem. Durante nossa conversa com ele, parecia que eu estava flutuando. Uma sensação muito agradável.

— Nesse caso, só podemos agradecer pela ajuda — tornou Estela.

***

Na hora combinada, Valdo e Alzira foram buscar Humberto. Durante o trajeto, notando que ele estava tenso, procuraram conversar sobre outros assuntos.

Quando chegaram ao centro, Isaltina abraçou Humberto com carinho e levou-o a uma sala onde ficaram a sós. Vendo-o acomodado, disse:

— Finalmente você veio. Fazia tempo que o esperávamos.

— Devo dizer que não creio em vida após a morte. Alzira insistiu dizendo que aqui eu teria provas de que Mirtes continua viva em outro mundo.

— O mais importante agora é ajudá-lo a equilibrar-se. Chegou a hora de pensar em você, em sua responsabilidade diante da vida, que lhe deu tudo.

— O que importa o resto, se perdi o que mais amava? Pensar em mim para quê, se não sinto mais vontade de viver?

304

— Precisa entender que cada um tem seu próprio processo de evolução. Todos caminham amparados pelas leis perfeitas da vida. De acordo com as escolhas pessoais, essas leis determinam as experiências que conduzirão ao desenvolvimento da consciência. Nesse processo une e separa, conforme a necessidade.

— Não entendo por que Mirtes foi assassinada na flor da idade, quando estávamos tão felizes.

— É difícil trabalhar a perda. Quando amamos, temos a ilusão de achar que a pessoa nos pertence. Acreditamos que ficará ao nosso lado para sempre. Mas qualquer união no mundo sempre será temporária. Assim como, quando existe amor, nenhuma separação será para sempre.

— A senhora fala como se algum dia eu e Mirtes fôssemos nos reencontrar...

— Estou certa disso. Só não posso dizer quando.

— Esse seria o dia mais feliz de minha vida.

Isaltina sorriu e considerou:

— É melhor que pense assim. Mas vamos cuidar de você. Vou indicar-lhe um tratamento espiritual que o ajudará a recuperar as forças. Mas precisamos de sua cooperação. A depressão, a tristeza e a angústia não trarão Mirtes de volta. Você tem dois filhos que, embora sejam adultos, precisam muito de sua proteção. Há quanto tempo não os vê? Por acaso sabe o que está acontecendo com eles?

Humberto sobressaltou-se:

— Eles não ligam para mim, não me procuram nem se interessam pelos meus problemas.

— Você acha que foi bom pai apenas porque lhes deu luxo e dinheiro à vontade. Mas carinho, companheirismo, isso faltou. Primeiro por causa dos negócios e, ultimamente, por causa de seu segundo casamento. Ser pai envolve um compromisso sério com a vida, e você responderá por isso. Enquanto está pensando só em seu sofrimento, em uma situação que não volta mais, seria mais útil que se aproximasse de seus filhos. Faça isso, e garanto que terá uma surpresa.

Humberto remexeu-se na cadeira. Ele fora até lá sentindo-se vítima da maior injustiça e de repente começou a sentir-se culpado.

Recordou-se de como se dedicara ao trabalho, deixando os filhos aos cuidados da esposa e, depois de sua morte, com empregados que escolhia com cuidado e pagava regiamente.

305

Naqueles tempos, o máximo que fazia era chamá-los à ordem quando praticavam travessuras, ou uma ou duas vezes por semana exigir que jantassem formalmente com ele.

Essas recordações inesperadas o incomodaram.

Tentou justificar-se:

— Sempre fui um homem muito ocupado, mas me preocupei com o bem-estar deles. Nunca deixei faltar nada. Tiveram a melhor educação, desfrutaram do bom e do melhor. Eles não têm nenhum motivo para reclamar de mim. Eu, sim, posso dizer que nunca me demonstraram afeto. São frios, e Mirtes chamava-os de ingratos.

Isaltina sorriu levemente e respondeu:

— Não se iluda com as aparências. As coisas podem ser muito diferentes do que imagina. Se quer reconquistar seu equilíbrio emocional, comece por aproximar-se de seus filhos. Mostre interesse pela maneira de pensar, de ser deles. Eles têm muito para lhe oferecer. Vamos começar o tratamento espiritual. Prometa que fará o que estou lhe pedindo.

— Está bem. Reconheço que tenho me omitido um pouco. Vou fazer o que me pede.

Isaltina levou Humberto a uma sala em penumbra, iluminada por uma luz azul. Uma música suave enchia o ar e algumas pessoas aguardavam em oração.

Foi conduzido a uma cadeira e algumas pessoas o rodearam enquanto uma moça à sua frente ergueu as mãos para o alto por alguns segundos, depois começou a posicioná-las sobre ele, sem tocá-lo.

Humberto sentiu que uma brisa fresca e agradável o envolvia. Olhou em volta para ver de onde ela vinha, mas não viu nada.

— Pense em Deus — pediu a moça à sua frente.

Humberto foi dominado por forte emoção. As lágrimas desceram pelo seu rosto e ele sentiu que, conforme elas corriam, sua tensão ia desaparecendo. A moça tocou seu ombro e ofereceu-lhe um copinho com água, que ele bebeu.

Ao deixar a sala, a angústia e a tristeza haviam desaparecido, em seu lugar ficou apenas sono e cansaço, como se ele estivesse há muito tempo sem dormir.

Quando Humberto deixou a sala, no corredor encontrou-se com Alzira e Valdo.

— Sente-se melhor? — indagou Valdo.

— Sim. De certa forma fez-me bem ter vindo. Estou me sentindo aliviado.

— Se continuar o tratamento direitinho, tenho certeza de que vai sentir-se muito melhor — tornou Alzira.

Valdo convidou-os para tomar alguma coisa e Humberto aceitou. Pela primeira vez, depois da tragédia, ele se deu conta de que estava com fome. Levaram-no a uma lanchonete agradável, e a conversa fluiu com naturalidade.

Tomaram refresco, comeram alguns salgadinhos. Alzira tomou um sorvete.

— Vocês conhecem dona Isaltina há muito tempo? — indagou Humberto.

Alzira contou como ela socorrera Mirtes e ajudara toda a família.

— Mirtes nunca me falou nela.

— É que tinha muito medo desse assunto. Hoje sei que ela era médium. Quem tem a sensibilidade desenvolvida precisa ter cuidado com os lugares em que entra.

— Mirtes era muito especial — disse Humberto, com o rosto sombreando-se de tristeza.

— Vamos deixar Mirtes livre para seguiu seu caminho — tornou Alzira. — Ela precisa de nossa ajuda e compreensão.

— Por quê? Acha que, se ela de fato estiver viva no outro mundo, pode estar sofrendo?

— Receio que Mirtes não seja uma pessoa fácil de se conformar.

Sempre foi muito determinada com o que queria. Ser tirada da vida na Terra em plena juventude, justamente quando havia conquistado o que mais queria, certamente a terá desesperado. Por isso, temos de nos esforçar para deixar a tristeza de lado e mandar-lhe pensamentos bons, cheios de luz, que possam ajudá-la a entender sua nova situação.

— Você acha que ela pode sentir minha tristeza?

— Sua tristeza vai somar-se à dela, que ficará duplicada. Isso vai deixá-la mais revoltada. Conheço bem minha irmã. Tenho certeza de que ela está precisando de energias de equilíbrio e de paz, que a ajudem a recuperar-se.

— Se isso for verdade, posso estar atrapalhando seu sossego. O que eu mais queria era vê-la feliz. Faria qualquer coisa para isso. Agora não posso fazer mais nada.

— Pode, sim. Ao pensar nela, tente vê-la bem, como quando estava a seu lado, alegre, feliz. Tenho certeza de que assim a estará ajudando.

— Mesmo querendo, não sei se conseguirei. Penso que você está dizendo isso para que eu fique melhor. Ela morreu, não pode mais nos ver.

— É difícil aceitar a ideia de que a vida continua após a morte — disse Valdo, sério. — Eu mesmo, que acho isso viável, tenho dúvidas de vez em quando. Mas pense: se o que ela diz for verdade, e tem grande possibilidade de ser, como Mirtes ficaria ao vê-lo desesperado, aflito? Claro que seria mais infeliz e teria mais dificuldade de aceitar o que lhe aconteceu e seguir seu novo caminho em paz.

Humberto ficou pensativo alguns segundos, depois disse:

— Você pode ter razão. Eu não sei nada sobre esse assunto. E se eu estiver errado? E se ela estiver mesmo viva em outro mundo?

— Sua tristeza contribuirá para torná-la mais revoltada, mais infeliz.

Humberto levantou os olhos para Alzira, fixando-a, e respondeu com voz firme:

— Prometo que vou fazer este tratamento direitinho e esforçar-me para enviar bons pensamentos a Mirtes.

Alzira sorriu:

— Faça isso. Todos desejamos ajudá-la, e o caminho é esse.

***

Uma vez em casa, Humberto preparou-se para dormir. Sentou-se na cama e, lembrando-se das palavras de Alzira, procurou recordar-se de Mirtes alegre e feliz. Depois se deitou e logo adormeceu.

Sonhou que estava em casa descendo as escadas e, ao entrar na sala, deparou com Mirtes, que o olhava com raiva. Ela estava com o vestido roto, manchado de sangue, olhos arregalados e rosto conturbado.

Assustado, ele se aproximou dela tentando abraçá-la. Ela o empurrou, gritando colérica:

— Não preciso de seus bons pensamentos! Você foi culpado da minha morte! Se gostasse mesmo de mim, estaria procurando os assassinos em vez de ficar choramingando indo naquele centro espírita. Eu preciso ser vingada! Você precisa castigar aquela assassina. Se não fizer isso, virei atormentá-lo pelo resto da vida. Mexa-se. Faça alguma coisa. Eu estarei vigiando.

Humberto ainda tentou segurá-la, dizer alguma coisa, mas ela o empurrou violentamente e ele acordou assustado, sentindo falta de ar, molhado de suor.

308

— Foi um sonho! — murmurou aliviado. — Fiquei tão preocupado com aquelas histórias de espíritos que criei este pesadelo. Acho melhor não voltar mais àquele lugar.

Com mãos trêmulas, apanhou um copo de água e bebeu, mas não conseguiu dormir de novo. Quando amanheceu, levantou-se e foi caminhar pelo jardim. A imagem de Mirtes no sonho não lhe saía do pensamento. Ela vestia a mesma roupa que usara no casamento de Émerson.

Depois de caminhar um pouco, entrou em casa. Precisava ocupar--se, fazer alguma coisa para ver se conseguia apagar aquele sonho do pensamento.

Decidiu ir ao escritório. Desde que conhecera Mirtes, havia deixado a administração da empresa com os filhos. Apesar de não serem muito ligados a ele afetivamente, os dois estavam preparados e a par de tudo.

***

Humberto chegou ao escritório quando passava das dez, e foi diretamente à presidência. Bateu levemente na porta. Como não obteve resposta, abriu-a.

Renato estava sentado, com a cabeça entre as mãos, fisionomia triste.

— Renato, aconteceu alguma coisa?

O filho estremeceu e imediatamente mudou a postura.

— Pai! Não aconteceu nada. Por quê?

— Quando entrei, você me pareceu triste, desanimado.

— Impressão sua. E você, que milagre foi esse?

— Preciso me ocupar, fazer alguma coisa. Não posso ficar parado só pensando no que nos aconteceu.

— Trabalhar ajuda. Se não fosse isso, talvez eu não estivesse em pé.

Humberto recordou-se das palavras de Isaltina: "Seus filhos precisam muito de sua proteção". Aproximou-se de Renato, colocou a mão no braço dele e disse emocionado:

— Sinto que tenho sido omisso com você. Depois da desgraça que me feriu, comecei a pensar que talvez não tenha sido um bom pai. Achava que, dando dinheiro, estudo, estava fazendo minha parte. Tentei cumprir o papel de pai conforme fui educado. Ao homem cabia sustentar a família, prover suas necessidades; e à mulher, os cuidados com os filhos e com o lar. Confesso que me enganei. Tenho me sentido muito só. Quando reclamei que vocês me abandonaram, uma pessoa fez-me ver que fui eu quem não lhes deu o afeto, o apoio que esperavam. Envolvido nos negócios, nunca fui companheiro de vocês. Agora não posso exigir de vocês o afeto que nunca lhes dei.

Humberto tinha os olhos marejados. Renato em um impulso abraçou-o apertando-o de encontro ao peito e não conseguia dizer nada. O pai sentiu que o filho tremia de emoção e retribuiu o abraço sentindo um carinho que não se lembrava de haver sentido antes.

— Pai, sinto muito pelo que lhe aconteceu. Apesar de acharmos que você não seria feliz naquele casamento, tanto eu quanto Mauro ficamos chocados com a tragédia.

— Eu sei, meu filho. Sente-se aqui a meu lado. Vamos conversar como nunca fizemos. Estou sendo sincero. Quero deixar claro que, mesmo sendo omisso, sempre amei vocês dois e me preocupei com seu futuro. Sinto não ter feito isso do jeito certo.

Renato sentou-se ao lado dele no sofá. Sentia que o pai estava sendo sincero. E decidiu pela primeira vez abrir seu coração para o pai, contando-lhe os problemas que o angustiavam: um caso de amor frustrado, uma separação.

Humberto ouviu com interesse, aconselhando-o a esperar com calma.

— Acredito que vocês se amam e tudo vai se resolver.

— Também acho. Só de desabafar já me sinto melhor.

Falaram dos negócios e, quando Mauro chegou, na hora do almoço, admirou-se de encontrá-los tão próximos. Sentiu-se bem ao lado deles e, quando Humberto lhe pediu opinião sobre alguns assuntos, vendo o interesse com que o pai perguntava, ficou alegre em poder dar seu parecer.

Humberto convidou-os a almoçar em um bom restaurante, e lá a conversa fluiu animada. Pela primeira vez depois da morte de Mirtes ele esqueceu a tragédia. Ficou impressionado com a lucidez das ideias de Mauro e orgulhoso da postura de Renato.

Quando os levou de volta ao escritório, ao despedir-se, ainda dentro do carro, Mauro segurou sua mão, abraçou-o e pediu:

— Pai, nossa casa está muito vazia sem você. Quero pedir que volte a morar conosco.

— Isso mesmo — completou Renato. — Nós também temos nos sentido muito sozinhos. Aquela casa não é a mesma sem você. Volte.

— Ainda não sei. Vamos ver…

Humberto não quis dizer que preferia ficar onde estava porque pensava estar mais perto de Mirtes.

— Nosso encontro hoje foi tão agradável! Gostaríamos de poder estar mais tempo juntos — disse Mauro.

— Também gostaria muito de ficar com vocês.

— Somos só nós três. Foi o que sobrou da família. Temos de aproveitar para ficar juntos, usufruir da companhia uns dos outros, antes que nos separemos.

No trajeto de volta, Humberto não esquecia as palavras de Renato: "Temos de aproveitar para ficar juntos, usufruir da companhia uns dos outros, antes que nos separemos". Ele sabia que um dia teriam de se separar. A morte pode vir quando menos se espera. Seria bom mesmo aproveitar o tempo que lhes restava.

Assim que entrou em casa, Humberto lembrou-se do sonho e estremeceu. Sentou-se na sala pensativo. Havia decidido não fazer o tratamento espiritual no centro, mas uma coisa era certa: Isaltina havia lhe dito a verdade. Procurar os filhos fora um bom conselho.

Decidiu que iria lá pelo menos mais uma vez para contar-lhe seu encontro com eles. Tirando aquelas conversas de espíritos, ele se sentira muito bem com aquele tratamento.

Mirtes apareceu na sala, aproximou-se e ouviu seus pensamentos. Estremeceu de raiva. Ele pretendia voltar àquele centro. Ela não deixaria. Aproximou-se dele dizendo-lhe aos ouvidos:

— Você não deve voltar lá. Eu estou aqui, fique comigo. Se você for, terei de ir embora. Não me abandone, fique comigo.

Humberto não ouviu as palavras, mas de repente sentiu uma onda de medo e tristeza. Os filhos haviam pedido para ele voltar a morar na casa da família. Mas ele não iria. Não podia deixar o lugar onde fora tão feliz com Mirtes. Seria o mesmo que abandoná-la.

Naquele instante, Mirtes viu uma luz clara. Em seguida, uma mulher ainda moça entrou na sala e aproximou-se dela, dizendo:

— Afaste-se dele. Você não vai mais prejudicar minha família. Estou aqui para defendê-los. Vá embora e deixe-nos em paz.

— Quem é você? Por que está se intrometendo em nossa vida?

— Você já abusou demais. Agora terá de deixá-lo.

Dois rapazes entraram e Mirtes encolheu-se em um canto assustada. Eles eram jovens, belos, e à sua volta havia uma luz muito branca.

— Vamos, Mirtes. Chegou sua hora.

— Não quero ir. Para onde vão me levar?

— Somos trabalhadores do bem. Você terá de vir conosco — disse um.

311

— Não tenha medo. Irá para um lugar onde terá tempo de pensar e avaliar o que fez de sua vida. Agora vamos.

— Não vou. Preciso me vingar. Se vocês fossem do bem, teriam impedido Mercedes de me matar.

— Seu tempo acabou. Não poderá mais ficar em volta das pessoas.

Antes que Mirtes pudesse dizer alguma coisa, eles a rodearam, passaram o braço em sua cintura e ela não teve como resistir. Em poucos instantes, eles desapareceram.

A mulher aproximou-se de Humberto, beijou-o delicadamente na fronte e disse ao seu ouvido:

— Meu querido, estou feliz por ter procurado nossos filhos. Há muito venho pedindo a Deus que isso aconteça. Vá morar com eles. Venda sem remorsos esta casa e tente recuperar a felicidade ao lado das pessoas que o amam de verdade.

Ela se foi e Humberto olhou em volta admirado. Parecia que estava vendo aquela casa pela primeira vez.

Talvez fosse melhor mesmo ir morar com os filhos. Enquanto estivesse vivendo ali, não conseguiria esquecer aquela tragédia. Ele se sentia cansado e desejava um pouco de paz.

Com esse pensamento, decidiu repousar um pouco. Não havia dormido bem. Foi para o quarto, deitou-se e logo adormeceu. Mas desta vez foi um sono tranquilo e reparador.

312

CAPÍTULO 24

Jairo procurou Eli preocupado.

— Você sabe onde está Mirtes?

— Não estava com você?

— Não. Ela disse que ia ficar alguns dias perto do marido para evitar que ele voltasse àquele centro espírita. Como tenho novidades, fui procurá-la. Mas, assim que entrei na casa, encontrei uma mulher que me mandou sair.

— E você obedeceu?

— Não tive outro jeito. Ela trabalha para a luz. Não quero nada com eles. Têm poder para acabar com nossa liberdade.

— Vai ver que Mirtes fez como você.

— Não sei, não. Ela é novata e briguenta. Pode bem ter discutido com eles.

— Nesse caso…

— Eles a levaram. Sei como é isso.

— E agora, como ficamos? Ela estava nos ajudando.

— Vamos esperar. Posso estar enganado. Mas tenho novidades: meu trabalho com Sobral está dando certo.

— Que bom!

— Conforme combinamos, trabalhei duro e consegui afastar todos os clientes dele. Ele ficou desesperado.

— Ele ganhou muito dinheiro.

— Mas gastou tudo. Claro que eu o ajudei — disse ele rindo.

— E então?

— Está sem nada, devendo, sendo cobrado. Se não pagar o aluguel, será despejado.

— Então você o inspirou a chantagear meu marido. Ele está muito nervoso com essa história. Quando ele dorme, sai do corpo e eu estou por perto para cobrar o que me deve.

— Isso mesmo. Sobral ameaça dizendo que é Dinho que está pedindo esse dinheiro. É mentira, claro.

— Você vai voltar para o lado dele, vigiá-lo e me contar tudo que acontecer. Nossa vingança está chegando. Eles vão pagar.

Eli concordou e voltou para a casa do marido.

***

Naquela mesma noite, Sobral foi procurar Alberto. Este o conduziu ao escritório, fechando a porta em seguida.

— Você está facilitando. Não deveria me procurar em casa.

— É urgente. Dinho não quer esperar mais. Diz que precisa sumir do país. Tenho medo do que ele possa fazer.

Alberto pensou um pouco, depois disse:

— Como eu lhe disse, minha situação financeira não é boa. Para ser mais exato, estou arruinado.

— Nesse caso, não vou poder fazer nada por você. Ele já fala que vai apagar quem se recusar a ajudá-lo.

— Eu tenho uma solução. Se vocês toparem, tudo dará certo.

— Fale.

— Bem, talvez você não saiba, mas o dinheiro que tenho era de minha mulher. Ela era muito rica. Mas o irmão dela entrou na justiça alegando que nos casamos com separação parcial de bens e que eu não tenho direito a nada, uma vez que ela já possuía esses bens antes de nosso casamento. Eu ignorava essa lei, mas, desde que o processo foi aberto, tudo foi bloqueado. Não posso vender nada e ainda estou arriscado a perder tudo que tenho.

— E seu advogado, o que diz?

— Que vou perder. Mas esse meu cunhado é o único parente vivo de Eli. Se ele for vítima de um assalto ou sofrer um acidente, tudo se resolverá.

— É muito perigoso. A polícia vai desconfiar de você. Será preso com certeza.

— Sei como fazer. Não corro esse risco. Se Dinho acabar com ele, logo terei muito dinheiro e os recompensarei regiamente.

Sobral pensou um pouco e perguntou:

— Tem certeza de que não desconfiarão de você?

— Absoluta. Eu não iria fazer isso se houvesse risco. Fique tranquilo.

— Nesse caso, vou falar com ele. Preciso pelo menos de dinheiro para a viagem.

— Isso posso arrumar.

Tudo combinado, Sobral foi embora.

Eli imediatamente procurou Jairo e contou-lhe tudo. Ele ouviu com interesse e, quando ela terminou, perguntou:

— O que Alberto disse é verdade?

— Qual nada! Eu tenho mesmo um irmão, mas ele nunca entrou na justiça contra Alberto. É golpe dele. Está armando uma para se livrar dos dois.

— Ele vai trabalhar para nós sem querer. Vamos acompanhar tudo e agiremos na hora certa.

— Soube alguma coisa de Mirtes?

— Sim. Ela sumiu de circulação. Foi mesmo levada pelos seres da luz.

— Nesse caso, não podemos mais contar com ela.

— É melhor voltar para lá e continuar vigiando Alberto. Não podemos perder nenhum detalhe.

Ela obedeceu imediatamente. Quando chegou ao lado do marido, esforçou-se para ligar-se com o pensamento dele.

— Aqueles safados não perdem por esperar. Vou me livrar deles de uma vez! Quando for a hora, a polícia vai entrar em ação.

Três dias depois, Sobral voltou à casa de Alberto. Uma vez no escritório, informou:

— Dinho topou. Mas desta vez quer quinhentos mil.

— Se ele conseguir, terei mais do que isso.

— Eu também quero mais. Estou precisando.

— Duzentos mil. É mais do que você espera.

Os olhos de Sobral brilharam satisfeitos.

— Está bem.

— Para quando será?

— Ele virá amanhã. Como sempre, ficará de campana algum tempo para estudar os passos do homem. Quando achar que é o momento, fará o serviço. Você sabe como ele trabalha.

— Está bem. Espero que ele faça tudo certo.

— Trabalho garantido.

Depois que Sobral foi embora, Alberto pegou o telefone. Eli observava atenta.

315

— Alô, quero falar com o detetive Roque.

— Roque falando.

— Aqui é Alberto Camargo Lira. O senhor não me conhece pessoalmente, mas talvez já tenha ouvido falar de mim. Preciso muito conversar com o senhor.

— Pode vir até aqui?

— O assunto é urgente, sigiloso e muito perigoso. Gostaria de encontrá-lo em um lugar discreto.

— Onde, então?

Alberto deu-lhe o endereço de sua casa. Pediu que ele tomasse cuidado para não ser seguido e entrasse pela porta dos fundos.

— Irei imediatamente.

Quinze minutos depois, Alberto estava à espera no portão dos fundos. O carro parou e desceram dois homens, um de meia-idade e outro mais jovem. Alberto os fez entrar imediatamente. Levou-os a seu escritório e fechou a porta. Depois dos cumprimentos, Roque, o mais velho, perguntou:

— E então? Do que se trata?

— De chantagem. Estou sendo ameaçado de morte e não sei a quem recorrer. Lembrei-me do senhor porque já ouvi dos meus amigos referências elogiosas a seu respeito. Estou apavorado.

— Conte-me tudo. Quem o está chantageando?

— Um detetive particular chamado Sobral.

Os dois policiais entreolharam-se curiosos. Havia muito tempo suspeitavam que Sobral estivesse envolvido em coisas ilícitas.

— Continue — pediu Roque.

— Bem, minha adorada esposa morreu em um acidente de carro. Depois que fiquei viúvo, tive um caso com uma senhora casada. O marido desconfiou e contratou Sobral para nos seguir. Ele logo descobriu nosso caso, mas, em vez de revelar tudo ao marido que o contratou, procurou-me dizendo que, se eu estivesse mesmo apaixonado por ela, ele poderia livrar-me dele. Sobral tinha um amigo que morava no estado do Mato Grosso e que por bom dinheiro poderia "apagar" meu rival, e assim nosso caminho estaria livre. Se eu recusasse essa proposta, ele iria ao marido e contaria tudo. Fiquei apavorado. Na ocasião eu deveria ter procurado a polícia, mas tive medo.

— Sei. E por que nos procurou agora?

— Bem, eu procurei ganhar tempo. Paguei o que ele me pediu para manter silêncio sobre o caso e fiquei de dar uma resposta quanto ao restante. Claro que eu não ia aceitar. Sou um homem de sociedade, muito

316

conhecido. Tive medo do escândalo e também da ameaça de morte. Mas há um segredo que preciso contar-lhes.

— Fale.

— É que a mulher com a qual eu mantinha relações era minha cunhada. O marido é o irmão da minha falecida esposa.

O policial coçou a cabeça e comentou:

— O senhor conseguiu se enrolar.

— Sabe como é: eu estava muito triste depois da morte de minha mulher, muito sozinho, ela tentou me consolar e aconteceu. Hoje à tarde Sobral veio aqui e deu-me um ultimato. Disse que amanhã Dinho, o tal assassino, chegará a São Paulo. Quer o dinheiro de qualquer maneira. Se eu der, ele acaba com meu cunhado; se recusar, acaba comigo. Preciso de ajuda. Por isso liguei para o senhor.

Roque pensou um pouco, depois disse:

— O senhor fará o seguinte: ligue para Sobral e diga que dará o dinheiro para ele acabar com seu cunhado. Nós tomaremos conta do caso. Deixarei dois homens aqui para protegê-lo. Preciso do endereço de seu cunhado.

— Ele não pode saber. É muito ciumento. Será uma tragédia. Depois, apesar de tudo, eu o estimo e não desejo que nada de mau lhe aconteça. Estou muito arrependido do que fiz. Eu e ela decidimos nunca mais nos encontrar. O caso acabou.

— Não se preocupe. Diremos a ele que recebemos uma denúncia anônima. Vamos prender esse matador. Aja normalmente e fique atento. Avise-nos se souber de qualquer coisa.

— O senhor nunca viu esse matador? — indagou o outro policial.

— Não. Sobral disse-me que ele não se mostra para ninguém. É contratado, vem, faz o serviço e volta sem ser visto.

— Como Sobral faz o contato? — indagou Roque.

— Ele vai até o Mato Grosso, onde ele mora. É só o que sei.

— Eu vou embora e Lopes ficará aqui enquanto providencio sua segurança. O senhor teve a atitude mais acertada. Se todos agissem assim, esses bandidos não lesariam tanta gente.

Roque voltou à sede da polícia, reuniu dois colegas e juntos traçaram um plano de ação.

— Vamos trabalhar na surdina. Ninguém pode saber de nossos planos. Cuidado com os jornalistas.

— Pode deixar. Sei como driblá-los — disse um deles.

— Vamos vigiar Sobral. Ele poderá nos levar ao homem — sugeriu o outro.

317

Roque pensou um pouco e respondeu:

— Eles combinaram tudo e certamente o matador já tem todas as informações de que necessita. Vai agir e ir embora. Eles não vão se encontrar. Não iriam se expor assim. Tenho uma ideia melhor.

Esta noite vamos visitar o escritório de Sobral. Algo me diz que será revelador.

O espírito de Jairo, que os ouvia e fazia sugestões aos ouvidos de Roque, sorriu satisfeito. Era isso que ele queria.

— Isso não irá alertá-lo? Os pássaros poderão voar.

— Se encontrarmos o que espero, ele não terá tempo para mais nada.

***

Passava da meia-noite quando Roque e mais dois companheiros chegaram ao escritório de Sobral. O prédio, no centro da cidade, estava às escuras. Nenhuma luz.

Com facilidade abriram a porta principal do edifício, entraram e fecharam-na novamente. Com as lanternas procuraram a sala de Sobral e entraram. Como não havia janela para a rua, acenderam a lâmpada e começaram as buscas.

Mexeram no arquivo, mas não encontraram nada suspeito. Inspirado por Jairo, Roque teve a ideia de procurar em outra sala. Havia um armário de parede, um balcão com um fogão portátil, uma pequena mesa e duas cadeiras.

Roque abriu o armário, olhou tudo e não encontrou nada. Foi então que uma lata de biscoitos que estava no alto, sobre o armário, caiu.

Roque olhou admirado. Ele não havia tocado nela. Apanhou-a, sacudiu-a e notou um barulho diferente. Abriu-a e encontrou um caderno de anotações. Era ali que Sobral anotava os casos ilícitos.

— Encontrei — disse Roque, satisfeito.

Os outros dois se aproximaram e ele lhes mostrou o caderno, dizendo sério:

— Isto é muito interessante. Esse Alberto que nos chamou utilizou os serviços excusos de Sobral. Aqui estão anotadas as quantias que ele pagou, inclusive a Dinho. Esse é o nome do tal matador. Ele está querendo livrar-se dos comparsas e nos usar, mas vai descobrir que com a polícia não se brinca.

Voltaram à delegacia, com Roque carregando o caderno de Sobral.

— Não seria melhor prendê-lo já? — indagou um deles.

318

— Não. Vamos vigiá-lo para que não fuja. Temos dois, falta-nos o principal. Quero pegar esse matador.

O espírito de Jairo acompanhava todos os procedimentos com satisfação, esforçando-se por inspirá-los. Em breve estariam vingados. Procurou Eli para dar a notícia.

— Do jeito que fizemos, Mirtes também estará vingada. Sua assassina será desmascarada. Gostaria que Mirtes soubesse.

Mirtes, porém, estava muito longe dali. Quando os dois rapazes a retiraram da casa de Humberto, ela os acompanhou a contragosto. Um de cada lado, abraçaram-na pela cintura e ela sentiu que não poderia resistir. Eles tinham uma força que a obrigava a segui-los. Sentia-se sonolenta enquanto deslizava com eles por lugares desconhecidos. Quis perguntar para onde a estavam levando, mas não teve forças.

Depois de algum tempo, pararam em frente a um grande portão que parecia ser de ferro trabalhado. O portão abriu-se e entraram por um parque. Por fim, pararam diante da porta de um enorme prédio.

Entraram e Mirtes sentia-se cansada, sonolenta, não conseguindo pensar nem reagir. Colocaram-na em uma maca e conduziram-na a uma sala. Uma senhora de branco aproximou-se e passou a mão em seus cabelos, dizendo:

— Seja bem-vinda, minha filha. Vamos ajudá-la. Logo ficará bem.

Mirtes ouviu, mas não conseguiu responder. A mulher apanhou uma esponja, mergulhou em um líquido azul e começou a passá-la no corpo da moça. Mirtes sentiu agradável sensação de frescura. A ferida em sua cintura, que às vezes queimava e sangrava, deixou de incomodar.

Depois a senhora disse:

— Vou colocar-lhe uma roupa e levá-la ao tratamento. Logo se sentirá melhor.

Ela havia tirado seu vestido roto, vestindo-a com uma camisola leve, e Mirtes suspirou aliviada. Depois foi conduzida para uma porta que se abriu e duas moças levaram-na para dentro. Mirtes olhou em volta admirada. A atmosfera daquela sala era verde.

Ela sentiu muito sono e logo adormeceu. Quando acordou, sentia-se muito melhor. Olhou em volta tentando concatenar os pensamentos. O quarto era claro, o sol entrava pela janela aberta fazendo-a vislumbrar um pedaço de céu azul e sem nuvens. Onde estava? Aos poucos foi se recordando de tudo. Colocou a mão na cintura sobre a ferida, mas para sua surpresa ela havia fechado. Ficara apenas uma cicatriz.

Levantou-se devagar. Sentia-se um pouco fraca. Segurando-se nos móveis, foi até a janela e olhou para fora. Estava no segundo andar de um enorme edifício cheio de janelas. No exterior, um jardim muito bonito a fazia respirar gostosamente o ar perfumado. Nos últimos tempos ela havia circulado por lugares escuros, abafados, malcheirosos.

Era gratificante poder estar ali. Que lugar seria aquele? Quem eram os dois rapazes que a transportaram e por que a estavam auxiliando? Sentia que estava sendo ajudada. Sua cabeça estava mais lúcida, o raciocínio mais fácil, como havia muito não sentia.

— Como se sente, Mirtes?

Ela se voltou e viu uma mulher de meia-idade, rosto agradável, sorrindo para ela. De onde a conhecia?

— Estou melhor. Não conheço este lugar. Por que me trouxeram? O que estou fazendo aqui? É um hospital?

— Você está em uma casa de socorro. É um lugar de auxílio e de recuperação.

— Como se chama? Onde fica?

— Próximo à crosta terrestre. Chama-se Casa Transitória.

— Por que transitória?

— Porque as pessoas ficam por algum tempo e depois tomam seu rumo.

— O lugar é muito bonito. Fazia tempo que não via algo tão lindo.

A mulher sorriu.

— Concordo. Meu nome é Emília. Desejo ajudá-la em sua recuperação.

— Eu estou muito bem. Tanto que gostaria de voltar à Terra, ver minha família.

— Ainda é cedo. As energias lá são conturbadas. Você ainda não está preparada para enfrentá-las.

— Mas eu preciso ir. Quero saber como estão as coisas por lá.

— Irá quando for oportuno. Por enquanto, é melhor fazer seu tratamento. Não quer ficar bem?

— Quero. Nos últimos tempos tenho me sentido muito mal. Desde que...

Mirtes lembrou-se dos tiros que a atingiram. Sentiu a cabeça rodar e teria caído se Emília não a houvesse amparado, acomodando-a na cama. Alisou sua cabeça com carinho, dizendo:

— Esqueça aquele momento. Já passou. Você agora está bem. Pense que está com saúde, em um lugar alegre, bonito, cheio de luz.

Ela obedeceu e aos poucos foi melhorando.

— Tem razão — disse. — Ainda não estou bem para ver minha família.

— Aqui vai melhorar. Confie em Deus e não tenha medo.

320

***

Nos dias que se seguiram, Mirtes foi melhorando. Cada vez que a colocavam na sala verde, sentia que ficava mais lúcida e mais forte. Começou a circular pelos jardins, conheceu pessoas, notou que nem todas estavam tão bem quanto ela. Pareciam distantes, alheias, e com elas não adiantava puxar conversa.

À medida que melhorava, Mirtes sentia cada vez mais vontade de procurar Jairo e Eli para saber como estavam as coisas. Conversou com Emília sobre o assunto:

— Eles são meus amigos. Ajudaram-me quando eu estava perdida, sem ter para onde ir. Gostaria que soubessem onde estou.

— Por enquanto não é possível.

— Sei que vocês estão me ajudando. Melhorei com esse tratamento, mas não entendo o que está acontecendo comigo. Por que foram me buscar? Meus companheiros estão deste lado há mais tempo do que eu e vocês não os trouxeram para cá.

— É que eles ainda não estão prontos.

— Eu também não queria vir. Havia algumas coisas que eu precisava fazer por lá antes de cuidar de minha nova vida.

— É que intercederam por você.

— Quem? Não conheço ninguém aqui.

— Uma pessoa que está encarnada na Terra e gosta muito de você. Ela é uma das fundadoras deste lugar, tem muita experiência. A pedido dela fomos buscá-la.

Mirtes ficou pensativa. Deveria ser alguém muito importante. Ela estava sendo tratada com muita consideração e amizade.

— Agradeço o interesse dela por mim, mas assim que ficar boa de tudo pretendo voltar à Terra. Tenho um trabalho importante para terminar.

Emília olhou-a séria e respondeu:

— Nada é mais importante do que cuidar de seu bem-estar.

Mirtes inquietou-se:

— Já estou bem. Quero ir embora. Só preciso saber como fazer para ir aonde quero.

— Você não pode sair daqui sozinha e sem proteção. Fora de nossos muros, há muitos perigos.

— Sei cuidar de mim. Só preciso saber o caminho.

— Poderá ir quando o médico lhe der alta.

— Não estou doente. Meu ferimento sarou. Sinto-me perfeitamente bem. Por que querem me prender aqui?

— Ninguém quer prendê-la. Acontece que seu tratamento ainda não terminou.

Mas à medida que o tempo passava, Mirtes ia ficando mais nervosa e exigente. Começou a ficar deprimida, irritada, implicando com tudo e com todos.

Preocupada, Emília procurou seu superior:

— Olavo, temos de fazer alguma coisa. Mirtes está ficando muito desequilibrada. Quer ir embora.

— Ela ainda não desistiu de vingar-se. Esse pensamento a atormenta.

— Falarei com ela.

Pouco depois, Mirtes foi conduzida à sala de Olavo.

— Ainda bem que me recebeu — disse ela assim que se viu sentada à frente dele. — Agradeço o tratamento. Melhorei mesmo, mas tenho de ir embora. Não posso ficar aqui por mais tempo.

— O que você tem para fazer, de tão urgente?

— Cuidar de meus interesses. Como você sabe, deixei o corpo contra minha vontade. Fui covardemente agredida. Estava no auge de minha juventude, havia conseguido tudo que mais desejava na vida. Sentia-me muito feliz, realizada. Então fui barbaramente assassinada, arrancada do corpo. Sofri muito. Até agora, quando penso nisso, sinto-me mal. É difícil esquecer uma agressão dessas. Depois, eu não merecia. É verdade que me casei com Humberto por interesse, mas eu o tratava bem, ele se sentia feliz. Eu pensava poder retribuir a ele um pouco do prazer que ele me dava realizando todas as minhas vontades, tratando-me com tanto carinho. Ele está sofrendo muito com o que aconteceu. Pensou até em deixar a vida. Enquanto isso, ela, a causadora de nossa desgraça, continuava feliz, pensando em tê-lo pelo resto da vida. O que me conforta é que ela nunca vai conseguir.

Vendo que Olavo a ouvia com atenção, Mirtes finalizou triunfante:

— Eu exijo justiça. Fui uma vítima da maldade da amante de meu marido. Quero que a verdade apareça. Todos precisam saber quem foram os culpados pela minha morte! Até agora eles circulam impunes e vitoriosos. Quero que a verdade apareça.

Olavo olhou-a sério e disse com voz firme:

— Tem certeza de que é isso o que quer? A verdade?

— Sim. Os culpados não podem ficar impunes, precisam pagar por seus crimes.

— Nesse caso, posso ajudá-la. Venha comigo.

Satisfeita, Mirtes acompanhou-o pelos corredores e entraram em uma sala onde havia algumas poltronas e uma tela. Olavo designou uma cadeira e Mirtes sentou-se.

Olavo sentou-se ao lado de uma mesa com muitos botões luminosos e coloridos. Ele acionou um botão e a tela iluminou-se. Apareceu uma moça muito bonita, muito bem vestida, com roupas do século dezenove.

Mirtes estremeceu. Aquela mulher era-lhe muito familiar. Andava apressada, rosto contraído pela raiva. Podia-se ouvir seus pensamentos como se ela estivesse falando:

— Não posso perder tudo! Não depois dos sacrifícios que fiz para conseguir. Essa criança não pode nascer.

Ela chegou a uma casa luxuosa e tocou a sineta. O criado abriu a porta e ela entrou. Na sala, um casal abraçado conversava animadamente. Vendo-a, foram cumprimentá-la.

Depois ela disse:

— Seu pai me pediu que viesse. Ele queria vir, mas ultimamente não tem andado bem.

— Tenho notado isso — disse o rapaz. — Tive vontade de levá-lo à capital para ver um especialista.

— Ele não quer. Confia apenas no doutor Valdemar.

— Nós pedimos que ele viesse porque temos boas notícias e queríamos que ele compartilhasse nossa alegria. Aline está esperando um filho! Finalmente um herdeiro!

— Parabéns! Não sabe como me sinto feliz.

A cena foi interrompida. Mirtes remexeu-se na cadeira. Sentiu vontade de sair dali, não ver mais nada. Mas apareceu outra cena e ela a fixou curiosa.

Um quarto de luxo, um homem deitado muito abatido, Ester disfarçadamente ministrando algumas gotas escuras em um vidro de remédio.

— Isso vai acabar com tudo. É preciso agir antes que ele mude o testamento.

Surge, então, a imagem de Ester oferecendo o remédio a ele, que bebeu tudo. Algumas cenas rápidas mostrando-o sendo velado, depois uma sala solene, um homem abrindo o testamento. Ele havia deixado quase toda a fortuna para o filho. Para ela, sua segunda esposa, deixara apenas a casa e uma pensão.

Ester abandonou a sala tentando engolir a raiva que sentia e mostrar-se satisfeita. Ela havia se casado com o viúvo na esperança de ficar de posse de tudo. Tinha esperado por aquele momento ansiosamente, sonhando ser livre e poder ter a vida com a qual sempre sonhou.

Nicolau amava-a muito, mas era um homem de vida metódica, não gostava de gastar. Por isso, Ester, mesmo morando em uma casa luxuosa, onde nada lhe faltava, levou uma vida recatada e simples. Ela sonhava com muito mais.

O marido tinha um filho do primeiro casamento, moço sem juízo que, ao contrário do pai, gostava de gastar e levar vida desregrada. Na última briga que tiveram, Nicolau deserdou-o e fez um testamento no qual determinou Ester como sua única herdeira. Ela fingia gostar do rapaz e prometera-lhe que, se seu pai morresse, ela cuidaria do dinheiro, providenciando para que nada lhe faltasse.

Porém ele se apaixonou perdidamente por Aline, e sob inspiração dela mudou completamente de comportamento. Tornou-se maduro e responsável, a ponto de ser perdoado pelo pai. Quando soube que esperava um filho, cuidou rapidamente do casamento.

Diante da felicidade do casal, Nicolau disse que iria alterar o testamento. Ester resolveu agir antes que ele tivesse tempo para isso. Mas descobriu que era tarde. Depois da abertura do testamento, ela no quarto andava de um lado para o outro pensando no que fazer para recuperar a fortuna que pensava ser sua.

A tela mudou novamente de cena: Ester conversando com dois homens de fisionomia sinistra e dando-lhes um saco de joias.

— Quando terminarem, darei o restante.

Eles se foram, enquanto ela sorria pensando: "Agora, tudo será meu e poderei finalmente obter o que quero".

Mirtes sentia-se inquieta, o peito oprimido. Tentou ir embora, mas a tela iluminou-se novamente e ela sentou-se outra vez.

Uma carruagem na estrada. Dentro, o jovem casal. Cavaleiros se aproximam atirando. O cocheiro grita, os cavalos disparam, a carruagem tomba. Dentro dela, o casal estendido em meio ao sangue. Mirtes viu que dois tiros haviam atingido a moça na altura da cintura, no mesmo lugar onde ela, Mirtes, havia sido ferida. Deu um grito e perdeu os sentidos. Quando acordou, estava no quarto e Emília estava a seu lado. Ela estremeceu e sentou-se na cama, dizendo:

— Diga que foi um pesadelo. Que nada daquilo aconteceu.

— A verdade fere, mas acaba com as ilusões. Você pediu e a obteve.

— Aquela moça, Ester. Eu a conheço.

— É verdade.

— Sou eu! — gritou ela chorando. — Eu!

— Lamento que precisasse saber dessa forma. Mas você não queria nos ouvir.

— Você acha mesmo que eu fiz tudo aquilo?

— Eu não acho nada. Você é quem deve saber.

— Eu fiz. Eu queria viver a vida, ter luxo, ser feliz. Nunca consegui.

— A felicidade não está onde você imagina. Você criou uma ilusão e por ela fez o que fez.

Mirtes soluçava desconsolada. Pela sua mente desfilavam os acontecimentos que se seguiram após aquele trágico acontecimento. Ela herdou tudo, tentou levar a vida com a qual sempre sonhara. Mas nunca teve paz. Quando dormia, sonhava com o marido cobrando-lhe contas. Durante o dia, ouvia-o chamá-la de assassina, dizendo que pagaria caro por seus crimes.

Assustada, perdeu o gosto pela vida. Querendo fugir de seus fantasmas, acabou fechando-se em sua casa luxuosa, tornando-se desequilibrada e infeliz.

Viveu muitos anos ainda naquele tormento, e acabou morrendo sozinha, abandonada pelos criados assustados. Acordou no astral, perseguida pelo espírito do marido inconformado.

Por anos viveu em um lugar escuro e triste. Sentia fome, sede, pensou enlouquecer. Durante muito tempo o marido assassinado perseguiu-a, acusando-a, agredindo-a, tentando vingar-se.

Até que um dia ele desapareceu e ela respirou aliviada. De vez em quando, uma caravana de seres iluminados passava pelo local, levando alguns com eles. Mirtes sentia vontade de sair dali.

Certa vez, em que chorava desconsolada em meio à escuridão, viu uma luminosidade aproximar-se e gritou:

— Piedade! Por favor. Ajudem-me! Estou arrependida.

Uma moça aproximou-se e disse-lhe:

— Ainda não podemos levá-la.

— Estou cansada de sofrer. Por favor. Ajudem-me!

— Peça a ajuda de Deus. Reflita sobre tudo que lhe aconteceu. Seja sincera. Pense no bem. Se fizer isso, logo será auxiliada.

Ester obedeceu. Repassou toda a sua vida e chegou à conclusão de que havia errado muito. Rezou e pediu nova oportunidade.

Pouco tempo depois, quando os seres da luz passaram por lá novamente, uma moça pegou-a pela mão, dizendo:

— Viemos buscá-la.

Revendo aquela cena, Mirtes estremeceu. A moça que a retirara daquele pântano escuro era Alzira! Assustada, ela disse:

— Não pode ser Alzira!

Emília, que estava a seu lado, respondeu:

— Sim, era ela!

325

Soluçando, Mirtes recordou-se de tudo. Durante o período que estivera em tratamento, Alzira procurava-a, ajudando-a, doando-lhe energias curativas quando as crises de desespero a acometiam.

— Meu Deus! Eu não sabia!

— Alzira sempre trabalhou pelo seu bem-estar.

Durante alguns dias Mirtes inquietou-se recordando detalhes de sua vida passada. Aos poucos foi reconhecendo seus enganos. Recebeu tratamento energético e a assistência de Olavo, com quem conversava muito.

Descobriu que estava em um lugar de recuperação e que Alzira era um espírito muito evoluído. Antes de reencarnar, ela residia em uma colônia mais adiantada.

Mirtes lembrou quanto havia sofrido por causa da ambição, como havia sido difícil conseguir uma nova encarnação. Naquela ocasião havia prometido a si mesma nunca mais deixar-se levar pela vaidade. Ficara contente ao saber que iria reencarnar em um lar feliz e que Alzira estaria a seu lado como irmã.

Depois de reconhecer que fizera tudo errado outra vez, ela entrou em depressão, culpando-se sem piedade.

Emília tentava fazê-la entender que aquele não era o melhor caminho.

— Você teve uma recaída, o que até certo ponto é natural. Dentro da energia terrestre, deixou-se levar pela ambição, prejudicou a si mesma. Isso revela que ainda não havia aprendido o suficiente. Recebeu dura lição, que pode ter sido o bastante. Reflita sobre tudo isso. Aproveite o momento de reflexão para que nunca mais precise passar por tantos sofrimentos. Depende só de você.

— Mas eu tinha raiva de Alzira. Achava-a boba. A boba era eu! Eu, que me achava a rainha da esperteza.

— Você estava iludida. Agora sabe que estava enganada.

— Eu acreditava que possuir coisas caras, bonitas, exibir-me para os outros era felicidade.

— Não é errado gostar de viver com conforto, ter coisas boas. É bom viver em um lugar agradável. Nós fomos criados para termos tudo. A vida dá isso e muito mais a quem cultiva o bem e respeita os verdadeiros valores espirituais.

— Eu fiz tudo errado!

— Lamentar-se não vai mudar nada. Agora, é renovar suas crenças, caminhar para a frente, descobrir o que a fará realmente feliz.

Mais tarde, conversando com Olavo, ela disse triste:

— Depois do que fiz, nunca mais encontrarei a felicidade. A vida me castigou. Vi que Aline morreu do mesmo jeito que eu! As balas foram no mesmo local! Eu tive de pagar pelo meu crime.

— Você está enganada. A vida não castiga ninguém. Foi você quem criou essa alternativa. Quando decidiu acabar com a vida de seu marido e do jovem casal, acreditava que o crime e a violência eram a melhor forma de conseguir o que desejava. Foi esse padrão de pensamento ao qual você deu força que atraiu esse tipo de morte que a vitimou.

— Quer dizer que eu mesma me castiguei?

— Não se trata de castigo, mas de consequência. Você quis manipular os fatos do seu jeito, deu largas à ambição, ficou longo tempo alimentando pensamentos e colocando a violência como solução. Essa crença criou seu destino.

— Quer dizer que nesta última encarnação eu fatalmente teria de passar por isso?

— Não. Antes dela você recebeu esclarecimentos, aprendeu responsabilidade, teve ajuda reencarnando em uma família boa. Tinha conhecimento, e a vida esperava que se utilizasse dele.

— Onde foi que eu errei?

— Você reencarnou para aprender, entre outras, a lição do desapego. Seu erro foi manter o mesmo padrão de pensamentos que atraiu o crime. Se tivesse entendido que a violência não resolve nenhum problema, que os valores eternos da alma que cultivou quando ainda estava aqui eram mais importantes que os bens materiais, tudo teria sido diferente.

— Quer dizer que eu poderia ainda estar viva, usufruindo da vida que levava?

— Você casou por interesse com um homem bom, sincero. Se tivesse sido uma boa esposa, voltada ao bem-estar dele, a vida teria desviado aquele matador de seu caminho. Mas você tinha outros pensamentos.

Mirtes baixou a cabeça envergonhada.

— Estou arrependida.

— Você já sabe como criou essa situação. O importante agora é perceber que tem o poder de mudar essas crenças que a infelicitaram. Quando as substituir por algo melhor, sua vida se transformará de acordo com os novos padrões que incorporar.

— Estou cansada de sofrer! Eu quero mudar para melhor! Mas como?

— Esse é um trabalho interior que só você pode fazer. Terá de prestar atenção aos pensamentos que surgem e só dar importância aos que forem positivos. Vou indicar-lhe também um curso onde aprenderá a diferenciar o bem verdadeiro do falso.

— O bem pode ser falso?

— O bem é o bem. Mas a despeito dele os homens criaram muitos conceitos falsos. Identificá-los é melhorar o discernimento e a lucidez.

Mirtes ficou pensativa por alguns segundos, então disse triste:

— Depois que lembrei o passado, senti muita culpa. Gostaria de saber o que aconteceu com Nicolau, Roberto e Aline e de pedir-lhes perdão.

— Aline se recuperou logo. Como ex-suicida, sabia que teria pouco tempo de vida. Roberto passou largo tempo procurando por Aline e nem pensou em vingança. Nicolau foi quem mais sofreu, porque se entregou ao ódio. Senhor de escravos, habituado a mandar, acreditando no poder da força bruta, custou a equilibrar-se. Foi Aline quem o auxiliou. Ela havia sido sua filha em outra vida, e ele a adorava. Esforçou-se para perdoar, esquecer. Está reencarnado, casou-se novamente com a mulher que havia sido sua primeira esposa, recebeu Aline como filha e tem Roberto como genro. Como ele é um espírito fraco, Nicolau, por amor a Aline, faz tudo para ajudá-lo.

— Eles estão bem, mas, ainda assim, eu gostaria de ajudá-los de alguma forma.

— Agora você precisa se ajudar. Desta vez, vai demorar para reencarnar, porém, eu lhe prometo que, quando estiver em condições, poderá ajudá-los.

— Também sou grata a Humberto. Ele estava sofrendo com minha morte. Gostaria de dizer-lhe que continuo viva.

— Vou ver o que posso fazer.

Mirtes sorriu e sentiu-se mais tranquila. Não adiantava mais queixar-se nem culpar os outros pelo seu sofrimento. Se tudo dependia dela, estava disposta a esforçar-se ao máximo para melhorar.

CAPÍTULO 25

Roque, reunido com quatro policiais, disse satisfeito:

— Faremos tudo como o planejado. Vocês vão continuar vigiando o doutor Martins, revezando-se conforme o costume. Se notarem qualquer coisa diferente, avisem-me imediatamente. Lembrem-se de que esse matador é esperto e perigoso. Não sabemos como é nem como estará vestido. Cuidado com entregadores, vendedores ou prestadores de serviço doméstico. Se aparecer algum, tomem providências. Ninguém pode desconfiar de vocês.

— Não se preocupe. Temos tudo sob controle — respondeu Lopes.

— Ele ia chegar hoje, fazer campana, vigiar a vítima. Se desconfiar de alguma coisa, irá embora. Temos de apanhá-lo.

Depois que eles saíram, Roque continuou examinando o caderno com as anotações de Sobral e mandou fazer algumas pesquisas. Descobriu que o assassinato da jovem esposa de Humberto de Morais, que havia chocado a sociedade, tinha sido cometido por Dinho a mando de uma mulher chamada Mercedes. Não havia sobrenome, mas seria fácil descobrir.

Havia vários crimes não solucionados, feitos com o mesmo tipo de arma que matara a jovem e que possivelmente haviam sido cometidos pela mesma pessoa.

Roque sentiu que estava prestes a conseguir pegar aquele assassino e resolveu dedicar-se totalmente à solução daqueles casos.

Começou para eles a espera. Os homens revezavam-se disfarçados de prestadores de serviços variados, observando tudo.

Dois dias depois, Roque recebeu o aviso. Passava das dez quando um motoqueiro vestido de negro apareceu de repente. Eles nem ouviram o ruído da moto. O homem escondeu-a cuidadosamente atrás das frondosas árvores em frente da casa.

— Iremos imediatamente. Fiquem atentos. Se for preciso, prendam-no.

Os dois policiais observavam cautelosamente e viram quando ele apanhou uma arma. Antes que o homem tivesse tempo de empunhá-la, os dois caíram sobre ele. Apanhado de surpresa, o homem ainda tentou reagir, mas um dos policiais torceu-lhe o braço, obrigando-o a soltar a arma com um grito de dor.

Imediatamente, deitaram-no de bruços no chão e algemaram-no.

— Você está preso!

Os olhos dele brilhavam rancorosos, e o policial arrancou seu capacete.

— Eu queria ver sua cara.

Dinho não disse nada. Pouco depois, Roque chegou com as viaturas.

— Bom trabalho, rapazes — disse satisfeito.

Colocou a lanterna no rosto de Dinho e disse:

— Eu conheço você!

Levaram-no à delegacia. Pouco depois, Sobral chegou escoltado por dois policiais. Vendo Roque, disse indignado:

— Isto é uma arbitrariedade. Vocês me conhecem. Estou do lado da lei. Tenho ajudado a polícia.

— Você está preso, Sobral.

— Sob que acusação?

— Chantagem, extorsão e assassinato.

Sobral empalideceu.

— Ninguém pode provar nada contra mim.

Roque levou-o à sala onde Dinho estava sendo fotografado. Vendo-o, Sobral sentiu-se mal e gritou assustado:

— Esse homem é um mentiroso! Não acreditem em nada do que ele lhes disse. É um matador. Há mais de vinte anos, foi preso por assassinato e conseguiu fugir. Vocês não vão acreditar mais nele do que em mim.

Roque interveio:

— Bem me pareceu que ele era conhecido. Fique sabendo que Dinho ainda não foi interrogado. Não disse nada.

Sobral estremeceu. Dinho, que ouvira as acusações, olhou-o cheio de ódio.

330

Roque conduziu Sobral para outra sala, onde iria fazer o interrogatório. Pouco depois chegou Alberto. Ele fora conduzido à delegacia pensando que seu plano de prender os outros dois tinha dado certo.

Alberto entrou na sala de Roque sorridente:

— Soube que o senhor conseguiu prender aqueles assassinos. Sabia que podia confiar na polícia.

— O que você não sabia é que a polícia não se deixa usar por malfeitores.

— O que quer dizer?

— Você está preso por assassinato. Não adianta negar. Sabemos de tudo. Você usou esse matador para liquidar o amante de sua mulher. Aliás, descobri que pouco tempo depois ela morreu em um acidente de carro. Isso despertou minhas suspeitas. Vamos reabrir esse caso.

Alberto ouvia aterrorizado e não encontrou palavras para responder.

— Quero falar com meu advogado.

— Depois. Primeiro temos muito que conversar.

Roque fez um trabalho completo. Reabriu vários casos não resolvidos, inclusive o acidente que vitimou Eli, a morte de Jairo, de Mirtes.

Roque conversou com o delegado que havia aberto inquérito sobre o assassinato de Mirtes e logo descobriu quem era Mercedes.

Ela ainda se encontrava internada na clínica. Vendo-se desmascarada, não fazia outra coisa senão chorar.

O psiquiatra recebeu a visita da polícia e, assustado, descobriu que a culpa de Mercedes era real. Não fez nenhuma objeção a que a levassem.

O delegado Marques, que cuidara das investigações sobre o caso de Mirtes, foi pessoalmente conversar com Humberto e encontrou-o no escritório da empresa. Ele havia se mudado para a mansão da família e voltara para a firma tentando ocupar-se.

Os filhos, depois que Humberto os procurara mostrando quanto os amava, haviam se unido mais a ele.

Apesar da tristeza e da saudade que ainda o incomodavam, Humberto estava mais disposto. A companhia e o amor dos filhos faziam-lhe muito bem.

Ele continuara frequentando o centro de Isaltina. Muitas vezes, ainda sentia dúvidas sobre a continuidade da vida após a morte, mas aquele ambiente de oração e de paz fazia-lhe imenso bem.

— Sente-se, doutor Marques — disse Humberto depois dos cumprimentos, designando uma poltrona e sentando-se na outra ao lado.

331

— Tenho novidades, doutor Humberto.

— Tentei falar com o senhor ontem, mas não consegui. O senhor estava muito ocupado. Li nos jornais que a polícia havia prendido um suspeito da morte de Mirtes.

— Sim. Prendemos o assassino de sua esposa. Conforme suspeitávamos, e eu lhe disse isso na ocasião, trata-se de um perigoso matador profissional. Ele cometeu um crime há mais de vinte anos, foi julgado, condenado, fugiu da prisão e nunca mais conseguimos encontrá-lo.

— Então era mesmo! Um matador profissional!

— Sim. Ele arranjou documentos falsos, foi para o Mato Grosso, comprou um pequeno sítio e vivia lá sem que ninguém desconfiasse. Era até estimado, mas tinha um cúmplice aqui em São Paulo que de vez em quando lhe arranjava trabalho. Ele vinha, discretamente fazia o serviço e voltava sem que ninguém o visse. Cobrava bom dinheiro.

— Custo a crer. Sou um homem de paz. Nunca tive inimigos. Minha esposa era uma moça alegre, de bem com a vida. Não entendo.

— Quando o senhor decidiu acabar seu caso com Mercedes para casar-se com Mirtes, arranjou uma terrível inimiga.

Humberto levantou-se de um salto.

— Mercedes?! Não pode ser!

— Pois foi. Ela contratou Sobral, o contato de Dinho aqui em São Paulo, e juntos planejaram a morte de Mirtes. Pagou muito dinheiro a eles!

Humberto deixou-se cair na poltrona emudecido pela surpresa. Então ela não estava sofrendo por amor a ele... Era remorso, era culpa.

— Sei que é difícil para o senhor aceitar, mas foi o que aconteceu. Ela, Sobral e Dinho, o matador, estão presos e vão pagar pelos seus crimes. Os dois cometeram outros crimes, serão julgados e condenados. Passarão o resto da vida na cadeia.

— Eu nunca suspeitei dela. Que horror! Pobre Mirtes, que morreu por minha culpa.

— O senhor não teve culpa de nada.

— Meus filhos nunca aceitaram meu relacionamento com Mercedes. Não gostavam dela. Arrependo-me de não os ter escutado, acabado tudo e procurado outra pessoa.

— O senhor ainda pode encontrar uma pessoa boa e refazer sua vida.

— Eu amava Mirtes. Nunca mais quero outra mulher. Estou resolvido a dedicar todos os meus dias à felicidade dos meus filhos e aos cuidados desta empresa. Apesar de tudo, estou contente. A polícia está de parabéns.

— O senhor terá de nos ajudar, prestar depoimentos.

— Pode contar comigo. Farei tudo para que esses assassinos sejam condenados.

Depois que Marques se foi, Humberto não conseguiu retomar o trabalho. Renato chegou uma hora depois e encontrou-o sentado no mesmo lugar, pensativo.

— Pai, sente-se bem?

Humberto suspirou e respondeu:

— Estou assustado.

— Pelo visto, já sabe a verdade. Prenderam o assassino de Mirtes. Eu li nos jornais hoje cedo.

— Vamos comprar os jornais da tarde. O delegado esteve aqui. Fiquei pasmo. Foi um assassino profissional quem matou Mirtes. E a mandante foi Mercedes.

Renato deixou-se cair na poltrona ao lado do pai.

— Bem que eu desconfiei. Aquela mulher nunca me enganou.

— Eu não desconfiava. Ela parecia tão solidária com minha tristeza... Nunca imaginei.

Renato levantou-se e abraçou o pai, dizendo:

— Você é muito bom, muito honesto, incapaz de imaginar uma maldade dessas.

As lágrimas corriam pelo rosto de Humberto.

— Eu nunca iria imaginar. Sou culpado pela morte de Mirtes.

— Você não tem culpa da maldade de Mercedes. Não se deixe envolver por esse pensamento. Ninguém poderia imaginar o que aconteceu — finalizou e, ansioso para mudar de assunto, declarou: — Pai, hoje Antônia me procurou e nos entendemos. Vamos nos casar.

Humberto olhou-o e sorriu.

— É uma boa moça. Tenho certeza de que serão felizes.

— Você vai se admirar, mas a vida às vezes nos prepara uma surpresa. Ela frequenta aquele centro espírita que o senhor frequenta.

— Nunca a vi por lá.

— Ela já o viu, mas não quis abordá-lo para não incomodar. Ela me convidou para ir lá esta noite. Quero que nos acompanhe.

— Hoje não é meu dia de ir.

333

— Depois do que soube, seria bom que comparecesse. Sempre que vai lá, volta calmo, bem-disposto.

— Está bem. Irei.

No horário combinado, eles foram ao centro. Isaltina recebeu-os com o carinho de sempre. Abraçou Renato, dizendo contente:

— Há tempos esperava que viesse. Agora só falta Mauro.

— Ele virá — garantiu Humberto. — De tanto nos ouvir falar desta casa abençoada, tem demonstrado vontade de vir.

Eles entraram. Após ouvirem a palestra, tomaram passe e foram despedir-se de Isaltina, que segurou entre as suas a mão de Humberto.

— O senhor está cada dia melhor. Seu filho encontrou a companheira que o fará muito feliz. Logo mais terá netos alegrando seu coração e sua casa.

— De fato, meus filhos têm me ajudado muito. Não imaginava que isso fosse possível. Mas, embora eles me cerquem de cuidados e atenções e os amigos me visitem, a morte de minha querida Mirtes ainda dói. Tenho me esforçado para não pensar nela com tristeza, mas nem sempre consigo.

Antônia e Renato estavam conversando com alguns conhecidos de Isaltina que, vendo-os afastarem-se, confidenciou:

— Tenho boas notícias a respeito de Mirtes.

Humberto estremeceu e seus olhos brilharam emotivos. Isaltina continuou:

— Nos primeiros tempos Mirtes estava revoltada, inconformada, com raiva. Só pensava em descobrir seus assassinos e vingar-se. Mas, felizmente, nossos amigos espirituais intercederam por ela e conseguiram que fosse recolhida em um posto de socorro. Recebeu tratamento, recordou-se de outras vidas e descobriu por que precisou passar por aquela tragédia. Agora está muito melhor.

— A senhora fala como se Mirtes tivesse feito uma viagem, mas ela morreu. Mesmo que esteja viva em outro lugar, é apenas espírito. Não entendo como pode haver posto de socorro, tratamentos... É difícil acreditar.

— O senhor precisa ler a respeito. Nas outras dimensões, embora os elementos naturais sejam diferentes e nossa faixa visual não consiga vê-los, para quem está lá o lugar é tão sólido como a Terra para nós. Aqui, precisamos do corpo de carne para atuar na matéria. Quando o deixamos, ficamos com nosso corpo astral, que é perfeitamente adaptado aos elementos onde passará a viver.

— É extraordinário. Gostaria de ter certeza disso.

— Vou emprestar-lhe alguns livros científicos sobre o assunto.

— Ter certeza de que Mirtes está bem me ajudaria muito.

Renato e Antônia aproximaram-se e, junto com Humberto, despediram-se de Isaltina. Depois foram fazer um lanche, e a conversa fluiu agradável. Humberto comentou o que Isaltina dissera sobre Mirtes. E Renato ouviu tudo pensativo. Quando o pai terminou, disse:

— Você tem dúvidas; eu, não. Depois que morreu, mamãe sempre nos visita.

Humberto surpreendeu-se:

— Visita? Por que nunca disse nada?

— Mauro também a viu. Sempre quando temos algum problema ela aparece.

— Aparece, como?

— Algumas vezes em sonho, só que não me parece um sonho como os outros. A emoção é mais forte. Conversamos, e, quando acordo, nem sempre recordo o que falamos, mas sinto-me mais calmo e confiante. Outras vezes, ela passa de relance. Sinto seu perfume, recordo-me de alguma coisa que ela disse. Nessa hora sei que ela está comigo.

— Renato tem mediunidade, doutor Humberto — interveio Antônia. — Por isso o convidei para vir esta noite. Agora sei que nossos desentendimentos foram causados por nossa invigilância. Nós nos deixamos envolver por pensamentos negativos, e alguns espíritos perturbadores nos envolveram. Dona Isaltina nos explicou como isso acontece.

— Essa mulher não é apenas bondosa, mas também sábia.

Antônia complementou:

— É pessoa simples, sincera e dedicada ao bem. Eu lhe sou muito grata.

— Depois do que soube esta noite — considerou Humberto —, acho que vou me dedicar ao estudo da espiritualidade.

— Eu também — concordou Renato.

Depois daquela noite, o jovem casal passou a convidar Humberto para irem juntos uma vez por semana ouvir as palestras de Isaltina. Quando saíam do centro, iam fazer um lanche e trocavam ideias sobre o tema abordado.

Humberto estava lendo com interesse os livros que Isaltina lhe emprestara e, sempre que estava com os filhos e a futura nora, discorria sobre suas descobertas a respeito dos fenômenos mediúnicos, e os jovens relatavam suas experiências pessoais.

Essas conversas criaram entre eles um elo de amizade prazeroso e sincero. Antônia passou a frequentar a casa do noivo com mais assiduidade, e Mauro, cuja sensibilidade era acentuada, interessou-se muito por aquelas conversas.

O casamento de Alzira e Valdo estava marcado para dali a duas semanas, e eles estavam entregando pessoalmente os convites aos amigos.

A casa que ele comprara fora decorada por Alzira, auxiliada pela futura sogra. As duas descobriram que possuíam os mesmos gostos, e, com satisfação, Almerinda segredava-lhe as preferências do filho.

Valdo, ocupado com a empresa cujo crescimento e progresso tomavam boa parte do tempo dele e do pai, havia deixado os preparativos aos cuidados das duas. Ele notara o bom relacionamento que havia entre elas e o prazer com que cuidavam de tudo. Valdo queria deixar o trabalho organizado para facilitar as tarefas durante o mês que estaria viajando em lua de mel.

Laura e Émerson, que iam ser os padrinhos do casamento, compraram uma bela casa próxima ao instituto. Eles decidiram que morar perto do local de trabalho seria ideal.

O instituto progredia. As pessoas que Émerson havia escolhido e preparado ajudavam-no nas preliminares dos atendimentos. Laura era uma delas. A alegria do casal era verificar como as pessoas mudavam e conseguiam melhorar seu padrão de vida.

Embora o instituto funcionasse de forma aberta, atendendo a todos que o procurassem, era notório observar que, enquanto aqueles que estavam maduros para aprender se maravilhavam, descobriam seus potenciais, experimentavam novas atitudes e mudavam suas vidas para melhor, outros iniciavam os cursos, mas não conseguiam continuar.

Laura não entendia por quê. Eles estavam ensinando coisas boas e importantes. Dava para perceber que aquelas pessoas precisavam delas. Por que, então, se afastavam?

Levou suas dúvidas a Émerson, que esclareceu:

— Essas pessoas ainda não estão prontas para mudar. Precisam de mais tempo. Vêm movidas pela curiosidade, querem viver melhor, mas, quando descobrem que precisam trabalhar interiormente, afastam-se. Não se preocupe com os que se vão pois a vida cuidará deles no tempo certo. Nós vamos trabalhar com quem está maduro para dar outros passos. Depois, nosso trabalho é apenas semear e esclarecer como as coisas funcionam. Fazer bem o que nos compete é responsabilidade nossa. Já o que eles vão fazer com nossos ensinamentos é exclusivamente da responsabilidade deles.

336

Dois dias após as prisões dos envolvidos no assassinato de Mirtes, Alzira e o noivo foram visitar Laura e Émerson. O casal estava em casa, pois naquela noite não havia curso. Receberam os dois visitantes com carinho. Na sala, depois de animada conversa sobre os preparativos do casamento, Alzira disse:

— Ontem, o doutor Humberto veio nos visitar. O delegado procurou-o para contar detalhes sobre a morte de Mirtes.

— Eu li a notícia no jornal de hoje — informou Laura. — Fiquei impressionada.

— Quando ele pediu Mirtes em casamento, contou-lhe que tivera um caso com essa mulher, mas que tudo estava resolvido. Ele a deixara bem de vida, e ela aceitara a separação — disse Alzira.

— Certa vez eu os vi juntos, por acaso. Ele não a levava aos lugares que frequentamos — comentou Valdo. — Ela me pareceu pessoa altiva, vaidosa. Olhava todos de cima.

— Agora está presa. Terá tempo suficiente para meditar sobre as consequências de suas atitudes — tornou Émerson.

— Ela negou tudo, mas os dois cúmplices confessaram. O matador vai responder por outros crimes e ficará muitos anos preso. Quanto ao outro, não sei. A justiça vai seguir seu curso. Você diz sempre que tudo tem uma causa. Por que será que Mirtes atraiu isso? Foi por causa de sua ambição? Será tão ruim gostar de viver bem, ter dinheiro, levar vida boa? — perguntou Valdo.

— Não. Ao contrário. A vida é farta. Basta olhar a natureza para perceber isso. Mas, para obter todas essas coisas, é necessário viver bem. A vida tem leis próprias que funcionam independentemente de nossa vontade. Ela dá tudo ou tira tudo, sempre para nos ensinar a sabedoria, o equilíbrio. De quem não valoriza o bem que possui, ela os tira para que se descubra sua falta. Há pessoas que só valorizam uma coisa quando a perdem.

— Mirtes vivia se queixando. Não via que em nossa casa, apesar de não sermos ricos, gozávamos de boa saúde, nos estimávamos mutuamente, não nos faltava o que comer e vivíamos em paz. Ela não cooperava com nada, dizia que um dia iria embora, seria muito rica e nunca mais nos procuraria.

— Sua obstinação deu-lhe o que ela ambicionava, mas, como menosprezava os bens que possuía, a vida tirou-lhe tudo, inclusive a vida, seu

337

maior bem. Espero que, com o que lhe aconteceu, Mirtes tenha descoberto os valores eternos da alma, que ela não via — esclareceu Émerson.

— Dona Isaltina tem tido notícias dela. Está em tratamento no astral — lembrou Alzira.

— Agora você está muito ocupada com o casamento, mas, quando voltar da lua de mel, gostaria que fosse trabalhar conosco no instituto. Você está pronta, traz uma boa experiência de outras vidas.

— Não me lembro de nada. Sinto-me muito bem tanto no instituto quanto no centro espírita, mas custo a crer que possa ajudar alguém.

Émerson sorriu e considerou:

— Você vai saber em breve. Então conversaremos — E, voltando-se para Laura: — Conte a eles.

Laura sorriu:

— Vocês serão os primeiros a saber. Hoje descobri que estou grávida.

Imediatamente, os dois a abraçaram.

— Que alegria! Mamãe já sabe?

Laura meneou a cabeça.

— Ainda não tivemos tempo. Émerson trouxe o resultado do exame agora.

Valdo beijou-a na testa com carinho, e Alzira tornou:

— É uma felicidade. Parabéns!

— Isso merece comemoração. Por que não vamos até em casa dar a notícia? Papai vive sonhando com os netos.

Todos concordaram e foram imediatamente. Almerinda e Péricles ficaram radiantes, abriram um vinho especial em comemoração.

O assunto da noite foi a chegada do bebê. Sugeriram nomes, falaram do possível sexo. Almerinda disse que, após o casamento de Valdo e Alzira, ela cuidaria do enxoval.

Laura sorriu:

— Mãe, eu vou cuidar do enxoval do meu filho.

— Eu queria tanto! Você está muito ocupada no instituto.

— Não tanto. Tenho tempo de cuidar bem disso, mas você pode me ajudar com sua experiência.

Almerinda sorriu satisfeita. Enquanto os homens conversavam, as três trocavam ideias sobre o enxoval e o quarto do bebê.

***

Na véspera do casamento, Alzira chegou em casa cansada, mas feliz. Havia ido com Valdo até a casa em que iriam morar. Valdo queria que ela visse alguns objetos de arte que comprara e Alzira queria verificar se as peças do enxoval estavam arrumadas conforme desejava.

Depois que ele se despediu, Alzira foi ter com a mãe, que a abraçou emocionada:

— Você vai nos deixar! Vamos ficar sozinhos.

— Não vou deixar ninguém. Você fica com o pai. Tenho observado que nos últimos tempos ele tem andado tão amoroso!

— De fato. Nunca nos entendemos tão bem quanto agora. Ele está muito feliz. Vive agradecendo a Deus por você se casar com um moço tão bom. Ele admira muito Valdo. Fala dele com olhos brilhantes.

— Já notei. Os dois têm alguns pontos em comum, principalmente no que se refere ao trabalho.

— Por isso ele o admira.

Alzira abraçou a mãe com carinho:

— Não fique triste, mãe. Estou muito feliz. Amo Valdo.

— Eu sei, filha. Estou emocionada, só isso. Casar uma filha, principalmente uma filha como você, é emocionante.

— Compreendo, mas nunca esquecerei o que você e papai fizeram por mim a vida toda, os exemplos de honestidade, de paciência, de dedicação. Aprendi muito com vocês.

Estela beijou-a com amor.

— Você sabe quanto nós a amamos. Desejo-lhe toda a felicidade do mundo. Agora vá se deitar, pois precisa descansar para ficar linda amanhã. É seu dia!

Alzira beijou a face da mãe, foi para o quarto e preparou-se para dormir. Estendida na cama, agradecia a Deus pela sua felicidade.

Pensou em Mirtes e comoveu-se. Por que ela havia escolhido aquele caminho?

Seus olhos fecharam-se e ela imaginou que a irmã estava ali, à sua frente, e abraçou-a com muito carinho.

Depois, sem sentir, adormeceu. Viu-se deslizando sobre a cidade, vendo as luzes lá embaixo, e pensou: "Isto não é um sonho!".

Alzira foi tomada por uma sensação de prazer vibrando dentro do peito e por uma alegria imensa. Notou que uma mulher a abraçava pela cintura e pareceu-lhe que a conhecia muito.

339

Chegaram diante de um imenso portão de ferro e, a um toque da mulher, ele se abriu. Elas foram deslizando pelos jardins e pararam diante de um prédio enorme.

— Eu conheço este lugar! Que saudade! — disse Alzira emocionada.

— Nós também sentimos muita saudade de você.

Entraram e caminharam pelos corredores. Alzira olhava tudo com interesse e pensava: "Quando voltar, quero me lembrar disto tudo!".

Pararam diante de uma porta, e Alzira estremeceu de emoção. Ela sabia quem estava dentro daquele quarto. A porta abriu-se, e Mirtes estava lá, observando-a com os olhos cheios de lágrimas.

Alzira abraçou-a com amor e disse emocionada:

— Minha irmã, que saudade!

Mirtes apertou-a em seus braços, e a emoção não a deixava falar. Por fim, disse:

— Como eu estava enganada! Como me arrependo de não ter ouvido você e aproveitado aqueles momentos felizes. Agora é tarde! Só me resta chorar e procurar aproveitar a dura lição.

— Tenho certeza de que você agora sabe do que precisa para ser feliz!

— Eu daria tudo para voltar ao tempo em que éramos adolescentes. Ah, se eu pudesse! Como eu ajudaria nossos pais, apreciaria sua companhia! Eu tinha tudo: beleza, mocidade, saúde e uma imensa vontade de viver! Mas me iludi e caminhei para a morte!

— Não — retrucou Alzira. — Você caminhou para a vida! Tornou-se consciente dos verdadeiros valores. Escolheu um caminho mais longo e mais sofrido, e a vida deu-lhe a realidade.

— Ela foi muito dura!

— Foi do tamanho de suas ilusões. Alegre-se, Mirtes. Agradeça a Deus a bênção do conhecimento que lhe deu mais capacidade para construir sua felicidade. O tempo passa rápido, e logo você receberá a bênção da reencarnação e poderá escolher melhor.

— Fui informada de que vou demorar para reencarnar. Terei de esperar muito tempo ainda.

— Vai depender de seu progresso, de como você vai trabalhar interiormente as experiências vividas. A vida não joga para perder. Ela só permitirá sua volta à Terra quando você tiver todas as possibilidades de enfrentar os desafios com mais firmeza e coragem.

— Venha, Alzira, sente-se a meu lado. Emília, agradeço ter ido buscá-la para mim. Ver os meus é o que eu mais queria.

— Emília! Eu me recordo de você! Fomos amigas quando eu trabalhava aqui!

— Sim. Você foi uma das fundadoras deste lugar. Quando eu reencarnei, você me ajudou muito. Fui muito feliz com Humberto. Mas não podia ficar mais e tive de voltar. É muito difícil deixar no mundo as pessoas que amamos. O pior foi afastar-me de meus dois filhos.

Mirtes olhou-a assustada:

— Você foi a primeira esposa de Humberto! Agora eu me lembro de que foi você quem me tirou de lá. Não entendo… Você sabia que eu não o amava, que havia casado por interesse, que pretendia traí-lo com outros homens... Deveria odiar-me por isso.

Emília abraçou-a sorrindo:

— Há muito tempo, descobri como as ilusões nos envolvem, por isso nunca mais me atrevi a julgar ninguém. A vida faz tudo certo. Se Humberto ligou-se a Mercedes e atraiu você, que pretendia usá-lo, deve haver uma razão para isso. Nunca lhe disse, mas, quando Alzira a retirou daquele pântano, eu a ajudei e acompanhei sua recuperação. Quando você reencarnou, depois de havermos decidido que Alzira iria pouco depois viver a seu lado, prometi ajudá-la.

Mirtes olhou-a comovida:

— Eu não sabia! Desde que cheguei aqui, você tem me assistido como uma mãe. Sinto-me envergonhada.

Emília sorriu:

— Não sinta. A vergonha revela que a vaidade ainda não foi vencida. Prefiro que me diga: "Vou me esforçar para não julgar ninguém". Ou então: "Esta situação revela que, quando há entendimento, a mágoa desaparece e não há necessidade de perdão".

Mirtes lembrou-se de Mercedes, e seu rosto contraiu-se.

— Não é fácil esquecer.

— Talvez não. Mas, se já sabe que suas atitudes atraíram os acontecimentos que a vitimaram, não acredita que o mesmo acontecerá com os seus assassinos?

Mirtes estremeceu. Ainda era difícil para ela pensar neles sem rancor.

— A lei é igual para todos — continuou Emília. — A vida responde conforme as atitudes de cada um.

— É verdade, Mirtes — ajuntou Alzira. — O assassino não deixou pista, mas os fatos foram se sucedendo e todos eles foram presos.

Os olhos de Mirtes brilharam emotivos:

— Tenho certeza de que Jairo e Eli contribuíram para isso.

Alzira olhou surpreendida para Mirtes, que lhe contou como conhecera os dois, e finalizou:

— Apesar de tudo, eles me apoiaram em um momento em que eu estava enlouquecida. Gostaria muito de saber como estão. Se pudesse conversar com eles, pediria que aceitassem ser recolhidos aqui. Eles têm medo.

Desta vez foi Emília quem respondeu:

— Temos tentado ajudá-los. Eles vão precisar de mais tempo para terem condições de ser trazidos para cá. Agora está na hora: Alzira precisa voltar.

Mirtes abraçou-a inquieta.

— Sei que precisa, mas gostaria que ficasse mais um pouco.

— Hoje é o dia de meu casamento com Valdo. Sei que quem queria casar-se com ele era você, mas aconteceu. Nós nos amamos muito.

Mirtes olhou-a com olhos enevoados pelas lágrimas:

— Eu o achava atraente, mas nunca o amei. Queria usá-lo da mesma forma que usei Humberto. Tive ciúme quando notei que estavam namorando, porém, foi pura vaidade. Quero que sejam muito felizes.

Alzira abraçou-a com carinho, e as irmãs permaneceram alguns segundos abraçadas.

— Vamos, Alzira. Precisamos voltar.

— Deus a abençoe, minha irmã querida. Beije nossos pais por mim. Diga-lhes que estou bem e que os amo muito.

Alzira, abraçada a Emília, deixou o prédio e deslizou sobre as luzes acesas da cidade adormecida. Era madrugada. Em pouco tempo estava de volta ao lar.

342

CAPÍTULO 26

Alzira abriu os olhos sentindo o peito dilatado de prazer. As últimas palavras de Mirtes ainda soavam em seus ouvidos:

— Deus a abençoe, minha irmã querida. Beije nossos pais por mim. Diga-lhes que estou bem e que os amo muito.

"Meu Deus!", pensou Alzira. "É verdade! Mirtes continua viva! Eu me lembro de tudo! Conheço aquele lugar! Emília, minha amiga! Que maravilha!".

Emocionada, Alzira ajoelhou-se ao lado da cama:

— Meu Deus! Eu não mereço tantas bênçãos! Mas, de hoje em diante, vou procurar merecer esta dádiva! Vou estudar a espiritualidade e trabalhar pela divulgação das leis divinas.

Lembrou-se de Isaltina. Seria com ela no centro espírita ou seria com Émerson, que insistia para que fosse ajudá-lo no instituto? Como não decidira o que fazer, pediu a Deus que lhe indicasse o caminho.

Ela queria acordar os pais, contar-lhes tudo. Abriu a porta do quarto, mas o silêncio indicava que eles ainda dormiam. Resolveu esperar.

Deitou-se outra vez pensando em tudo. Desejava gravar aquela experiência, não esquecer nenhum detalhe. Sentiu que aqueles momentos ficariam em sua lembrança para sempre.

O dia estava clareando, quando ela finalmente caiu em um sono tranquilo e repousante. Acordou ouvindo batidas na porta do quarto. Olhou o relógio: passava das nove.

Levantou-se apressada. Lavou-se e desceu para o café. Era sábado, e seus pais ainda estavam conversando à mesa. Alzira sentou-se, dizendo alegre:

— Esta noite visitei Mirtes e trago um recado para vocês.

Estela quase deixou cair a jarra de leite que segurava. Colocou-a sobre a mesa e sentou-se emocionada.

— Um recado? — indagou Antônio, admirado.

Alzira contou-lhes detalhadamente sua experiência, feliz por não haver se esquecido de nenhum detalhe. Quando terminou, Estela ficou silenciosa por alguns instantes e depois disse:

— Como eu gostaria de ter ido com você!

— Foi maravilhoso. Não dá para descrever o que senti. A leveza, o bem-estar, a alegria...

— Deve ser mesmo muito bom! Eu também gostaria de ter ido — tornou Antônio.

— Se eu fui, vocês também poderão ir. Vou pedir a Emília que consiga essa concessão.

— Foi um belo presente de casamento — tornou Estela. — Quem é Emília, que tem tanto poder?

— Éramos amigas no astral, antes de nosso nascimento. Ela nasceu antes e casou-se com Humberto.

— Foi a primeira esposa dele? — admirou-se Antônio.

— Sim, pai. Além de proteger a família, tentou também ajudar Mirtes, mesmo sabendo que ela havia se casado com Humberto por interesse. É um espírito bom. Agora cuida dela com carinho de mãe.

— É difícil acreditar, principalmente quando sabemos o que fez Mercedes, que também amava Humberto — comentou Antônio.

— As pessoas são diferentes, pai. Mercedes estava iludida e já está respondendo por isso. Emília acredita que a compreensão e o bem são mais importantes do que qualquer castigo.

— Dá para perceber como ela é boa — disse Estela, comovida. — Fico mais calma sabendo que Mirtes reconheceu seus erros e que está se preparando para uma vida melhor.

— Sinto-me protegido. Aqui temos dona Isaltina, e, no astral, essa sua amiga. Só podemos agradecer a Deus tanta bondade.

Alzira abraçou-os com carinho.

— Sinto-me feliz. Hoje vou me mudar, mas podem ter certeza de que nunca esquecerei o carinho, o amor que vocês sempre me deram.

Eles a beijaram comovidos, e Estela procurou dissimular a emoção, dizendo:

344

— Você vai tomar seu café, depois vamos acabar de arrumar suas malas para a viagem. Não podemos nos atrasar para o cabeleireiro.

Quando estava quase na hora de ir para a igreja, Péricles procurou Almerinda e foi encontrá-la pronta, sentada na biblioteca, pensativa. Aproximou-se dela, que ergueu para ele os olhos cheios de lágrimas.

— Você está chorando outra vez! Desse jeito vai estragar toda a maquiagem.

Ela sorriu:

— Estava recordando nosso casamento. O tempo passou rápido. Laura espera o primeiro filho, Valdo hoje está se casando!

— É a vida, minha querida.

— Temos sido felizes, Péricles. Você tem sido um bom marido, temos dois filhos maravilhosos. Laura casada com Émerson, que amamos como filho; Valdo trará Alzira para a família, uma moça linda por dentro e por fora.

— Sou um homem privilegiado. Deus me deu uma família especial. Precisamos agradecer tantas bênçãos. Não quero vê-la chorando. Sairemos dentro de cinco minutos. Valdo já está pronto.

— São lágrimas de felicidade, meu caro. Vamos embora.

Quando Valdo e os pais chegaram à igreja, já a encontraram repleta de amigos, entre eles Marcelo e Renata, que seriam os padrinhos da noiva, e Émerson e Laura.

Vendo Valdo entrar e dirigir-se à sacristia, Émerson disse baixinho a Marcelo:

— Vamos junto para você ver como é.

— Isso mesmo — concordou Laura. — Afinal, vocês estarão casando dentro de três meses.

Marcelo apertou a mão de Renata e beijou-a delicadamente na face.

— Gostaria que fosse hoje!

— Eu também.

— Calma — disse Émerson. — O tempo passa depressa.

Em um canto da igreja, Mildred observava-os pensativa. Lembrava-se de Mirtes. O que diria ela se estivesse viva? Com certeza estaria se remoendo de raiva.

Ainda se encontrava na Itália quando sua mãe ligou para falar do crime. Ficou chocada, mas estava disposta a divertir-se, estar alegre, esquecer os problemas que havia deixado.

Arranjara um namorado italiano e encontrava-se frequentemente com uma turma de amigos. Gostava da vida que estava levando. Foi ficando. Retornara ao Brasil havia poucos dias.

Gino estava muito apaixonado, mas era ciumento e exigente. Mildred, apesar de gostar dele, resolveu regressar. Ela não queria prender-se a ninguém.

Teve curiosidade de ir àquele casamento rever os amigos.

Admirava-se de Valdo ter escolhido Alzira, uma moça pobre, logo ele que poderia escolher entre as jovens mais finas e ricas da melhor sociedade.

Sabia que ia encontrar-se com Émerson e Laura, mas isso não a incomodava mais. Ainda assim, surpreendeu-se com a mudança de Laura. Ela parecia ter desabrochado. Olhos brilhantes, lindos cabelos, pele de veludo, até o corpo havia se tornado mais bem torneado. Ganhara busto, afinara cintura.

Apesar de estar preparada para encontrá-los, sentiu uma ponta de inveja vendo-a tão linda. Não entendia como uma moça insignificante como ela podia ter-se transformado daquele jeito.

— Laura mudou muito mesmo — comentou Augusta, mãe de Mildred, que estava a seu lado.

— O que será que ela fez?

— Não sei. Dizem que foram os cursos de Émerson naquele instituto, mas acho que foi o amor.

— É. O amor pode mudar uma pessoa.

A música começou anunciando a entrada da noiva. Todos se levantaram.

Alzira, caminhando lentamente, entrou de braço dado com o pai. No altar, além dos padrinhos, a família dos noivos.

Valdo, olhos brilhantes de emoção, recebeu Alzira, e teve início a cerimônia. Eles estavam felizes. Havia alegria, amor e felicidade.

Humberto, Renato, Antônia e Mauro assistiam comovidos a cerimônia. Humberto não conteve as lágrimas, recordando-se de Mirtes. Apesar do tempo decorrido, ele não a havia esquecido. Por sua mente passavam todas as cenas de seu casamento com ela, sua felicidade, seu amor, sua alegria.

Em um canto da igreja, Mirtes, abraçada a Emília e a um amigo, não perdia nenhum detalhe da cerimônia. A emoção e a saudade eram fortes, mas ela se controlou.

Emília havia conseguido permissão para que Mirtes assistisse ao casamento se prometesse controlar-se. Mirtes sabia que, ao menor sinal de desequilíbrio, eles a levariam de volta.

Notando a emoção dela, Emília tornou:

— Pense nas coisas boas, na alegria de rever os seus em um momento tão especial.

— Sinto que tanto mamãe e papai quanto Alzira não me esqueceram.

— Há mais alguém que pensa em você com amor e saudade.

— Humberto! Se ele soubesse que eu não era nada daquilo que ele pensava, talvez me odiasse.

— Você não era, mas pode tornar-se. Depende só de você.

— É verdade. Eu posso. Vou tornar-me uma pessoa de bem. Vocês vão ver.

A cerimônia terminou e os noivos, acompanhados pelos familiares e padrinhos, caminhavam para a saída.

Apesar da emoção do momento, Alzira viu Mirtes e Emília de relance. Foi muito rápido, mas tinha certeza de que eram elas. Em seguida, teve a sensação de ser abraçada e sentiu o perfume predileto de Mirtes.

— Vocês vieram! Que felicidade!

— O que disse? — indagou Valdo.

— Nada. Depois eu conto.

Enquanto Alzira se afastava com o marido, Mirtes e Emília aproximaram-se de Humberto, que estava ao lado de Antônia e dos filhos.

— É sua família — disse Mirtes.

— É nossa família.

De repente, Mirtes fixou Antônia e emocionou-se:

— Quem é ela? Acho que a conheço de algum lugar.

— É uma das nossas. Em breve, se casará com meu filho Renato. Serão muito felizes.

— Ela deve ser muito boa. Nunca senti tanto bem-estar perto de uma pessoa.

Emília sorriu, mas não respondeu. Depois de alguns instantes, disse:

— Agora precisamos ir. Vamos nos despedir.

Mirtes aproximou-se de Humberto e abraçou-o, dizendo-lhe ao ouvido:

— Obrigada por me amar mais do que mereço. Desejo que seja feliz.

Abraçou os rapazes e, quando abraçou Antônia, emocionou-se.

— Não sei o que é — confidenciou para Emília. — Mas, quando a abracei, senti carinho, apoio, segurança.

— Eu queria muito trazê-la aqui hoje, não só para que visse sua família, mas para que estivesse com Antônia.

— Por quê?

— Eu lhe havia dito que iria demorar para reencarnar, porém, diante de seu progresso, sua vontade de aprender, posso adiantar que, se continuar assim, talvez possa voltar à Terra pelos braços de Antônia.

— Quer dizer que poderei reencarnar em breve?

— É apenas uma hipótese. Conhecendo detalhes de seu passado e do dela, seria providencial. Contudo, é apenas uma possibilidade entre outras, que vai depender de você, deles, da vida.

— Eu gostaria muito! Assim teria Humberto como avô e poderia cercá-lo de carinho. Seria uma forma de acabar com a culpa que sinto quando o vejo chorar por mim.

Emília abraçou-a com carinho.

— Se você ficar firme e escolher o bem, pode ser que a vida lhe conceda essa bênção. Agora vamos embora.

A noite havia descido completamente sobre a Terra, e os três, abraçados, volitaram sobre as luzes da cidade, que iam ficando cada vez mais distantes.

Mirtes tinha os olhos marejados, uma vontade muito grande de agradecer por poder ter uma nova oportunidade de refazer seu caminho. Olhando a lua que brilhava em meio às estrelas, ela prometeu a si mesma que dali para a frente trabalharia muito para conquistar a própria felicidade.

Naquele momento, uma estrela cadente correu pelo céu, e ela teve certeza de que dessa vez conseguiria.

Poucos instantes depois, os três desapareceram rumo ao infinito.

FIM

CONHEÇA OS GRANDES SUCESSOS DE

GASPARETTO

E MUDE SUA MANEIRA DE PENSAR!

Atitude
Afirme e faça acontecer
Conserto para uma alma só
Cure sua mente agora!
Faça da certo
Gasparetto responde
O corpo, seu bicho inteligente
Para viver sem sofrer
Prosperidade profissional
Revelação da luz e das sombras
Se ligue em você (nova edição)
Segredos da prosperidade

Coleção Metafísica da saúde

Volume 1 – Sistemas respiratório e digestivo
Volume 2 – Sistemas circulatório, urinário e reprodutor
Volume 3 – Sistemas endócrino e muscular
Volume 4 – Sistema nervoso
Volume 5 – Sistemas ósseo e articular

Coleção Amplitude

Volume 1 – Você está onde se põe
Volume 2 – Você é seu carro
Volume 3 – A vida lhe trata como você se trata
Volume 4 – A coragem de se ver

Coleção Calunga

Calunga – Um dedinho de prosa
Calunga – Tudo pelo melhor
Calunga – Fique com a luz...
Calunga – Verdades do espírito
Calunga – O melhor da vida
Calunga revela as leis da vida

Livros infantis

A vaidade da Lolita
Se ligue em você 1
Se ligue em você 2
Se ligue em você 3

Saiba mais: www.gasparetto.com.br

GRANDES SUCESSOS DE
ZIBIA GASPARETTO

Com 20 milhões de títulos vendidos, a autora
tem contribuído para o fortalecimento da literatura
espiritualista no mercado editorial e para a popularização da
espiritualidade. Conheça os sucessos da escritora.

Romances
pelo espírito Lucius

A força da vida

A verdade de cada um

A vida sabe o que faz

Ela confiou na vida

Entre o amor e a guerra

Esmeralda

Espinhos do tempo

Laços eternos

Nada é por acaso

Ninguém é de ninguém

O advogado de Deus

O amanhã a Deus pertence

O amor venceu

O encontro inesperado

O fio do destino

O poder da escolha

O matuto

O morro das ilusões

Onde está Teresa?

Pelas portas do coração

Quando a vida escolhe

Quando chega a hora

Quando é preciso voltar

Se abrindo pra vida

Sem medo de viver

Só o amor consegue

Somos todos inocentes

Tudo tem seu preço

Tudo valeu a pena

Um amor de verdade

Vencendo o passado

Crônicas

A hora é agora!
Bate-papo com o Além
Conversando Contigo!
Pare de sofrer
Pedaços do cotidiano
O mundo em que eu vivo
Voltas que a vida dá
Você sempre ganha!

Coletânea

Eu comigo!
Recados de Zibia Gasparetto
Reflexões diárias

Desenvolvimento pessoal

Em busca de respostas
Grandes frases
O poder da vida
Vá em frente!

Fatos e estudos

Eles continuam entre nós vol. 1
Eles continuam entre nós vol. 2

Conheça mais sobre espiritualidade com outros sucessos.

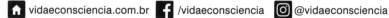 vidaeconsciencia.com.br 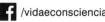 /vidaeconsciencia  @vidaeconsciencia

Rua das Oiticicas, 75 – SP
55 11 2613-4777

contato@vidaeconsciencia.com.br
www.vidaeconsciencia.com.br